«Una novela intensa en la que surgen cuestiones interesantes sobre la familia y la sexualidad, y la duda de si el rumbo de la vida es cuestión del destino o del libre albedrío.»
—The Oprah Magazine

«Laura Moriarty tiene un maravilloso talento para contar historias. *Una acompañante en Nueva York* atrapará tanto a los amantes del jazz como a los aficionados de las novelas históricas desde la primera página hasta la última.»
—Library Journal

«En esta fascinante novela el mundo de los años veinte recobra vida mientras todos celebramos los triunfos personales de Cora.»
—People

«Lo devorarás.»
—Marie Claire

«Elegante y conmovedora.»
—The Chicago Tribune

«Un retrato encantador de las mujeres en una época crucial.»
—Vogue

«Es imposible no dejarse embrujar por *Una acompañante en Nueva York.*»

**—Paula McLain, autora de *Mrs. Hemingway en París***

«Con agudeza y mucha empatía, Laura Moriarty da vida a Cora Carlisle, una mujer tradicional y un poco temerosa, y a las experiencias que la transforman.»

**—San Francisco Weekly**

«Emocionante y sabia. Un fino retrato de la vida americana durante los tumultuosos años veinte.»

**—The Washington Post**

«Un auténtico viaje al pasado muy logrado y una perfecta combinación de elementos ficticios y reales.»

**—buecher.de**

«La novela muestra una lucha de voluntades que causa un cambio repentino en el rumbo de las dos protagonistas, con resultados sorprendentes y conmovedores.»

**—Entertainment Weekly**

«Laura Moriarty escribe con talento y compasión sobre las infinitas posibilidades que nos ofrece la vida para cambiar y, en última instancia, para ser felices.»

**—Minneapolis Star Tribune**

«Una novela encantadora y luminosa, escrita por una autora cercana y sabia.»

**—Cleveland Plain Dealer**

«Son muchos los retos al escribir una novela histórica: dar forma a un personaje real, recrear una época pasada con sensibilidad moderna o introducir una investigación exhaustiva sin que se resulte pesada. Cuando esto se consigue con tanta habilidad, como en el caso de *Una acompañante en Nueva York*, el lector se ve transportado a otras épocas y lugares.»

—BookPage

«La protagonista Cora es una auténtica heroína que pasa de ser la típica mujer tradicional de la época a liberarse y adaptarse a los cambios, a pesar del peso de la educación y del entorno.»

**—biblio.com**

«Louise aporta una dosis temperamental a *Una acompañante en Nueva York,* pero es Cora Carlisle quien más debe luchar para adaptarse a la época cambiante en la que le ha tocado vivir. Laura Moriarty demuestra gran habilidad a la hora de combinar de forma impecable el presente, el futuro y el difícil pasado de Cora.»

**—Time Out**

«La autora consigue un retrato muy verosímil de los años veinte y da detalles sobre la moda, la escena cultural y las convicciones de la gente.»

**—lovelybooks.de**

# Laura Moriarty

# Una acompañante en Nueva York

En los vertiginosos años veinte, dos mujeres
muy distintas encontrarán su camino

*Traducción:*
CARLOS MILLA E ISABEL FERRER

MAEVA

Título original:
THE CHAPERONE

Diseño de cubierta:
ROMI SANMARTÍ

Imagen de cubierta:
© Cortesía de Louise Books Society

Fotografía de la autora:
© TRACY-RASMUSSEN

© LAURA MORIARTY, 2012
© de la traducción: CARLOS MILLA E ISABEL FERRER, 2014
© MAEVA EDICIONES, 2014
  Benito Castro, 6
  28028 MADRID
  emaeva@maeva.es
  www.maeva.es


ISBN: 978-84-15532-72-9
Depósito legal: M-1.949-2014

Fotomecánica: Gráficas 4, S.A.
Impresión y encuadernación: Huertas, S.A.
Impreso en España / Printed in Spain

PRIMERA PARTE

«Cuando una mujer hermosa cae en la insensatez, siempre
puede encontrar a alguien que caiga con ella, pero no
siempre a alguien que vuelva a elevarla
al nivel que le corresponde.»
—MR. GRUNDY para *Atlantic Monthly*, 1920

«También le excitaba el hecho de que muchos hombres
hubiesen amado a Daisy; en su opinión,
eso aumentaba su valor intrínseco.»
—F. SCOTT FITZGERALD, *El gran Gatsby*, 1925

«¡Garbo no existe! ¡Dietrich no existe!
¡Solo existe Louise Brooks!»
—HENRI LANGLOIS, 1955

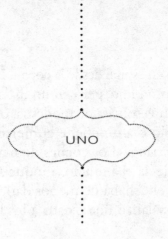

UNO

La primera vez que Cora oyó el nombre de Louise Brooks se hallaba en un Ford modelo T aparcado ante la biblioteca de Wichita, esperando a que parase de llover. Si Cora hubiese estado sola, y sin carga, quizá habría echado a correr por el césped y subido por los peldaños de piedra de la biblioteca, pero esa mañana su amiga Viola Hammond y ella habían ido de puerta en puerta por todo el barrio, recogiendo libros para la nueva sala infantil, y el sustancioso fruto de sus esfuerzos permanecía seco y a buen recaudo dentro de cuatro cajas en el asiento trasero. La tormenta, decidieron, sería pasajera, y no podían arriesgarse a que los libros se mojaran.

Y además, pensó Cora contemplando la lluvia, tampoco tenía nada mejor que hacer. Sus hijos pasarían todo el verano trabajando en una granja en los aledaños de Winfield y se habían ido ya. En otoño se marcharían a la universidad. Cora aún no se había acostumbrado del todo a la tranquilidad, ni a la libertad, de esa nueva etapa en su vida. Ahora, mucho después de terminar Della sus faenas del día, la casa permanecía limpia, sin huellas de barro en el suelo, sin discos esparcidos en torno al gramófono. No había disputas por el coche en que mediar, ni partidos de tenis en el club a los que ir a animar, ni redacciones que elogiar y corregir. La despensa y la heladera estaban bien abastecidas de comida sin necesidad de visitas diarias a la tienda. Ese día, con Alan en el trabajo, no tenía ningún motivo para darse prisa en volver a casa.

—Me alegro de que hayamos utilizado vuestro coche y no el nuestro —comentó Viola a la vez que se reacomodaba el sombrero, que era bonito: un turbante alto adornado con una pluma de avestruz cayendo en espiral desde la copa–. La gente dice que los coches cerrados son un lujo, pero en un día como este no es así.

Cora le dirigió una sonrisa de modestia, o eso esperaba transmitir. Aquel no solo era un coche cubierto, sino que además tenía arranque eléctrico. «Los coches de manivela no son cosa de damas», como decía el anuncio, aunque Alan había reconocido que tampoco él echaba de menos darle a la manivela.

Viola se volvió y lanzó una ojeada a los libros, en el asiento trasero.

–La gente ha sido generosa –admitió. Diez años mayor que Cora, de sienes ya plateadas, hablaba con la autoridad que le confería su edad–. En general. Te habrás dado cuenta de que Myra Brooks ni siquiera ha abierto la puerta.

Cora no se había percatado. Ella se había ocupado de la otra acera de la calle.

–Tal vez no estaba en casa.

–He oído el piano. –Viola deslizó la mirada hacia Cora–. No se ha molestado en parar de tocar cuando he llamado. Aunque lo hace muy bien, debo admitir.

Un relámpago surcó el cielo al oeste, y si bien las dos dieron un respingo, Cora, sin pensarlo, sonrió. Siempre le habían gustado esas tormentas de finales de primavera. Llegaban en un abrir y cerrar de ojos, avanzando desde la llanura en columnas de nubes en expansión, un grato alivio después del calor del día. Una hora antes, mientras Cora y Viola recolectaban los libros, lucía un sol caliente en el cielo azul. Ahora la lluvia caía con tal fuerza que cortaba las hojas verdes del gran roble plantado ante la biblioteca. Las lilas temblaban y se mecían.

–¿No te parece que es una esnob insoportable?

Cora vaciló. No le gustaba el chismorreo, pero la verdad era que no podía considerar a Myra Brooks amiga suya. ¿Y a cuántas reuniones de sufragistas habían asistido juntas? ¿Cuántas veces se habían manifestado juntas en la calle? Así y todo, si Cora se cruzara en ese momento con Myra en Douglas Avenue, esta ni siquiera la saludaría. Pero siempre había tenido la sensación de que Myra actuaba de esta manera no tanto por esnobismo como porque simplemente no registraba su existencia, y cabía la posibilidad de que no fuera nada personal. Al parecer, Myra Brooks no miraba a nadie, según había observado Cora, no a menos que fuera ella quien hablaba, y en ese caso solo miraba a los demás porque estaba pendiente de la impresión que causaba. Y sin embargo a ella sí la miraba todo el mundo, claro. Era tal vez la mujer más hermosa que Cora había visto en persona: tenía una tez pálida, sin tacha, y grandes ojos oscuros, además de todo aquel pelo abundante y oscuro. Sin duda poseía talento como oradora: nunca hablaba con voz estridente y su dicción era nítida. Pero todos sabían que la razón por la que Myra se había convertido en una portavoz especialmente útil para el movimiento era su físico, un buen antídoto ante la idea que ofrecía la prensa sobre la imagen de una sufragista. Y saltaba a la vista que era inteligente, cultivada. Según decían, lo sabía todo sobre la música, conocía las obras de todos los compositores famosos. Y sabía cautivar, eso por descontado. Una vez, desde el estrado, miró a Cora a los ojos y le sonrió como si fueran amigas.

—En realidad no la conozco —dijo Cora. Volvió a mirar por el parabrisas borroso y observó a la gente que salía de un tranvía y corría para ponerse a cubierto. Alan había ido a trabajar en tranvía, y por eso ella pudo disponer del Ford.

—Pues yo te informaré: Myra Brooks es una esnob insoportable. —Viola se volvió hacia Cora con una sonrisita, y la pluma de avestruz le rozó la barbilla—. Este es el último ejemplo: acaba de enviar una nota a la secretaría del club. Por lo visto, *madame* Brooks busca a alguien para que acompañe a una de sus hijas a Nueva York este verano. La mayor, Louise, ha sido admitida en una prestigiosa academia de danza de allí, pero solo tiene quince años. De hecho, Myra quiere que vaya con ella una de nosotras. ¡Durante más de un mes! —Viola parecía gratamente indignada, las mejillas arreboladas, los ojos encendidos—. Francamente, ¿qué quieres que te diga? Pero ¿qué se ha creído? ¿Que somos las criadas? ¿Que una de nosotras será su niñera irlandesa? —Frunció el ceño y movió la cabeza en un gesto de negación—. Casi todas tenemos maridos progresistas, pero no me imagino a ninguno de ellos prescindiendo de su esposa durante más de un mes para que vaya nada menos que a Nueva York. Y ella, Myra, no puede ir de tan ocupada como está. Tiene que quedarse tirada en su casa, tocando el piano.

Cora apretó los labios. Nueva York. Sintió de inmediato el anhelo de otros tiempos.

—Bueno, debe de tener otros hijos a los que cuidar.

—Sí, claro que sí, pero esa no es la razón. No se ocupa de ellos. No tienen madre, esos niños. La pobre Louise va a catequesis sola. El tutor es Edward Vincent, y cada domingo pasa a recogerla por su casa y luego la lleva de vuelta. Lo sé porque me lo ha contado la esposa de él. Myra y Leonard son presuntamente presbiterianos, pero nunca se los ve en la iglesia, ¿verdad que no? Es que son muy sofisticados, ¿entiendes? Tampoco obligan a los otros hijos a ir.

—Eso dice mucho en favor de la hija, que hace el esfuerzo de ir sola. —Cora ladeó la cabeza—. No sé si la he visto alguna vez.

—¿A Louise? Huy, te acordarías. Es inconfundible. Tiene el pelo negro como Myra, pero totalmente liso, como una oriental, y lo lleva cortado a lo paje. —Viola se señaló justo por debajo de las orejas—. No es por seguir la moda del peinado *bob*. Se lo cortó hace ya años, cuando se mudaron aquí. Lo lleva demasiado corto y austero... Horrible, en mi opinión, nada femenino. Aun así, debo decir que es una chica guapísima. Más que su madre. —Sonriendo, se recostó en el asiento—. En eso hay cierta justicia, creo yo.

Cora intentó imaginarse a esa chica morena, más hermosa que su hermosa madre. Se llevó la mano enguantada a la parte de atrás del pelo, que era oscuro pero no destacaba. Desde luego no lo tenía totalmente liso, pero le quedaba presentable, o eso esperaba, recogido bajo el sombrero de paja. Le habían dicho que el suyo era un rostro agraciado, de expresión amable, y podía considerarse afortunada por su buena dentadura. Pero en conjunto eso no daba lugar a una belleza rutilante. Y contaba ya treinta y seis años.

—Mis propias hijas amenazan con cortarse el pelo —comentó Viola con un suspiro—. Tonterías. Eso del *bob* no es más que una fiebre. Cuando pase, todas las que se han dejado arrastrar por la moda tardarán años en volver a tenerlo largo. Mucha gente se niega a contratar a chicas con el peinado *bob*. Yo intento prevenirlas, pero no me hacen caso. Se ríen de mí. Además, tienen su propio vocabulario, un código secreto que utilizan ellas y sus amigas. ¿Sabes cómo me llamó Ethel el otro día? Me llamó *wurp*. Esa palabra no existe. Pero cuando se lo digo, se echan a reír.

—Solo quieren ponerte nerviosa —dijo Cora con una sonrisa—. Y estoy segura de que a la hora de la verdad no se cortarán el pelo. —Ciertamente parecía poco probable. En las revistas se veía un sinfín de chicas con el pelo corto, pero en Wichita el *bob* era todavía una rareza—. Aun así, opino que a algunas chicas les queda bien —añadió Cora tímidamente—. El pelo corto, quiero decir. Y una debe de sentirse más fresca y más ligera. Imagina: podrías tirar todas tus horquillas a la basura.

Viola la miró enarcando las cejas.

—No te preocupes. No lo haré. —Cora volvió a tocarse el pelo por detrás—. Aunque quizá sí lo haría si fuera más joven.

Ahora la lluvia, más intensa, repiqueteaba con fuerza en el techo del coche. Viola se cruzó de brazos.

—Pues si mis hijas se cortan el pelo, no será para tirar las horquillas a la basura, eso te lo aseguro. Lo harán para provocar. Para tener un aspecto provocativo. En eso consiste la moda hoy día, según parece. Eso es lo que se proponen todos los jóvenes. —Más que confusa o indignada, se la veía escandalizada—. No lo entiendo, Cora. Las crié para que tuvieran sentido del decoro. Y de pronto las dos están obsesionadas con enseñar las rodillas a todo el mundo. Se recogen las faldas al salir de casa. Me he dado cuenta por las cinturillas. Sé que me desafían. Además, se bajan las medias. —Mientras contemplaba la lluvia, se formaron arrugas bajo sus ojos—. Lo que no entiendo es por qué lo hacen, qué se les ha metido en esas cabecitas suyas, cómo es que no les preocupa la imagen que ofrecen. Cuando yo era joven, nunca sentí la necesidad de enseñar las rodillas en público. —Cabeceó—. Esas dos me dan más disgustos que mis cuatro hijos varones juntos. Te envidio, Cora. Tienes suerte de tener solo hijos.

Quizá, pensó Cora. Ciertamente le complacía la actitud masculina de los gemelos, su salud robusta y su seguridad en sí mismos, su gusto práctico en la indumentaria, sus reconciliaciones fáciles después de las peleas acaloradas. Earle era más menudo y callado que Howard, pero incluso él parecía capaz de olvidarse de todas las preocupaciones cuando empuñaba una raqueta o un bate. A Cora le agradaba también que los dos quisieran trabajar en una granja, y que vieran la vida rural y la actividad física como una aventura, aunque le preocupaba que no imaginasen siquiera la cantidad de trabajo a la que se habían comprometido. Y sabía que en efecto había sido afortunada con sus hijos, y no únicamente en el sentido que le daba Viola. Los Henderson, sus vecinos, tenían un hijo solo cuatro años mayor que los gemelos. Pero esos pocos años habían representado una gran diferencia: Stuart Henderson murió a principios de 1918, combatiendo en Francia. Al cabo de cuatro años, Cora aún no salía de su asombro. Para ella, Stuart Henderson sería siempre un adolescente desgarbado que sonreía y saludaba desde su bicicleta a sus propios hijos, estos por entonces pequeños, todavía en pantalón corto. Sin duda, parecía que la suerte con los hijos dependía del momento en que nacían.

Pero al margen de lo que dijera Viola, Cora pensaba que se las habría arreglado igual de bien de haber tenido hijas. Posiblemente, con la combinación adecuada de instrucción y comprensión, no habría tenido el menor problema con niñas. Quizá Viola se equivocaba en su planteamiento.

—Te lo digo en serio, Cora. A esta nueva generación le pasa algo. No les interesa ninguna de las cosas importantes. Cuando nosotras éramos jóvenes, deseábamos votar. Queríamos la reforma social. Hoy día las chicas solo quieren... pasearse por ahí prácticamente desnudas para que las contemplen. Es como si no tuvieran ninguna otra vocación.

Cora no podía discrepar. Realmente era un escándalo la cantidad de piel que enseñaban las chicas en esos tiempos. Y ella no era una vieja puritana ni una señora Grundy, y casi con toda certeza no era una *wurp*, aunque tampoco ella sabía qué significaba esa palabra. Cora se alegró cuando los dobladillos subieron veintidós centímetros por encima del tobillo. Se veía un poco la pierna, cierto, pero ese cambio parecía sensato: se acabó eso de arrastrar las faldas por el barro, de llevar a casa la fiebre tifoidea y a saber qué más. Y un dobladillo hasta las pantorrillas era sin duda preferible a las ridículas faldas de tubo, estrechísimas en torno a los tobillos, con las que ella misma, en su día, había ido de aquí para allá con paso tambaleante, y todo por seguir la moda. Aun así, ahora las chicas lucían faldas tan cortas que enseñaban las rodillas cada vez que soplaba el viento, y para eso no existía ninguna razón práctica. Viola tenía razón: una chica con una falda así de corta solo quería que la miraran, y que la miraran de una manera determinada. Cora incluso había visto a unas cuantas mujeres de su misma edad enseñar las rodillas, allí en Wichita, y la verdad era que esas matronas medio desnudas ofrecían una imagen especialmente vulgar, o eso opinaba ella.

Viola la miró y se le iluminó el rostro.

—Esa es una de las razones por las que voy a unirme al Klan.

Cora se volvió.

—¿Cómo?

—El Klan. El Ku Klux Klan. Enviaron a un representante al club la semana pasada. Ojalá hubieras estado allí, Cora. Tienen mucho interés en que se incorporen mujeres, en que ocupen cargos.

—No lo dudo —musitó Cora—. Nosotras votamos.

—No seas cínica. Hablaron de cuestiones mucho más concretas. Saben que están en juego asuntos serios que atañen a las mujeres, y que las mujeres necesitan participar en la lucha. —La pluma de avestruz oscilaba mientras hablaba—. Se oponen a toda esta modernización, todas estas influencias externas en nuestra juventud. Están interesados en la pureza racial, desde luego, pero están igual de interesados en inculcar pureza personal en las jóvenes. Necesitamos mantener pura nuestra raza, y bien sabe Dios que necesitamos preservar su continuidad. Mi cuñado dice que se avecina un auténtico asalto al poder, y lo están planeando todo en los sótanos del Vaticano. Esa es la verdadera razón por la que los católicos tienen tantos hijos, ¿sabes?, y entretanto nosotros solo tenemos uno o dos, o ninguno... —La voz de Viola se apagó. Apretó los labios. Cora tardó un momento en comprender–. Lo siento. No me refería a ti. Tu situación es distinta.

Cora le restó importancia con un gesto. Los gemelos eran sus únicos hijos. Pero tanto ella como Viola guardaron silencio por un momento, y únicamente se oyó el golpeteo de la lluvia.

—En cualquier caso —añadió por fin Viola—, creo que sería bueno para las chicas mezclarse con personas buenas y morales.

Cora tragó saliva, sintiendo que le faltaba el aliento. Llevaba corsé un día tras otro desde hacía tantos años que casi nunca lo percibía como una incomodidad. Le parecía que formaba parte de su cuerpo. Pero en momentos de malestar, como ese, cobraba conciencia de la opresión en su caja torácica. Tendría que elegir las palabras con cuidado. No podía mostrar un interés personal.

—Huy, Viola. ¿El Klan? No sé —dijo con tono despreocupado, para no delatar su verdadera opinión—. Con esos hábitos blancos, y esas capuchas con los horripilantes agujeros para los ojos... —Agitó las manos enguantadas—. Y todo eso de los brujos y los brujos mayores y las hogueras... —A la vez que sonreía, observó los pequeños ojos azules de Viola, analizando lo que veía en ellos. Tenía que plantearse sus opciones, el mejor camino hacia el resultado deseado. Viola era mayor, pero Cora era más rica. Podía sacar partido de eso—. Simplemente parece un poco... vulgar. —Se encogió de hombros, en actitud de disculpa.

Viola ladeó la cabeza y dijo:

—Pero mucha gente es...

—Precisamente.

Cora volvió a sonreír. Había elegido la palabra correcta, la más exacta. Era como si estuvieran de compras en los grandes almacenes Innes y Cora hubiese mostrado desdén ante una porcelana con un dibujo feo. Sabía ya, con toda certidumbre, que Viola se lo replantearía.

Cuando paró de llover, se apearon y llevaron las cajas adentro, esquivando los charcos, dos viajes cada una. Dentro, mientras esperaban a la bibliotecaria, charlaron de otras cosas. Hojearon un ejemplar en un estado impecable de *Alicia en el*

*País de las Maravillas,* sonriendo ante las ilustraciones. Se detuvieron en el hotel Lassen para tomar un té, y después Cora llevó a Viola a casa.

Muchos años más tarde, este tranquilo regreso a casa con Viola sería la parte de la historia a causa de la cual Cora, al contarla, perdería momentáneamente la buena opinión que de ella tenía una sobrina nieta a la que adoraba. Esta sobrina nieta, quien a los diecisiete años, dicho sea de paso, llevaba el pelo mucho más largo de lo que habría querido su madre, en 1961 se echaría a llorar de pura frustración por no tener edad para unirse a los Jinetes de la Libertad en el sur. A menudo reñía a Cora por emplear la expresión «de color», pero en general le demostraba más paciencia que a sus padres, entendiendo que su tía Cora no era una persona odiosa, sino solo una anciana con un lenguaje contaminado.

Pero esa paciencia se vio puesta a prueba cuando oyó hablar de Viola. La sobrina nieta de Cora no podía comprender por qué su tía abuela había conservado la amistad de una mujer que se planteó siquiera unirse al Klan. ¿Es que no sabía qué le hacían a la gente? Su sobrina nieta miraba a Cora con desprecio, los ojos llorosos y desolados. ¿Es que no estaba al corriente de sus cobardes crímenes? ¿Del asesinato de personas inocentes?

Sí, decía Cora, pero al final Viola no se incorporó al Klan. Solo porque era una esnob, replicaba su sobrina nieta. No porque el Klan fuera repugnante. Eran otros tiempos, se limitaba a decir Cora, defendiendo a su vieja amiga, que ya había muerto hacía tiempo. (De cáncer. Había empezado a fumar cuando sus hijas adquirieron este hábito.) Ten en cuenta las cifras, intentaba explicar Cora. Aquel día lluvioso con Viola tuvo lugar a principios del verano de 1922, cuando el Klan contaba con seis mil miembros en el término municipal de la ciudad, y en Wichita solo había ocho mil almas en total. Eso no era anormal en aquellos tiempos. El Klan iba en aumento en muchas localidades, en muchos estados. ¿Acaso la gente era más tonta entonces? ¿Más vil? Podía ser, admitió Cora. Pero era un error pensar que si hubieras vivido en esa época, no habrías pecado de la misma ignorancia, siendo incapaz de salir de ella por medio del razonamiento. La propia Cora había escapado de esa estupidez en particular solo por sus circunstancias especiales. Otras confusiones la habían acompañado durante más tiempo.

Ahora hay estupidez de sobra, afirmó la sobrina nieta, y yo sé distinguirla. Cierto, concedió Cora, y yo me enorgullezco de ti por eso. Pero quizá haya aún más, y tú no te das cuenta. ¿Sabes de qué estoy hablando, cariño? Para alguien que se cría junto a los corrales, ese olor es sencillamente el olor del aire. No sabes qué podría pensar de ti algún día una persona más joven, y del hedor que aún respiramos sin darnos cuenta, sea el que sea. Escúchame, cariño. Por favor. Soy vieja, y esto es algo que he aprendido.

Después de dejar a Viola en su casa, Cora regresó al centro y aparcó en Douglas, justo delante del despacho de Alan. Nadie la miró dos veces cuando se apeó del coche. Apenas dos años antes, uno de los acontecimientos más comentados en la Feria del Trigo anual fue el Desfile de Conductoras. Ni siquiera entonces los organizadores tuvieron grandes dificultades para encontrar a casi veinte mujeres deseosas de exhibir su aptitud al volante de distintos coches. Cora condujo el quinto de la fila, con Alan sentado orgullosamente junto a ella.

Tuvo que empujar con fuerza la enorme puerta del despacho de Alan, y cuando por fin logró abrirla vio y percibió por qué le había costado tanto. El ventanal de la sala delantera estaba abierto a la brisa enfriada por la lluvia, y un gran ventilador eléctrico apuntaba directamente hacia ella. A su izquierda se sentaban dos jóvenes mecanógrafas a las que no conocía. La secretaria de Alan, de pie detrás de otro escritorio, accionaba con las dos manos el manubrio de una multicopista rotativa. Cuando reparó en la presencia de Cora, se interrumpió.

—¡Vaya, señora Carlisle! ¡Encantada de verla!

Cora advirtió que el tecleo cesaba y las mecanógrafas alzaban la vista para mirarla de arriba abajo. A ella no le sorprendió verse sometida a tal examen. Su marido era un hombre apuesto. Cora sonrió a las chicas. Las dos eran jóvenes, y una de ellas muy bonita. Ninguna planteaba la menor amenaza.

—Permítame avisarlo de que está usted aquí —dijo la secretaria. Llevaba un delantal manchado de tinta sobre el vestido.

—No, no —respondió Cora, echando una ojeada a su reloj—. No lo moleste, por favor. Son casi las cinco. Esperaré.

Pero la puerta del despacho de Alan se abrió. Él asomó la cabeza y sonrió.

—¡Cariño! Ya me parecía a mí que había oído tu voz. ¡Qué agradable sorpresa!

Se dirigía ya hacia ella con los brazos extendidos, alto y esbelto con su terno: una imagen digna de verse, ciertamente. Tenía doce años más que Cora, pero conservaba una buena mata de cabello castaño oscuro. Cora miró de soslayo a las mecanógrafas justo lo suficiente para comprobar que mantenían toda su atención puesta en ella, como si fuera la heroína de una película muda. Alan se inclinó para besarla en la mejilla, emanando un tenue aroma a puro. A Cora le pareció oír suspirar a alguien.

—Te has mojado —comentó él, tocándole el ala del sombrero con dos dedos. Lo dijo con cierto tono de reprensión.

—Ya solo chispea, pero es posible que vuelva a llover más —dijo ella en voz baja—. He pasado para ver si querías que te llevara a casa. No pretendía interrumpirte.

Su aparición no era ninguna molestia, aseguró él. Le presentó a las mecanógrafas y elogió sus aptitudes a la vez que guiaba a Cora con delicadeza hacia su despacho apoyando la mano en su cintura. Había allí unos hombres que quería que conociera, dijo, unos clientes nuevos de la compañía del gas y el petróleo. Tres hombres se pusieron en pie cuando Cora entró y ella los saludó cortésmente, intentando memorizar sus rostros y sus nombres. Estaban encantados de conocerla, dijo uno: su marido había hablado de ella en términos muy elogiosos. Cora fingió sorprenderse, desplegando una sonrisa tan ensayada que parecía real.

Y al cabo de un momento eran ya las cinco, hora de marcharse. Alan estrechó la mano a los tres hombres, se puso el sombrero, tomó el paraguas del paragüero y, bromeando, se disculpó por las prisas, pero su coche lo esperaba. Los hombres le sonrieron a él y luego a ella. Alguien propuso una velada en un futuro cercano. Su mujer telefonearía a Cora para ponerse de acuerdo en la fecha.

—Será un placer —dijo ella.

Cuando salieron, la lluvia, en efecto, había arreciado. Alan se ofreció a acercar el coche a la puerta, pero ella insistió en que no era necesario si compartían el paraguas. Corrieron hacia el coche, muy juntos, con las cabezas gachas. Él le abrió la puerta y le ofreció el apoyo del brazo mientras ella subía al asiento del acompañante, tapándola en todo momento con el paraguas hasta que ella estuvo a salvo dentro.

En el coche seguían manteniendo un trato cordial, aunque el ambiente entre ellos siempre era distinto cuando estaban a solas. Cora le habló de la biblioteca y la sala infantil, y él la felicitó por su buena acción. Ella dijo que había estado fuera de casa casi todo el día. Tendría que calentar un poco de sopa para la cena, pero había pasado por el mercado y podía preparar una buena ensalada, y quedaba pan. Una cena ligera le parecía bien, dijo él. Ahora que los chicos se habían ido, no era lo mismo sentarse a la mesa para una comilona, y más les valía acostumbrarse. Si tomaban un bocado rápido, añadió él, podían ir luego al cine y ver la película que hubiera en cartel. Cora accedió, complacida con la idea. De cuantos maridos conocía, el suyo era el único dispuesto a acompañarla a ver cualquier cosa; de hecho, había aguantado entera *El caíd* sin poner cara de hastío cuando salía Valentino. En ese sentido, Cora tenía suerte. Tenía suerte en muchos sentidos.

Así y todo, se aclaró la garganta.

—Alan, ¿conoces a Leonard Brooks?

Cora aguardó su gesto de asentimiento, pese a que ya sabía la respuesta. Alan conocía a todos los demás abogados de la ciudad.

—Verás —prosiguió ella—, su hija mayor ha entrado en una academia de danza de Nueva York. Su mujer y él quieren que una mujer mayor casada la acompañe. Durante el mes de julio, y parte de agosto. —Frotó los labios entre sí—. Creo que voy a ir.

20

Cora lanzó una breve mirada a Alan y advirtió su sorpresa antes de volverse de nuevo hacia su ventanilla. Ya se acercaban a casa, circulando por las calles arboladas, dejando atrás las bonitas residencias y los cuidados jardines de sus vecinos. Era mucho lo que echaría de menos en su ausencia: las reuniones en el club y el té con las otras mujeres, el picnic de verano en los montes Flint. Muy probablemente se perdería el nacimiento del cuarto hijo de una amiga, lo cual era una pena, ya que iba a ser la madrina del niño. Echaría en falta a sus amigas, y también a Alan, naturalmente. Y esas calles que tan bien conocía. Pero su mundo seguiría allí cuando ella regresara, y esa era su ocasión para ir.

Alan guardó silencio hasta que se detuvieron ante la casa. Cuando habló, lo hizo con voz queda y tono cauto.

—¿Cuándo has tomado esa decisión?

—Hoy. —Cora se quitó un guante y, recorriendo el cristal con la yema de un dedo, siguió la trayectoria de una gota de lluvia—. No te preocupes. Volveré. No es más que una pequeña aventura. Como la de los gemelos en la granja. Estaré de regreso antes de que se marchen a la universidad.

Cora alzó la vista para contemplar la casa, preciosa incluso bajo la lluvia, aunque demasiado grande para ellos. Era una casa construida —y comprada— para una familia numerosa, pero, dadas las circunstancias, nunca habían utilizado la tercera planta más que como cuarto de juegos, y más tarde a modo de almacén. Aun así, ni siquiera ahora que los gemelos se habían marchado querían venderla, ni Alan ni ella. Seguía agradándoles ese vecindario tranquilo, y también les gustaba la casa, lo majestuosa que se veía desde la calle con su porche circundante y la torreta rematada en punta. Se decían, a modo de justificación, que para los gemelos sería agradable reencontrarse con un lugar familiar cuando regresaran a casa. Conservarían las habitaciones de los chicos tal como ellos las habían dejado, con las camas hechas, sus antiguos libros en las estanterías, para atraerlos así en las vacaciones de verano y en las fiestas.

—¿La ciudad de Nueva York? —preguntó Alan.

Ella asintió.

—¿Tienes alguna razón en particular para querer ir?

Ella se volvió y abarcó con una sola mirada sus ojos de expresión cálida y su mentón hendido, bien afeitado. La primera vez que ella le vio la cara, no era más que una niña. Hacía diecinueve años que vivían bajo el mismo techo. Él sabía cuál era esa razón en particular.

—Puede que escarbe un poco —contestó ella.

—¿Estás segura de que es lo mejor?

—Puedo hablar con Della por la mañana para que venga más temprano, o que se quede hasta más tarde. O lo uno y lo otro. —Sonrió—. En el peor de los casos, ganarás peso. Es mucho mejor cocinera que yo.

—Cora. —Alan cabeceó—. Sabes que no es eso lo que estoy preguntando.

Ella desvió la mirada, con la mano apoyada ya en la puerta. Dio por concluida la conversación. Había tomado la decisión de ir, y como los dos sabían muy bien, entre ellos ya estaba todo dicho.

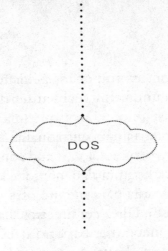

## DOS

Los Brooks vivían en North Topeka Street, tan cerca de casa de Cora que otra mujer habría tardado menos de un cuarto de hora en ir a pie. Pero a Cora le llevó mucho más tiempo porque, como era su costumbre desde hacía tiempo, cada vez que oía el motor de un coche que pasaba, levantaba el parasol para ver si era alguien a quien conocía. Si un amigo suyo o de Alan tenía la amabilidad de parar para preguntar si necesitaba que la llevara o para hacer algún comentario sobre el tiempo de aquella magnífica mañana de junio, ella se detenía con mucho gusto para conversar durante unos minutos. Agradecía la vida de barrio, sobre todo en esa pequeña ciudad que aún le parecía muy grande después de tantos años. Esa mañana, no obstante, dijo que no a cuantos se ofrecieron a llevarla en coche, y se limitó a explicar que iba a reunirse con una amiga.

Aun así, llegó a su destino a tiempo, ya que había salido de casa temprano en previsión de las distracciones, y el reloj marcaba las once en punto cuando tuvo a la vista la casa de los Brooks. Pese a estar pintada de un gris apagado, era difícil pasarla por alto. En una manzana de casas grandes, era con diferencia la mayor de todas; sus tres plantas ocupaban más de la mitad de la distancia entre la calle y el callejón trasero. En realidad, parecía excesiva, demasiado grande para la parcela de tamaño medio que ocupaba. Todas las ventanas delanteras estaban abiertas a la brisa, excepto una con una grieta irregular a lo largo del marco, quizá demasiado frágil para levantarla. El césped alrededor estaba recién cortado, y varios lilos, aún en flor, encuadraban el umbrío porche de piedra caliza. Cuando Cora subió por los peldaños de la escalinata, un abejorro la circundó dos veces antes de perder interés y alejarse zumbando.

Myra abrió la puerta con una sonrisa, y Cora recordó de pronto, no sin cierta sorpresa, lo menuda que era su anfitriona. La propia Cora era de estatura algo inferior a la media y no estaba habituada a bajar la vista para mirar a otra mujer adulta, pero superaba a Myra casi en diez centímetros. La imagen que tenía de Myra no era de una mujer baja: no se la veía precisamente baja cuando estaba en el estrado, y tenía la voz grave de una mujer más alta. Pese a su escasa estatura, Cora nunca había oído a nadie calificar a Myra Brooks de «mona» o «adorable» o siquiera «bonita». Decían que era «hermosa» o «cautivadora» o «atractiva». Ese día, incluso el cuello pálido de Myra parecía largo, alzándose desde una blusa de seda blanca con cuello camisero redondo, y la falda, con la cintura pinzada y un pudoroso dobladillo justo por encima del tobillo, confería a su cuerpo una apariencia aún más alargada. Un mechón de pelo oscuro había escapado del moño, en la parte de atrás de la cabeza, y le caía casi hasta el hombro.

—Cora. Cuánto me alegro de verte. —Tenía una voz apaciguadora, melodiosa y casi convincente. Por teléfono había simulado saber quién era Cora. Ahora tomó con una mano la de Cora y con la otra el parasol—. ¿Has venido caminando? ¿Con este calor? Me tienes impresionada. Yo con este sol me amustio, te lo aseguro.

—No son más que unas pocas manzanas —respondió Cora, pese a tener la espalda húmeda de sudor. Sacó el pañuelo del bolso y se enjugó la frente con unos toquecitos. Myra esperó, y era cierto que, examinándola de cerca, se la veía un tanto rendida. Llevaba mal abrochados los botones de nácar de la blusa, con lo que le quedaba un ojal de más en la garganta y un botón de nácar de más en la parte de abajo.

—Ven a sentarte, por favor. Te traeré una limonada. ¿O prefieres un té? Y perdona por el estado de la casa. —Sacudió la cabeza, apartando la mirada—. La chica suele venir a las nueve, pero por alguna razón hoy no ha dado señales de vida. Y no tiene

24

teléfono, claro está. —Levantó las manos al aire y suspiró—. Lo único que puede hacerse es esperar.

Cora asintió, comprensiva, aunque ella siempre intentaba limpiar lo mejor posible antes de que Della llegase, para no causarle una mala impresión, para que Della no volviera a su casa y contara a los suyos que su señora blanca era muy dejada. Mientras seguía a Myra al salón, vio claramente que a su anfitriona no le agobiaba esa clase de preocupaciones. La sala en sí era preciosa, amplia y diáfana, y corría el aire gracias a las dos grandes ventanas. Pero reinaba el desorden. En el suelo, sin motivo aparente, había una cuchara, una estilográfica, una raqueta de bádminton, un calzador y también una muñeca desnuda a la que le faltaba un ojo azul. Más allá, asomando debajo de un encantador canapé de brocado, se veían unos calcetines sucios al lado de un ejemplar abierto y boca abajo de *Cándido*. Cora fingió no ver los calcetines e intentó respirar por la boca. Pese a las ventanas abiertas, impregnaba el aire un claro olor a pan quemado.

Myra suspiró.

—He estado toda la mañana trabajando en el piso de arriba. La semana que viene doy una charla sobre Wagner. —Se agachó para recoger la cuchara, la muñeca y la raqueta—. Los niños me están volviendo loca. Se supone que ni siquiera deberían entrar en el salón. Estoy muy abochornada, de verdad. Enseguida vuelvo. ¿Un té? ¿Has dicho que te apetece un té? ¿O limonada?

Cora tardó un momento en contestar. Había esperado la perfección, habitaciones tan hermosas como la propia Myra.

—Una limonada está bien.

Myra salió por una puerta corredera y la cerró. Cora se quedó de pie donde estaba, preguntándose si debía esconder de un puntapié los calcetines sucios debajo del canapé. Tras una breve vacilación, lo hizo, y después, satisfecha del resultado, volvió a examinar el salón. Había libros, observó, por todas partes. *El latín sin esfuerzo* descansaba en el alféizar de la ventana, y el marcapáginas, una cinta verde deshilachada, flameaba por efecto de la brisa. Una pequeña pila de libros se alzaba en la mesita de centro. Se acercó un paso y echó un vistazo a los títulos. *Los poemas de Goethe.*

*Un artista en Corfú. Las aventuras de Sherlock Holmes. El origen de las especies.* En el suelo, bajo una silla tapizada, vio *Las obras selectas de Shakespeare,* colocado allí como si fuera un escabel.

Unos pasos rápidos descendieron por una escalera entre los crujidos de los peldaños, y al cabo de un momento entró desde el pasillo una niña de pelo rizado de unos siete años. Con una cuchara comía de una taza de té algo que parecía baño de chocolate, y tenía embadurnadas la pechera de la blusa, las mejillas pálidas y la punta de la nariz. Se sobresaltó al descubrir la presencia de Cora.

—Hola —saludó Cora con su tono más tierno—. Soy la señora Carlisle, amiga de tu madre. Estoy aquí esperándola.

La niña engulló otra cucharada de chocolate.

—¿Dónde está mi madre?

Cora señaló con la cabeza la puerta corredera cerrada.

—Ahí dentro, creo.

La puerta se abrió. Myra entró despreocupadamente en el salón con un vaso de limonada en cada mano. Su sonrisa desapareció en cuanto vio a la niña.

—Cariño, ¿qué comes? —Aunque habló con suavidad, sin levantar la voz, entregó a Cora las dos limonadas para quitarle la taza y la cuchara a la niña. Miró el contenido de la taza y torció el gesto—. June. Esto no es un almuerzo aceptable. No veo necesidad de decírtelo. Ve al baño y lávate la cara. Luego ve a buscar a Theo.

—Está jugando al bádminton él solo —respondió la niña—. Ha dicho que no quería jugar con nadie.

—Tonterías. Acabo de encontrar la otra raqueta donde él no debería haberla dejado, y ahora está junto a la puerta de atrás. Cuando te hayas lavado, ve a buscarla, y luego sal a jugar con Theo. Mamá tiene visita. Y no se hable más.

Dicho esto, Myra se volvió hacia Cora, de nuevo sonriente, y recuperó una de las limonadas. Ahora, advirtió Cora, tenía bien abrochada la blusa.

—Por favor —dijo, señalando la silla tapizada.

—¡Cuántos libros! Estoy impresionada —comentó Cora. Al sentarse, procuró no tocar con los pies el Shakespeare que había bajo la silla.

—Ah. —Myra puso cara de desesperación—. Los niños siempre los dejan tirados por ahí. No pueden guardarlos en la biblioteca porque Leonard tiene allí los libros de derecho. De hecho, esa parte de la casa está inclinándose de tantos como hay, y pesan lo suyo. —Vio sonreír a Cora y movió la cabeza—. No. En serio. Los cimientos se han hundido treinta y cinco centímetros. Por eso se agrietan las ventanas. Y no está dispuesto a deshacerse de un solo libro.

Cora rebuscó en su cabeza alguna queja menor que plantear sobre Alan, aunque solo fuera para manifestar comprensión. Pero no se le ocurrió nada comparable. Alan también tenía muchos libros de derecho, pero estaba segura de que si los cimientos empezaran a hundirse bajo su peso, él se desprendería de unos cuantos.

Se miraron. Cora consideraba que era Myra quien debía iniciar la conversación.

—Una niña preciosa —comentó, señalando la puerta corredera por la que había desaparecido June.

—Gracias. Espera a ver a Louise.

Cora la miró sin comprender. Myra reparó en su expresión y se encogió de hombros.

—Nunca la has visto, deduzco. Disculpa. Solo pretendo ser franca. Pienso que debo serlo, dado el carácter de la... misión para la que te has ofrecido voluntaria. —Miró a Cora con escepticismo—. Debes saber que serás la acompañante de una chica que no solo es excepcionalmente guapa, sino también muy terca.

Cora se quedó desconcertada de nuevo. Por lo visto, no hacía falta conversación alguna: Myra ya había decidido que Cora era una acompañante adecuada. Cora había imaginado que recibiría la aprobación a posteriori, junto con alguna muestra de gratitud, pero también había esperado que Myra hiciera antes alguna pregunta, algún simulacro de entrevista.

—He oído decir que es muy guapa —respondió Cora.

—¿Y qué más has oído decir?

Cora se irguió.

—¡No! ¡No me refiero a nada espantoso! —Myra se inclinó y dio a Cora una palmada tranquilizadora en el brazo. Tenía las manos grandes para una mujer tan pequeña, los dedos estrechos y largos–. No pretendía alarmarte. Solo… Supongo que tienes muchas amigas en la ciudad. –Volvió a reclinarse y cruzó los tobillos–. Me preguntaba si habías hablado, por ejemplo, con Alice Campbell.

Cora negó con la cabeza. La limonada estaba tan ácida que apenas podía beberse. Tuvo que esforzarse para no hacer un mohín.

–Verás, Alice Campbell da clases de danza y dicción en la Academia de Música de Wichita. –Myra pronunció esta frase como si fuese algo risible, una broma en sí misma–. Louise estudió con ella varios años. Se tiraban los trastos a la cabeza, por así decirlo. La señora Campbell la consideraba… –Miró por una de las grandes ventanas, como si buscara las palabras exactas– mimada, irascible y ofensiva. Añadió otros adjetivos, recuerdo. El caso es que expulsó a Louise de las clases.

Cora arrugó la frente. Iría a Nueva York. Ya lo había decidido. Si se echaba atrás, quizá no fuera nunca. Aun así, ese dato complicaba la idea que se había formado del viaje que la esperaba.

–No diré que esas cosas no sean verdad –prosiguió Myra, dejando el vaso en la mesa–. O que lo sean a veces. –Sonrió–. Me atrevería a decir que yo sé mejor que nadie lo intratable que puede llegar a ser Louise. Pero también sé que por dura que Louise sea a veces con los demás, siempre es aún más dura consigo misma. –Movió la mano en un gesto de displicencia–. El suyo es un temperamento artístico. Y ya ahora tiene mucho más talento del que jamás tendrá la señora Campbell, la verdad sea dicha, y lo tiene desde hace tiempo. Ella misma se dio cuenta cuando todavía era su alumna. En realidad, ese fue el problema.

Algo pesado cayó al suelo en el piso de arriba, justo encima de ellas. Una voz masculina exclamó: «¡Idiota!». Cora alzó la mirada. Myra pareció no oír nada.

–¿Estás diciendo que será… difícil de controlar? –preguntó Cora.

–No. Al contrario. Quiero aplacar tus temores. Verás, sea cual sea el temperamento de Louise, tendrás más influencia de la que nadie ha tenido jamás sobre ella, incluida yo. Tú eres su billete a Nueva York, y ella lo sabe. En cuanto llegues allí seguirás teniendo una gran influencia, porque si tú decides regresar a casa, ella tendrá que hacerlo también. Eso su padre lo ha dejado muy claro.

Arriba, en algún lugar, se rompió un cristal. A eso siguió de inmediato un grito femenino pero gutural. Cora dirigió otra mirada al techo, y luego al rostro indiferente de su anfitriona.

—De modo que contigo —prosiguió Myra— nuestra pequeña leona debería ser dócil como un cordero. Sabe lo mucho que me ha costado convencer a su padre de que la deje ir, y no pondrá en peligro el resultado. Para ella, estudiar con Ted Shawn y Ruth St. Denis es una oportunidad extraordinaria. ¿Has oído hablar de Denishawn?

Dejó caer esta última pregunta como de pasada, como si en realidad no necesitara respuesta. Cora estuvo a punto de asentir, pero de pronto se dio cuenta de que debía ser sincera y movió la cabeza en un gesto de negación. Myra parecía atónita.

—¿No conoces la compañía de danza Denishawn?

Cora volvió a negar con la cabeza.

—Pues es la compañía de danza más innovadora del país. ¿No fuiste a verlos cuando estuvieron aquí en noviembre pasado? ¿En el Crawford?

Cora, ya irritada, volvió a negar con la cabeza. Recordaba vagamente los anuncios de un grupo de danza, pero ni ella ni Alan habían sentido interés. Myra la observaba con la frente un tanto fruncida. Era evidente que acababa de formarse una opinión.

—Pues no sabes lo que te perdiste. Ted Shawn y Martha Graham interpretaron los papeles principales, y estuvieron fabulosos. No como las memeces que suelen llegar aquí, a provincias. —Con el ceño arrugado, lanzó una mirada por la ventana delantera—. Denishawn ofrece danza moderna que es realmente moderna, artística. Su coreografía está un poco en deuda con Isadora Duncan, pero no del todo. También ellos son innovadores, y son los mejores. —Callándose por un momento, se miró las manos—. No sabes cuánto me alegro por Louise.

Cora oyó claramente una bofetada, y otro grito que podía atribuirse a la parte agredida, fuera cual fuese su sexo. Aclarándose la garganta, señaló el techo.

29

—¿No deberíamos ir a... investigar?

Myra dirigió la vista al techo.

—No hace falta —musitó, alisándose la falda—. Ella misma vendrá a nosotras, no te quepa duda.

Unos pasos bajaron por una escalera, incluso más rápidos y ligeros que los de June.

—¡Mamá!

Myra no contestó.

—¡Mamá!

—Estamos aquí, cariño —respondió Myra, levantando la voz—. En el salón. Comportándonos civilizadamente.

En la puerta apareció una chica con la mano derecha en el hombro izquierdo, los ojos oscuros empañados por las lágrimas. Cora no tuvo la menor duda de que tenía ante sí a Louise: incluso llorando y con la piel en torno a los ojos hinchada a causa de la ira, era de una belleza espectacular. Baja y menuda como su madre, tenía también la misma tez pálida y la cara en forma de corazón, así como los mismos ojos y el mismo pelo oscuros. Pero su mandíbula era más firme, y sus mejillas aún tan angelicales como las de la pequeña June. Todo esto lo enmarcaba el excepcional cabello negro, lustroso y lacio, cortado justo por debajo de las orejas, con las puntas dirigidas al frente a ambos lados como si fueran flechas que señalaban sus labios carnosos. La lisa cortina formada por el denso flequillo se interrumpía bruscamente justo encima de las cejas. Viola tenía razón. Pese a lo mucho que se parecía a su madre, esa chica era ciertamente única.

—Martin me ha pegado —dijo.

—¿Pegado? —preguntó Myra—. ¿O abofeteado? Después de años viviendo con vosotros dos, supongo que sé distinguir la diferencia al oírlo, incluso a un piso de distancia.

—¡Me ha dejado marca!

Louise apartó la mano y se levantó la manga del vestido de color crema para mostrar una porción de piel que no solo estaba roja, sino que empezaba a amoratarse en la parte superior. Cora ahogó una exclamación. Louise la miró, pero solo por un momento.

–Martin es más grande que yo. Es mayor. Y estaba en mi habitación, ¡leyendo mi diario! ¿Cómo puedes tolerarle semejante nivel de insolencia? –Se señaló el brazo–. ¿Y de violencia?

Myra sonrió, a todas luces encontrando gracioso el dramatismo que destilaban las palabras de su hija. Cora, en cambio, consideró legítimas ambas preguntas. La marca en el brazo de la chica presentaba mal aspecto. Si ese tal Martin era mayor que Louise, debía de rondar la edad de los gemelos. Y Cora no se imaginaba a Howard ni a Earle golpeando a una chica menor, ni de hecho a ninguna chica. Sencillamente no serían capaces. Y si uno de ellos, perdiendo la cabeza, llegara a hacerlo, tendría que rendir cuentas ante Cora y Alan, quienes se tomarían un incidente así mucho más en serio que la mujer que permanecía sentada ante ella con una sonrisa.

–La insolencia y la violencia de tu hermano no serán un problema para ti durante mucho más tiempo –dijo Myra, ahogando un bostezo–. Y podrás tener tu preciado diario a salvo en Nueva York gracias a esta mujer. Louise, me gustaría presentarte a Cora Carlisle.

La chica miró a Cora. No dijo nada, pero su expresión era una evidente mezcla de repulsión y tolerancia. Cora no imaginaba qué había en ella para inspirar tales sentimientos. De cara a esa visita se había esmerado en ofrecer una imagen agradable. Llevaba un vestido modesto pero elegante, e incluso un largo collar de cuentas. Desde luego, vestía tan bien como Myra. Pero el desprecio en los ojos de esa chica era inequívoco. Era la expresión con que un niño mira el brócoli que debe comerse antes del postre, la habitación que debe limpiar antes del juego. Era una mirada de temor que resultaba mucho más insufrible por la juventud y belleza de la chica, por su tez pálida y el mohín de sus labios. Cora notó que se sonrojaba. No había sido objeto de tal condescendencia desde hacía años.

Se apresuró a levantarse y tender la mano.

–Hola –dijo, sonriente, y miró a la chica a los ojos. La diferencia de estaturas, decidió, le sería útil–. Encantada de conocerte. Espero que tengamos un viaje maravilloso.

—Mucho gusto —respondió la chica con un tartamudeo. No sabía mentir tan bien como su madre ni de lejos. Dio a Cora un flácido apretón de manos y volvió a aferrarse el brazo dolorido.

—Siento lo del brazo. Eso tiene que doler.

No era más que la verdad, pero Cora lo dijo amablemente, y fue como si hiciera girar una llave invisible. Los preciosos ojos volvieron a arrasarse en lágrimas, y esta vez parecieron posarse en Cora de otra manera.

—Gracias —respondió Louise—. Sí duele.

—Nunca había oído hablar de Denishawn —dijo Myra. Permaneció sentada, sonriendo a su hija, expectante. Cora experimentó el primer amago de una fuerte antipatía.

—¿Nunca ha oído hablar de Denishawn? —También Louise pareció quedarse de una pieza.

—No —respondió Cora. Confiaba en que si lo dejaba claro de una vez, quizá no se lo preguntaran ya más.

La chica y su madre cruzaron una mirada. Fijaron la vista en Cora con aquellos ojos oscuros idénticos, más parecidas que antes.

—¿Por qué vas, entonces? —preguntó Myra con un tono cordial, pese a que su sonrisa no tenía nada de cordial—. ¿Qué te atrae de Nueva York?

Cora tragó saliva. Debería haber previsto esa pregunta, y preparado una respuesta. Vagas asociaciones con la ciudad de Nueva York desfilaron por su mente: la estatua de la Libertad, los inmigrantes, la venta ilegal de alcohol, la miseria de las casas de vecindad, Broadway.

—Me encanta el buen teatro —contestó.

Louise ahogó una exclamación. Su sonrisa no se parecía en absoluto a la de su madre: su satisfacción era tan sincera como lo había sido antes su desdén.

—¡Bien, pues! ¡No está usted tan mal después de todo!

Cora no supo cómo interpretar esas palabras.

—Para mí, el teatro es la pera —afirmó Louise—. Quiero ir a todas las representaciones de Broadway.

Cora asintió afablemente. No le importaba ir al teatro. Myra observó a Cora con la cabeza ladeada.

—Es curioso. No recuerdo haberte visto nunca en las funciones aquí en la ciudad.

Cora rebuscó en su memoria alguna obra a la que hubiera asistido en los últimos cinco años. Nada. Prefería ir al cine, ver las caras de cerca. Y no le importaba tener que leer.

—No ha dicho que le guste el teatro local, mamá. —Louise se volvió hacia Cora—. Se refiere al teatro de calidad, ¿verdad? No la culpo. Aquí es todo un horror, lo mismo pasa con la danza. Estoy impaciente por ver una representación auténtica.

—También yo —coincidió Cora. Louise y ella se sonrieron. Supuso que Broadway no le disgustaría.

—Louise, querida —dijo Myra sin apartar la mirada de Cora—, me alegro mucho de que seáis tan amigas. Pero la señora Carlisle y yo aún tenemos unas cuantas cosas de las que hablar.

Louise miró a su madre y luego a Cora, como si esperara discernir cuál sería exactamente el tema de la conversación. Al no recibir indicación alguna, se encogió de hombros y se volvió para marcharse. Cuando pasó al lado de la mesita de centro, agarró el primer libro de la pila sin mirar el título. Echó un vistazo por encima del hombro.

—Ya nos veremos en julio —exclamó. Agitó la mano que sostenía el libro en un gesto de despedida y dirigió a Cora un brevísimo guiño.

Myra la informó sobre los detalles: Louise y ella se alojarían en un bloque de apartamentos cercano a Riverside Drive que había recomendado Denishawn. Leonard ya había comprado los billetes de tren y pagado por adelantado el apartamento, aunque, advirtió Myra, quizá fuera mejor que Louise pensara que el alquiler se pagaba semanalmente. Cora administraría el dinero para gastos; él le entregaría al menos el monto equivalente a una semana cuando fuera a despedirlas a la estación, y le enviaría el resto por giro telegráfico a petición de ella. Los fondos no eran inagotables, pero no tenía que ser especialmente frugal: querían que Louise experimentara Nueva York, o al menos una parte de la ciudad. Los museos. El teatro. Los restaurantes. De hecho, cualquier forma de entretenimiento saludable estaba bien.

Mientras Myra le hablaba, Cora la observó y se ablandó un poco. Tal vez todo ese esnobismo con Denishawn escondía ciertos celos, o una simple inquietud materna. Quizá Myra habría deseado acompañar ella misma a Louise. No debía de ser fácil enviar así a una hija con una simple conocida. Y Myra se había tomado la molestia de organizar el viaje con una acompañante, de buscarla. Obviamente, aquello le importaba. Quizá solo estaba preocupada, como lo estaría cualquier madre.

De modo que cuando llegó la hora de marcharse, y Myra y ella estaban en el amplio y oscuro vestíbulo, Cora hizo acopio de valor.

—Quiero que sepas —le dijo a Myra, encogiéndose un poco para no sentirse tan alta— que te agradezco que me hayas contado lo de la profesora de danza, esa con la que Louise no se llevó bien. Pero, de verdad, a mí me da la impresión de que tu hija es una jovencita encantadora. Según me han contado, incluso va a mi iglesia.

—Iba —replicó Myra con tono inexpresivo.

—Ah, bueno. En cualquier caso, quiero que sepas que puedes quedarte tranquila respecto al viaje. He hablado de ir al teatro, sí, pero te garantizo que me tomaré muy en serio mi responsabilidad principal. Doy por hecho que Louise es una chica decente, pero me aseguraré de mantenerla a salvo.

Myra enarcó las cejas, sonriendo como si Cora hubiese hecho un comentario gracioso.

—Fue Leonard quien insistió en la acompañante —dijo, abriendo la puerta al sol y al calor. Se protegió los ojos con la palma de la mano, pero su sonrisa permaneció inalterable—. Encontrarte a ti fue idea suya. Yo solo quiero que vaya.

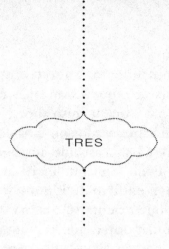

TRES

Union Station era, quizá, el edificio más elegante de Wichita. Construido apenas unos años antes de la guerra, era relativamente nuevo. Adornaban la entrada principal columnas de granito y ventanas en arco de más de seis metros de altura. El interior era todo un gran espacio diáfano, y esa luminosa mañana de julio haces de luz largos y oblicuos se proyectaban sobre el suelo de mármol. La gente, con sus billetes y sus maletas, avanzaba resueltamente entre la sombra y la luz, en medio del rumor de pasos y conversaciones. Cora y Alan, junto con Leonard Brooks, ocupaban uno de los bancos de madera dispuestos en el perímetro. El banco, de respaldo alto, tenía el mismo aspecto y producía la misma sensación que un banco de iglesia, y Cora mantenía la espalda muy erguida, lanzando alguna que otra mirada al enorme reloj situado en lo alto de una pared. Louise había ido al servicio de señoras hacía veinte minutos.

—Tomaréis el tren de Santa Fe hasta Chicago —explicó Alan, mirando el billete de Cora—. Tendréis dos horas para el transbordo, tiempo de sobra. Pero probablemente encontraréis el enlace enseguida. —Le dirigió una mirada elocuente, enjugándose la frente con un pañuelo—. La estación de Chicago puede ser abrumadora.

Cora, con las manos firmemente cerradas en el regazo, todavía enguantadas, consiguió asentir. Tenía diecisiete años cuando llegó a Wichita por primera vez, literalmente recién salida de la granja, y su tren se detuvo en la antigua estación, mucho más pequeña y menos imponente que esta. Sin embargo, en aquel entonces le había causado emoción e inquietud ver a tantas personas y tanto movimiento, y a todas aquellas mujeres elegantes de talle encorsetado que lucían faldas con cinturón y blusas de cuello alto. Para Cora, incluso ahora, Wichita era la gran ciudad. Alan, que se había criado allí, daba por sentadas las multitudes y el bullicio, y había asistido a congresos jurídicos por todo el país. Ahora estaba diciéndole que incluso él podía sentirse abrumado en el edificio de Union Station en Chicago, donde ella tendría que orientarse a la mañana siguiente temprano para poder tomar otro tren con destino a una ciudad aún más grande, llevando a remolque a la joven a su cargo.

—Eso si el tren es puntual. —Leonard Brooks se reclinó y sacó un reloj del bolsillo del chaleco, indiferente a las esferas de la columna—. Esta huelga podría durar todo el verano. Harding tiene que intervenir.

Era un hombre bajo pero de apariencia intensa, sus ojos más negros que castaños, su cabello tan oscuro como el de Louise y el de Myra. No era mucho más alto que ellas, pero también él daba la impresión de ser al menos de estatura media. Tenía la nariz larga y afilada y el hábito de quedarse con la mirada perdida de un modo que inducía a imaginar profundas reflexiones. Leonard Brooks poseía una mente admirable, según Alan, y muchas posibilidades de conseguir un nombramiento en la judicatura. Sí parecía obsesionado con su trabajo, advirtió Cora. Poco después de abrirse paso por la estación con una maleta en cada mano y Louise a su lado, había intentado iniciar una conversación con Alan acerca de un fallo reciente sobre impuestos patrimoniales. Solo cuando Alan se aclaró la garganta y dirigió a Cora una larga mirada, el señor Brooks pareció recordar que la razón por la que estaba allí era ella. Una vez centrado, se mostró cortés y dijo que tanto a Myra como a él les complacía que Cora se hiciera cargo de Louise. Pero ahora hablaba y hablaba sobre la huelga del ferrocarril, pese a que su hija, que aún no había vuelto de su larguísima visita al servicio de señoras, se disponía a emprender su primer auténtico viaje lejos de casa.

—Es un debate interesante —comentó el señor Brooks, mirando a Alan—. Los trabajadores tienen derecho a la huelga, pero cabría pensar que también la gente tiene derecho a un transporte fiable.

—Voy a ver si Louise está bien —dijo Cora con el tono más relajado posible. No quería dar la impresión de que no sabía dónde paraba la chica ya antes de subirse al tren. Pero empezaba a preocuparse, y no se le ocurría otra excusa para ir en su busca. La propia Cora acababa de volver del servicio de señoras cuando Louise decidió que necesitaba ir. Ahora, mientras Cora cruzaba la estación, acompañada del golpeteo de sus zapatos de tacón bajo en el mármol, se le ocurrió que tal vez la chica había evitado adrede ir al lavabo al mismo tiempo que ella.

Esa sospecha se le antojó más fundada cuando dobló una esquina ocupada por un limpiabotas y encontró a Louise reclinada contra una pared bebiendo una coca-cola directamente de la botella. A su lado, un chico alto con un rumboso abrigo y sombrero de ala plana permanecía también apoyado en la pared, con el brazo extendido, para volverse hacia Louise más cómodamente y verla mejor, cosa con la que sin duda disfrutaba.

—Louise, aquí estás.

Los dos se irguieron. Louise se apartó la botella de la boca. El chico, como Cora vio en ese momento, en realidad era un hombre joven, cercano a los treinta como mínimo, con un asomo de barba rubia en el mentón. Posó en Cora sus ojos claros con visible decepción en el semblante.

Cora miró a Louise.

—Me preocupaba que te hubieras perdido —dijo, y enseguida lo lamentó por lo evidente que era la mentira.

Louise asintió. Sin volver a mirar en dirección al hombre, se encaminó rápidamente hacia Cora. Lucía un vestido de color marfil, largo hasta la pantorrilla, con un cuello a lo Peter Pan, sin sombrero, y llevaba unos tacones muy altos, tan altos, de hecho, que su cabeza casi quedaba a la par de la de Cora. Sonrió, pero mantenía fijos en el rostro de Cora sus ojos oscuros, esforzándose a todas luces en interpretar sus intenciones. «¿Va a darme problemas? —parecía preguntar—. ¿Ya desde el principio? ¿Cuando podríamos llevarnos tan bien?»

—No es más que un viejo amigo del colegio.

Cora no respondió. Le pareció mucho más probable que Louise, en menos de media hora, se hubiera encontrado con un total desconocido, quizá de fuera de la ciudad, y le hubiera permitido invitarla a un refresco. Pero era imposible saberlo con certeza, y no era sensato iniciar una discusión por algo que no podía demostrar.

—Deberíamos volver —dijo cordialmente—. No tardaremos en subir al tren.

—¿Le apetece un sorbo? —Louise ladeó la botella hacia ella.

Cora negó con la cabeza. Cuando llegaran a Nueva York no existiría ya la posibilidad de tropezarse con conocidos, y ella estaría en mejor situación para explicar a Louise los riesgos —para su persona y para su reputación— de aceptar invitaciones de un desconocido. Era una niña, recordó Cora. Inocente. «Sin madre», había dicho Viola. Probablemente ansiaba orientación. Por Dios, pero si incluso había ido a catequesis, y por voluntad propia. Solo necesitaba atención e instrucción. En cuanto subieran al tren, Cora se proponía proporcionarle lo uno y lo otro.


Se despidió de Alan en el andén. El cielo brillaba de tal modo que no pudo alzar la vista, así que se miró las manos, que él tenía aferradas entre las suyas. Ya se habían separado otras veces. Cuando los niños eran pequeños, Cora los llevaba a Lawrence, para visitar a la hermana y los sobrinos de Alan, mientras él se quedaba trabajando en Wichita. Pero nunca había pasado fuera todo un mes. Y nunca se había marchado tan lejos.

—Tu baúl ya está consignado —dijo él—. Deberían entregarlo la noche de tu llegada. Pero ya me avisarás si necesitas algo. —Hablaba en voz baja, quizá para que Leonard Brooks no pensara que había pasado por alto alguna necesidad—. No lo dudes —añadió—. Lo que sea.

Cora asintió, y al percibir que él hacía ademán de bajar el rostro hacia ella, inclinó la mejilla para que la besara. Por encima del hombro de Alan, vio a Louise observarlos descaradamente, con la mano recta bajo el flequillo lacio. Sus miradas se cruzaron. La muchacha entornó los ojos. Cora desvió la vista.

—Quiero que obedezcas a la señora Carlisle —decía Leonard Brooks a Louise, pero levantando la voz lo suficiente para que lo oyeran Cora y Alan. Con los pulgares enganchados a los tirantes, se balanceaba sobre las punteras de los zapatos. Su hija, con tacones, era más alta que él–. Confío en recibir informes solo de tu esfuerzo en la academia y tu buen comportamiento.

Louise, inclinando la cabeza, lo miró desde arriba con la pequeña bolsa de viaje cargada a la espalda.

–Así será, papá. Te lo prometo. –Podía tener un aspecto muy juvenil, muy infantil, pensó Cora. Pero solo a veces. Y aparentemente dominaba ese truco a la perfección.

Su padre se enjugó la frente y, entrecerrando los ojos, miró el tren que esperaba detrás de ella.

–Con lo que cuesta esa academia, espero que cuando vuelvas seas la mejor bailarina de Wichita.

Cora y Alan sonrieron. Pero Louise se limitó a observarlo con un parpadeo. Por un momento pareció que no sabía qué decir, o incluso –marcando aún más su hermoso mohín– que se había sentido dolida. De pronto Cora tuvo la impresión de que era mayor, de que se le apagaba la mirada al bajar la barbilla.

–No seas tonto. Ya lo soy.

Suavizó el tono al pronunciar estas palabras, en la medida en que podía suavizarse para decir algo así, y añadió una sonrisa como de pasada. Por lo visto, Leonard Brooks, para sorpresa de Cora, encontró graciosa la condescendencia de su hija. O eso, o no se molestó en dirigirle lo que en apariencia habría sido una reprimenda necesaria. La propia Cora habría atajado semejante grosería. Pero no era ese su papel. Todavía no.

Naturalmente, pocos años después Cora entendería mejor la irritación de Louise ante la ignorancia de su padre: ser la mejor bailarina de Wichita no era ni mucho menos su máxima ambición. En apenas unos años las revistas hablarían de ella, de sus películas, de su alocada vida social. Recibiría dos mil cartas de admiradores cada semana, y las mujeres de todo el país intentarían imitar su peinado. Antes de concluir la década, sería famosa en dos continentes. Para entonces, si Leonard Brooks quería ver a su hija mayor bailar y deslumbrar, tendría que pagar la entrada del cine como todo el mundo, y verla en una pantalla de diez metros.

En el tren disponían de su propio compartimento abierto, sentadas Cora y Louise una frente a la otra en sendos asientos dobles. Las cortinas de las ventanas, de un terciopelo granate a juego con la tapicería de los asientos, estaban corridas, y en lo alto había dos pequeñas lámparas de lectura, una para cada una. No necesitarían literas antes de llegar a Chicago, de ahí que los compartimentos no estuvieran separados por tabiques. Por lo general, a Cora le gustaba el espacio abierto de los vagones diurnos, pero en ese viaje en concreto recelaba. Antes siquiera de salir de la estación, un hombre que aparentaba más o menos la edad de Cora, sentado al otro lado del pasillo, les preguntó si querían que las ayudara a bajar la ventana de guillotina. El hombre en cuestión, observó Cora, no se ofreció a bajar la de las dos ancianas que ocupaban el compartimento justo detrás de ellas, y habló a Louise directamente. Cora se apresuró a contestar, diciéndole que ya lo avisaría cuando necesitaran bajar la ventana, si es que se daba el caso. Empleó un tono cortés pero firme, y el verdadero mensaje quedó claro: ella era la guardiana de la puerta.

Si Louise se sentía agobiada a causa de ese aislamiento impuesto por Cora, no lo exteriorizó. La radiante expresión de su rostro parecía incontenible y general, no dirigida a nadie en particular. Mirara a donde mirara —el techo del vagón, los otros pasajeros, Douglas Avenue vista desde el puente—, su júbilo era manifiesto y, al parecer, tan privado como si estuviese sola. No hizo ningún comentario, pero cuando los engranajes del tren gimieron y chascaron, sonrió, tamborileándose en el regazo con los dedos. Golpeteó el suelo con las punteras de los zapatos. Cuando por fin sonó el silbato y el tren arrancó, alzó la barbilla, cerró los ojos y exhaló un suspiro.

—Es emocionante —aventuró Cora. A sus hijos les encantaban los viajes en tren cuando eran pequeños, e incluso de mayores. Los dos insistían en sentarse junto a la ventanilla, para observar las nubes de vapor, y durante años, o esa impresión tenía ella, en todos los viajes había tenido que pedir permiso al revisor para visitar la locomotora.

—¡Y que lo diga! —Louise la premió con una radiante sonrisa antes de volverse hacia el cristal. Cora aspiró humo de tabaco y un aroma a polvo de talco. Al otro lado del pasillo, en diagonal respecto a ella, un bebé lloraba en brazos de su madre. Esta intentaba tranquilizar al pequeño con arrullos y besos; al fracasar en sus esfuerzos, se volvió y dirigió una mirada de disculpa a sus vecinos. Cora cruzó una mirada con ella y sonrió.

—¡Adiós, Wichita! —Louise se despidió con la mano de Douglas Avenue mientras el denso tráfico de coches oscuros desaparecía bajo el puente—. ¡Ojalá pudiera decir que te echaré de menos! ¡Pero lo dudo mucho!

Cora hizo ademán de tocarle el brazo. Sin duda algunos de los otros pasajeros eran de Wichita, y aún no habían abandonado su ciudad. No era necesario ofender a nadie. Pero la advertencia estaba de más: Louise había dado por terminada su despedida. Ni siquiera mientras dejaban atrás las calles de su infancia, los edificios cuadrados de ladrillo y las casas de una sola planta, los parques arbolados y las agujas de las iglesias, mostró el menor interés en la vista. Prefirió abrir la bolsa y sacar su material de lectura, del que Cora hizo rápido y perspicaz inventario: el número de julio de *Harper's Bazaar,* el número de junio de *Vanity Fair,* un libro titulado *La filosofía de Arthur Schopenhauer.* Antes de salir de la ciudad, allí donde las calles pavimentadas daban paso a caminos de tierra y campos, Louise parecía ya inmersa en el libro. De vez en cuando lo dejaba abierto sobre el regazo y, con una pluma de tinta azul, subrayaba algo o señalaba una página. Pero por lo regular el libro era un muro ante su cara. La tapa era de un marrón apagado.

Bien, pensó Cora. No necesitaba que la chica fuera sociable. Iba ya preparada con su propia lectura, que sacó del bolso. Tal vez ella no dejaba los más diversos libros tirados por el salón, pero disfrutaba de un buen relato tanto como el que más. Para ese viaje se había llevado un número de *Ladies' Home Journal* y la última novela de Edith Wharton. Normalmente se habría mantenido fiel a su fuente de satisfacción preferida, algún libro de Temple Bailey, de quien cabía esperar narraciones gratificantes sobre valerosas heroínas que superaban en ingenio a vampiresas maquilladas y metían en vereda a maridos descarriados. Pero para ese viaje, consciente de que fuera cual fuese el título

41

elegido incurriría en la mirada crítica de la muchacha, y el dato sin duda acabaría en conocimiento de Myra, Cora había ido a la librería y comprado *La edad de la inocencia,* que, si bien estaba escrita por una mujer, acababa de ganar el premio Pulitzer y por tanto, pensaba ella, sería inmune a los reproches incluso del peor de los esnobs. Además, estaba ambientada en la ciudad de Nueva York, y aunque la acción transcurría en el siglo anterior, Cora pensó que sería interesante leer sobre el lugar hacia el que iban, imaginar a personajes muertos hacía tiempo paseando por las mismas calles que ella pronto pisaría. Por el momento le gustaba la narración. Y le encantaban los detalles históricos, todos esos carruajes y vestidos rozagantes. Pese a que el tren avanzaba ya ruidosamente por campos abiertos, y el aire del vagón se caldeaba por efecto del sol cada vez más alto, Cora pasaba las páginas con facilidad, sintiéndose virtuosa e inteligente.

—¿Qué lee?

Alzó la vista. Louise, tras dejar su propio libro en la falda, la miraba fijamente. Su pelo negro, a pesar del calor, permanecía tan liso como el cristal.

—Nada, solo esto. —Cora marcó el punto con el dedo y enseñó la tapa a la muchacha. Ahora el cielo estaba más despejado. Se reacomodó el ala del sombrero.

—Ah. —Louise arrugó la nariz—. Ya lo he leído. Mi madre también.

—¿No te gustó? —preguntó Cora, por más que la respuesta era ya evidente en la expresión de la muchacha. La única duda era si Louise y Myra habían coincidido al respecto. Cora sospechaba que sí.

—*La casa de la alegría* es mejor. Pero, en general, la novela histórica me aburre. —Se advirtió un asomo de disculpa en la voz de la muchacha, lo justo para incordiar—. Todo es tan opresivo. Todas esas absurdas normas y costumbres sobre quién es invitado a una fiesta y quién puede ser visto por quién. —Metió la mano en el bolso y sacó un paquete de goma de mascar—. Es tedioso y falso. No conseguí interesarme.

—Ganó el Pulitzer.

—Y ese héroe, si quiere llamarlo así. Al final resulta tan patético, tan cobarde. —Se metió un chicle en la boca y ofreció otro a Cora, que lo rechazó—. Está enamorado de la condesa Olenska, la única mujer auténtica del libro. ¿Y resulta que ella es inasequible porque está divorciada? Menuda bobada. Y luego va y se casa con esa mema, la aburrida de May Welland, y se siente muy noble por ello. Es un idiota. Se merece su desdicha. Pero no sé si se merece un libro.

Cora fijó la mirada en el libro. ¿Enamorado de la condesa Olenska? ¿Una mujer divorciada? Cora no se esperaba eso. Que sintiera deseo por ella, sí. Quizá la muchacha lo había interpretado mal. Quizá no conocía aún la diferencia.

—Huy. —Louise, otra vez infantil, se llevó los dedos a los labios—. ¿Le he estropeado la lectura? Lo siento.

—En absoluto —contestó Cora—. Leo por el lenguaje, no por el argumento.

Había oído decir eso a alguien una vez, y se le antojó que aquel era un buen momento para repetirlo. Miró por la ventana, con el pelo negro de la muchacha en su visión periférica. Fuera, en la pradera, el día parecía tórrido y el aire no se movía. Unas cuantas vacas Angus permanecían hundidas hasta las rodillas en una charca lodosa, casi todas apiñadas a la sombra de un único sauce. Probablemente el tren pasaría por delante de la vieja granja, no al lado mismo, pero cerca. Recordó los tiempos en que, tendida en la cama por la noche, en una oscuridad absoluta, aguzaba el oído, atenta a los silbatos.

—Su marido es muy guapo.

Cora la miró, sorprendida.

—Ah, sí. Gracias.

—¿Qué edad tiene?

—¿Cómo dices?

—¿Qué edad tiene su marido?

—Cuarenta y ocho.

—Mucho mayor que usted.

—No tanto —dijo Cora. No sabía bien si era un cumplido.

—Mi padre es casi veinte años mayor que mi madre. Tiene la edad del padre de ella.

—Ah. —Cora sonrió—. Bueno, eso no es raro. A menudo, cuando el hombre es mayor se forma una buena pareja.

La chica miró a Cora como si hubiese pronunciado unas palabras sabias y no conocidas en general.

—¿Cariño? ¿Estás bien?

Louise asintió, y un mechón negro se adhirió a su mejilla.

—Sí. —Se miró las manos, apoyadas en el regazo. A continuación, como si saliera de un hechizo por la fuerza, parpadeó y alzó la vista—. Mi madre se arrepiente. De haberse casado con él, quiero decir.

Cora respiró hondo.

—No deberías decirme eso. No es asunto mío. —Desvió la mirada para demostrar que hablaba en serio.

—A ella le traería sin cuidado. No es una cuestión personal. No es nada contra él. Ni contra nosotros. Sencillamente, no le gusta su vida. No quería casarse, pero su padre la obligó porque mi padre tenía dinero. Tampoco quería hijos.

Cora volvió a mirarla.

—¿Quién te ha dicho eso?

—Ella. Y se lo dijo a mi padre cuando se casaron. Dijo que si él de verdad quería casarse, pues bien, y si quería hijos, se los daría, pero tendría que buscar a alguien para que nos cuidara. —Louise se encogió de hombros—. Él no lo hizo.

Cora esperó, a fin de elegir bien las palabras. Tal vez Myra había comentado eso en broma, como hacían algunas mujeres. A Cora nunca le había gustado esa clase de humor. No tenía gracia decirle a una niña que no era deseada. Pensó en la pequeña June, deambulando por la casa.

—Seguro que no lo dijo en serio.

—Sí lo dijo en serio.

Louise mantenía una expresión y un tono jocosos, actitud que Cora no entendía. Un comentario así por parte de una madre debía de ser doloroso. Desde luego Myra era una mujer espantosa; y el mundo, un lugar injusto.

—Quizá sintió eso durante un tiempo —señaló Cora, dirigiendo a Louise la más benévola de las miradas—. Pero estoy segura de que ahora adora a todos sus hijos. Debe de entender la suerte que tiene.

Louise frunció el entrecejo.

—No lo dijo con maldad, si eso es lo que está usted pensando. Ya le he dicho que no es nada personal. —Miró a Cora con frialdad, recostándose en el asiento—. No es nada contra nosotros. Tuvo seis hermanos y hermanas menores, y hablo solo de los que sobrevivieron. Su madre estaba siempre enferma, y ella tuvo que cuidar de los demás. Así que ya se había cansado de bebés incluso antes de conocer a mi padre. No se lo echo en cara.

Cora guardó silencio, escarmentada. Nunca habría sospechado que Myra Brooks hubiese tenido una infancia difícil.

Louise le sostuvo la mirada.

—Si sabe leer, es por lo lista que es, por lo mucho que le gustan los libros y la música. Aprendió por su cuenta. —Levantó la barbilla—. Lo aprendió todo por su cuenta. Y sabe mucho más que la mayoría de la gente.

Cora asintió, deseosa de darle la razón. No había pretendido que la muchacha se pusiera a la defensiva respecto a su madre. Se tocó la sien izquierda. La temperatura en el vagón había subido.

—En cualquier caso... —Louise se interrumpió para hacer un globo con la goma de mascar—. Yo no voy a tener una caterva de críos. Ni siquiera uno. Eso desde luego.

Cora sonrió.

—Bueno. Tienes mucho tiempo por delante para cambiar de idea.

—No cambiaré de idea.

Permanecieron un rato en silencio, Louise mirando por la ventana, Cora con la vista puesta en el pasillo. Sabía que lo prudente era dejar pasar esa conversación, dejar que la muchacha pensara lo que quisiera. El tiempo lo diría. Pero estaba irritada. En el tono de Louise se adivinaba cierto orgullo e irreflexión, como si se creyera con más derechos que nadie.

—Pensarás de otra manera cuando te enamores —dijo Cora—. Puede que ahora no lo creas, pero quizá algún día quieras casarte.

—Mmm. —Louise sonrió y levantó su libro—. Schopenhauer escribe sobre el matrimonio. Dice que casarse es como hundir la mano a ciegas en un saco lleno de serpientes con la esperanza de encontrar una anguila.

—No me digas. —Cora miró el libro con desdén.

—La verdad es que creo que me gustaría casarme algún día —dijo Louise, bajando otra vez el libro—. Solo que no quiero hijos.

Cora casi se rio ante la inocencia de la muchacha. La pobre aún no entendía cómo llegaban al mundo los bebés, que eran fruto del matrimonio, lo decidiera uno o no. Pero de pronto, mirando a Louise a los ojos, cayó en la cuenta de que aquello a lo que se refería la muchacha, aquello a lo que quería ir a parar, no era inocente en absoluto. Cora miró el cielo por la ventana, fingiendo interés en una nube que era de color azul por debajo. No podía hacer mucho más. Solo unos meses antes, Margaret Sanger* había sido detenida por plantear en público si el control de la natalidad era moral. La tacharon de obscena. Y eso ocurrió en Nueva York, si Cora no recordaba mal. En todo caso, no tenía intención de iniciar una conversación así con nadie a bordo de un tren en Kansas; muchas gracias, pero no.

Y menos aún con una adolescente.


Cuando el revisor anunció Kansas City, Louise apartó la vista del libro y botó un poco en el asiento.

—Eso significa que hemos cruzado la frontera del estado. —Juntando las manos en una teatral pose de oración, miró primero a Cora y luego el techo abovedado del vagón—. ¡He salido de Kansas! ¡Gracias, Dios mío! ¡He conseguido salir!

Cora miró por la ventana. La Union Station de Kansas City era como la estación de Wichita aumentada, igual de hermosa pero dos o incluso tres veces más grande. Así serían las cosas, comprendió. Conforme avanzaran hacia el este, a un ritmo lento y regular, todo sería más grande.

—¿Usted había salido antes del estado? —Louise le dirigió una cordial mirada de curiosidad.

---

* Margaret Sanger (1879-1966) fue una enfermera y activista a favor de la planificación familiar. *(N. de los T.)*

46

—No. –Cora se reclinó en el asiento–. He viajado por Kansas, pero nada más.

Se atusó el cabello y se recolocó una horquilla, decidida a eludir la reacción de Louise. No necesitaba verla. Imaginaba la expresión de decepción, incluso de rechazo. Admitir abiertamente la insignificancia de su vida sería un delito aún peor que no conocer la compañía de danza Denishawn.

La verdad habría obrado a su favor, quizá impresionando a la chica. Pero la vieja mentira, tan arraigada, había asomado fácilmente a sus labios: la había contado tantas veces que le parecía verdad, incluso en ese momento, mientras el roce uniforme de las ruedas en los raíles avivaba sus recuerdos. En aquel otro largo viaje no era más que una niña, acompañada por otros niños pero a la vez sola, no en dirección este sino rumbo al oeste. Tenía hambre. Su asiento, recordaba, era de madera dura, y las noches, largas y totalmente oscuras. Pero los sonidos eran los mismos, así como el silbato y los engranajes; también el balanceo, que era lo que mejor recordaba. En aquel entonces, como ahora, se sentía casi mareada de miedo y anhelo, avanzando deprisa hacia otro mundo, y hacia todo lo que aún no conocía.

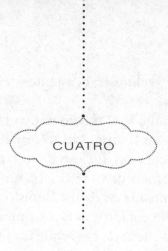

CUATRO

No recordaba cómo era el edificio. Tal vez nunca lo vio desde fuera. Pero sí se acordaba de la azotea, plana, cubierta de gravilla, y tan larga que si una niña gritaba desde un extremo un día ventoso, otra niña no la oía desde el extremo opuesto. A cada lado se alzaba un muro de ladrillo beis, demasiado alto como para que Cora, o hasta las niñas mayores, vieran por encima, incluso subidas a una silla. Ganchos metálicos sobresalían de las paredes, pero no les permitían utilizarlos para trepar. Si una niña lo intentaba y la descubrían, pobre de ella, como se complacían en decir las monjas. Los ganchos eran para anudar los tendederos, cordeles tensados a través de la azotea. Las palomas —y a veces las gaviotas— se posaban en el muro, miraban a Cora con un solo ojo, luego se volvían y alzaban el vuelo.

Las niñas mayores subían la ropa mojada por la escalera en canastas, y cada una de estas llevaba una etiqueta con el nombre del dueño. Cora y las demás pequeñas colgaban las prendas con pinzas, a veces encaramándose a sillas. Ella no sabía leer los nombres de las etiquetas, pero las monjas les habían indicado que colocaran la canasta al principio de cada tendedero, para que no se confundiera la ropa. Todas las prendas debían colgarse con cuidado, ya que los clientes pagaban por el servicio. Si un pantalón o una falda caía a la gravilla a causa del viento, había que lavarlo de nuevo, y las niñas mayores se molestaban. Ya bastante trabajaban. Casi todas tenían cicatrices en las manos y los antebrazos, quemaduras causadas por las planchas o el agua hirviendo. Imogene, que contaba casi catorce años y era muy buena, había permitido a Cora tocarle una quemadura en el dorso de la mano. Ya no le dolía, dijo. La piel había cicatrizado, quedándole un corazón ladeado de un color rojo parduzco, áspero al tacto bajo los dedos de Cora.

Los domingos las dejaban salir al jardín trasero, siempre y cuando tuvieran cuidado con las plantas. Había un árbol, recordaba Cora. No les permitían trepar a él. Las niñas mayores se sentaban debajo y charlaban, o se hacían trenzas en el pelo unas a otras. Todas saltaban a la comba, usando un cordel de tender con un nudo en el centro para darle peso. Algunas jugaban a la gallinita ciega. Cuando nevaba, jugaban al zorro y las ocas.

Dentro había un dormitorio, y la cama de Cora era una más en una larga hilera. En invierno les daban un jersey y dormían con él puesto, no solo porque hacía frío, sino porque si una perdía el jersey, pobre de ella. Comían en la planta baja, en un gran salón con mesas alargadas y barrotes cruzados en las ventanas. No debían hablar a menos que antes les dirigieran la palabra a ellas. Algunas monjas eran amables y pacientes, pero otras no, y todas vestían el hábito, con lo que resultaba difícil distinguir a unas de otras hasta que una las tenía cerca y la miraban a la cara. La hermana Josephine podía volverse y convertirse en la hermana Mary, o en la hermana Delores, que era joven y guapa pero también llevaba encima una palmeta de madera. Convenía atenerse a las normas y mostrar respeto en todo momento.

Era el Hogar para Niñas Sin Amigos de Nueva York. Mary Jane, que sabía leer, dijo que esas eran las palabras pintadas a la entrada en un letrero. Cora no le veía el sentido a ese nombre. Ella sí tenía amigas. Mary Jane era su amiga, y también lo eran Little Rose, y Patricia, y Betsy, todas las niñas menores, e incluso Imogene si Cora no la molestaba demasiado. «Significa sin padres —aclaró Mary Jane—. Huérfanas.» Pero eso tampoco tenía sentido. El padre de Rose iba casi todos los domingos. Rose decía que pronto iría a buscarlas a ella y a su hermana. Se las llevaría a casa. Y la madre de Patricia estaba en el hospital, enferma de tuberculosis pero viva.

Cora no tenía padres, al menos que ella supiera. Conservaba únicamente un amago de recuerdo, o un recuerdo de un recuerdo, o quizá solo un sueño: una mujer de pelo oscuro, rizado

49

como el de ella, cubierta con un chal rojo de punto. Era su voz lo que Cora recordaba —o imaginaba— con mayor claridad, pronunciando palabras desconocidas en una lengua extraña y también, claramente, el nombre de Cora.

—¿Yo soy huérfana? —preguntó Cora.

—Lo eres —contestó Mary Jane.

Las niñas mayores llamaban «irlandesa» a Mary Jane por su manera de hablar.

—Todas lo somos. Por eso estamos aquí.

Las monjas bendecían la mesa antes de cada comida. «Porque has rescatado a los pobres que pedían ayuda, y a aquellos sin padre que no contaban con el auxilio de nadie.» Las niñas solo tenían que esperar y después santiguarse y decir «En el nombre del Padre, del Hijo y del Espíritu Santo, amén». Siempre desayunaban y almorzaban cereales. Las monjas también comían cereales. Echaban pasas cuando las tenían, y entonces Cora comía con un codo a cada lado del plato, porque algunas de las niñas mayores tenían los dedos largos. Cenaban sopa de judías con verduras, y si alguna era tan tonta como para quejarse, recibía un sermón sobre la gratitud, y sobre cuántos miles de niños en las calles de Nueva York darían cualquier cosa por recibir tres comidas al día, por no hablar ya de tener un techo sobre sus cabezas. Si la que se quejaba no estaba contenta, sugería una monja, podía marcharse y dejar sitio a una niña verdaderamente hambrienta, que se alegraría de ocupar su cama y su lugar a la mesa. Podía tener la certeza de que había una larga cola esperando.

Por lo visto, eso era cierto. Cuando llegaba una niña nueva, siempre se la veía más flaca y sucia que Cora y las otras. Las monjas tenían que afeitar el pelo a las nuevas, porque muchas llegaban directamente de las barriadas o incluso de las calles, y los piojos eran siempre un motivo de preocupación. Las nuevas comían sus cereales deprisa, rascando el cuenco con la cuchara, y las monjas las dejaban repetir una e incluso dos veces hasta que se recuperaban y perdían esa expresión mortecina en los ojos y el pelo por fin empezaba a crecerles otra vez. Solo Patricia había llegado regordeta, y nunca le habían afeitado aquel precioso cabello rubio suyo; además, era la única que se enfurruñaba por la comida, que hacía muecas cuando las monjas no miraban. Patricia le contó a Cora que, incluso despierta, soñaba con tartas y queso y carne ahumada. Cora sabía qué era la carne ahumada, porque a veces el aire en la azotea olía tan bien que deseaba darle un bocado, y otra niña decía que ese era el olor de la carne asándose en un fogón. Pero nunca había probado las otras cosas con las que Patricia soñaba, o al menos no lo recordaba, y por eso ella, a diferencia de Patricia, no vivía atormentada por su pérdida.

Cora no recordaba haber estado en ningún otro sitio aparte del hogar. Big Bess, que estaba a punto de cumplir trece años, decía que se acordaba de cuando Cora llegó, y que ya no era un bebé, sino una niña regordeta que ya caminaba y se volvía cuando la llamaban por su nombre. Pero eso era lo único que sabía. Cora preguntó una vez a la hermana Josephine quién la había llevado allí, y dónde había estado antes, e incluso la hermana Josephine, que era de lejos la monja más buena de todas, con sus mellas en los dientes bien visibles cuando sonreía, la única que nunca amenazaba siquiera con utilizar la palmeta, incluso ella le había dicho con firmeza a Cora que esas preguntas eran impertinentes y que debía considerarse hija de Dios, y además una hija afortunada.

Un día, no mucho después de perder su primer diente, Cora pasó a ser incluso más afortunada. Al menos eso le dijeron. La hermana Delores la llevaría a una pequeña excursión junto con otras seis de las niñas menores. Tendrían que comportarse mejor que nunca, salir en silencio mientras sus compañeras hacían la colada. Deberían salir de inmediato. Tendrían que abrocharse los jerseys, porque hacía frío.

Cora, agarrada de la mano de Mary Jane, supuso que llegarían a tiempo para la cena. Sentía solo emoción, una apasionante ruptura de la rutina, mientras Mary Jane y ella seguían a Patricia y Little Rose y a las otras niñas afortunadas que, detrás de la hermana Delores, bajaron por la escalera, cruzaron la gran puerta del edificio y, por fin, salieron por la verja a la calle, que Cora únicamente había visto desde la ventana del piso de arriba. Incluso Mary Jane, que ya había perdido todos los dientes de leche y tenía los nuevos, y que sabía hacer el puente perfectamente, parecía asustada. Tras los pasos de la hermana Delores doblaron la esquina, y de pronto había gente por todas partes, algunos a pie, otros en carruajes, en medio del chacoloteo de los caballos, moviéndose todos muy deprisa. A veces debían alargar el paso para evitar las pilas de bosta de los caballos. Cora se subió el cuello del jersey para taparse la nariz y respiró a través de la lana. La hermana Delores tenía que recogerse el hábito de vez en cuando, y Cora veía sus medias negras. Las llevaba rotas por los talones y dejaban entrever la piel blanca.

En la siguiente esquina la hermana Delores se detuvo y anunció que esperarían allí el ómnibus. Ninguna de ellas sabía qué era un ómnibus, pero todas le tenían demasiado miedo a la hermana Delores como para preguntárselo. En el ómnibus, dijo, debían permanecer sentadas en silencio, lo más cerca de ella posible. No debían hablar con desconocidos ni intentar hacer amigos. Quería que supieran que habría un cordel a lo largo del ómnibus, y que estaba atado al tobillo del cochero. Sabía que las niñas sentirían curiosidad por el cordel, y por eso les explicaba previamente que servía para indicar al cochero cuándo parar. Si alguien deseaba apearse en determinado lugar, debía tirar del cordel, y el cochero detenía los caballos. La hermana Delores esperaba que todas las niñas entendieran que en su grupo ella era la única que tocaría ese cordel, ya que ella era la única que sabía adónde iban. Si una de las niñas consideraba divertido tirar del cordel y obligaba a parar al cochero sin razón, allá ella. Pero la niña graciosa debía saber que cuando el ómnibus parase, ella tendría que apearse, y se apearía sola.

En el ómnibus, que resultó ser un carruaje con bancos tirado por un triste caballo zaino, las niñas se mantuvieron muy calladas, con las manos entrelazadas en el regazo. Nadie tocó, ni miró siquiera, el cordel.

Su destino era un edificio de obra vista con altos ventanales y olor a hígado de bacalao. Cuando entraron, la hermana Delores saludó a una mujer con gafas que no era monja y le dijo que las niñas y ella necesitaban quedarse un momento a solas. La mujer con gafas sonrió y las acompañó a una sala con un crucifijo, un cuadro de Jesús y una bandera de Estados Unidos. Había sillas de madera, en su mayoría del tamaño adecuado para un niño. Cuando la mujer que no era monja salió, la hermana Delores pidió a las niñas que se sentaran, y ella tomó asiento en una silla mayor. Les sonrió con su cara bonita y les dijo que en realidad aquello no era una excursión. De hecho, añadió, todavía sonriente, estaban a punto de emprender una gran aventura, por gentileza de la Asociación de Ayuda a la Infancia, que había recaudado una gran suma de dinero para socorrer a niñas como ellas.

—Os colocan en casas —les explicó con una expresión más amable y feliz que nunca, sus ojos azules muy abiertos y, por primera y única vez que Cora recordase, chispeantes—. Dentro de unas horas tomaréis un tren. Iréis muy, muy lejos, porque en el Medio Oeste hay personas buenas, en lugares como Ohio, Misuri y Nebraska, que quieren tener a un niño en su casa. —Sin dejar de sonreír, juntó las palmas de las manos—. Todas vais a encontrar una familia.

Cora, sentada en su pequeña silla de madera, sintió que se le detenía la sangre. Miró a Mary Jane, que en su estupefacción parecía incapaz de moverse pero exhibía una extraña sonrisa en el rostro. Cora cabeceó. La hermana Delores le daba miedo, pero el tren le daba más miedo aún. No quería ir a Ohio. Y Betsy... Betsy no estaba con ellas.

—Yo ya tengo familia —afirmó Patricia. En su voz se percibía el pánico de alguien a punto de llorar—. Mi madre está en el hospital. No sabrá dónde encontrarme.

Rose dijo que ella tampoco podía marcharse de Nueva York. Su padre iría a buscarla el día menos pensado. A ella y a su hermana mayor.

—Esto ya está decidido —atajó la hermana Delores en voz baja, de nuevo con su mirada severa, la que mejor conocían—. Si os dejaron con nosotras, es porque no tenéis a nadie más. Tal vez los padres de algunas de vosotras os hayan hecho promesas que no pueden cumplir. No debéis contar con eso.

—Mi padre vendrá a por mí —aseguró Rose.

—Tu padre es un borracho. —La hermana Delores la miró sin pestañear—. Si fuese capaz de mantenerse sobrio a lo largo de la semana, podría conservar un empleo y venir a buscarte como dice que hará. Pero no lo ha hecho, ¿verdad que no? ¿Lo ha hecho? No. Ni lo hará. Lo siento. No quiero ser cruel, pero eres demasiado crédula. Ya ha pasado un año, Rose. No vamos a desaprovechar una oportunidad como esta; no puedes quedarte esperando aquí por una promesa vacía.

Rose rompió a llorar, con sollozos más sonoros y agudos que los de Patricia. Se agarró las puntas de las trenzas castañas y se las llevó a los ojos. Cora sintió calor detrás de sus propios párpados y un temblor en el labio inferior. Ese tren, ese tren horrible, partía al cabo de unas horas. Ya no regresarían al hogar. No volvería a ver a la hermana Josephine. Ni a Imogene. Ni a Betsy. Le darían su cama a una niña flaca con la cabeza rapada. Quizá ya lo habían hecho.

—Basta ya. Basta de llantos. No os dais cuenta de lo afortunadas que sois. —La hermana Delores las miró—. No iba a decíroslo, pero antes de subir al tren cada una de vosotras recibirá un vestido nuevo.

Mary Jane se volvió hacia Cora con un destello de entusiasmo en la mirada. Tendió el brazo y dio un apretón a Cora en la mano. Creía que Cora era como ella. Ninguna de las dos tenía una madre en el hospital, ni un padre con buenas intenciones, ni una hermana mayor que dejar atrás. No que ellas supieran. Pero Cora volvió a mover la cabeza en un gesto de negación. Le traía sin cuidado que la hermana la viera. No sabía si su madre estaba en el hospital, o si tenía un padre dispuesto a ir a por ella. Aun así, era una posibilidad. El tren la alejaría de todo cuanto conocía, de la persona que era.

—No quiero ir —declaró Patricia. Ahora lloraba a moco tendido—. No quiero ir. No quiero una familia. Yo ya tengo una madre.

La hermana Delores se apresuró a ponerse en pie. Era imposible saber si llevaba encima la palmeta. Patricia se encogió para apartarse de ella.

Cora alzó la vista hacia una ventana en lo alto de una pared, hacia la porción de cielo gris que se veía más allá. Aun si pudiera llegar a aquella ventana y de algún modo atravesarla volando, ¿adónde iría? Habían desayunado antes de salir, y ya volvía a tener hambre.

—Qué egoísta —dijo la hermana Delores, mirando todavía a Patricia. Cabeceó, y el velo le rozó los hombros—. Mira que negar a otra niña un sitio donde dormir y comida suficiente por rechazar una oportunidad.

—Que vaya otra en mi lugar —replicó Patricia—. Puede ir otra al Medio Oeste.

—Niña tonta. —La hermana Delores arrugó el ceño—. Vais a buenas casas. No pueden colocar a alguien recién rescatado de la calle.

Al otro lado de la puerta lloró un niño. Oyeron una voz joven, distinta de la de ellos. La voz de un chico.

—¿Por qué nosotras? —preguntó Mary Jane—. ¿Por qué no las otras niñas?

La hermana Delores inclinó la cabeza, como para dar gracias a alguien por hacer, finalmente, una pregunta lógica.

—Solo hay siete plazas para nosotras —respondió—. De ciento cincuenta. Y nos han dicho que las menores tienen más posibilidades. Hace ya un tiempo que mandamos a los bebés.

—Betsy es más pequeña que yo —adujo Cora. No estaba defendiendo a su joven amiga. Esperaba que la hermana comprendiese su error, la llevara de regreso al hogar y metiera a Betsy en el tren.

La hermana Delores movió la cabeza en un gesto de negación.

—Betsy es retrasada. Se le nota solo con mirarla a los ojos. Nos han dicho que nadie la querría.

Alzó la vista hacia el cuadro de Jesús. Las niñas entendieron que no debían hablar. Incluso de perfil, con el rostro medio oculto por el velo, el hastío de la hermana Delores era evidente.

—Queremos a todos los hijos del Señor. —Mantuvo la mirada fija en el cuadro—. Pero solo unos cuantos pueden subir al tren.

Respiró hondo y echó los hombros atrás. No levantó la voz. No le hacía falta. Le bastaba con hablar en voz baja y fijar en ellas la mirada severa de sus ojos azules.

—Voy a decíroslo una vez más, solo una. Si estáis ahora aquí sentadas, sois niñas con mucha suerte. Y por vuestro propio bien, os aseguro que os subiréis a ese tren.

No sabían que formaban parte de un éxodo, una migración en masa que se prolongó a lo largo de setenta años. Ignoraban que la Asociación de Ayuda a la Infancia ya había llenado, y seguiría llenando, un tren tras otro con niños indigentes de la Gran Ciudad. Mientras duró el programa, se enviaron casi doscientos mil niños a lo que, por lo general, fue una vida más fácil entre las familias agrícolas del Medio Oeste, con sus abundantes campos y su aire más puro, sus limpias calles mayores y sus meriendas parroquiales, sus formales parejas jóvenes que querían un hijo.

O un peón para la labranza. Un joven esclavo. Un aprendiz obligado a trabajar largas horas hiciera frío o calor, y que no necesitara mucho alimento. Un prisionero a quien nadie echara en falta, al que se podía golpear, matar de hambre, atormentar, desnudar y violar, todo en la intimidad del hogar.

La rutina era casi siempre la misma. Se enviaban circulares por correo unas semanas antes de que el tren saliera: niños en busca de hogar. Edades diversas. Ambos sexos. Disciplinados. Blancos, de más estaba decirlo. Se comunicaría la dirección, el momento y el lugar del reparto en fecha posterior.

Los trenes no iban todos los años a las mismas poblaciones. La Asociación las mantenía en rotación, considerando que las oportunidades serían mayores si una comunidad no estaba ya saturada de huérfanos, si los huérfanos que tenían eran una excepción, no una amenaza a la demografía. Y había muchos pueblos donde elegir junto a las vías del tren. Las agentes, mujeres con listas que también viajaban en los trenes, les dijeron a los niños que no se preocuparan si no los escogían en las primeras paradas. La gente siempre se decantaba antes por los bebés. En cuanto los hubiesen distribuido a todos, prometieron las agentes, los mayores tendrían una oportunidad.

Aun así, los aleccionaron. Les enseñaron a sonreír cuando les sonrieran, y a cantar «Jesús me ama» cuando se les ordenara. A las niñas les dijeron que si unos padres potenciales les pedían que se recogieran la falda, obedecieran, para mostrarles que tenían las piernas rectas. Dos niños pelirrojos ocupaban el asiento frente a Cora. Incluso dormidos iban agarrados de la mano. El mayor le dijo a la agente que eran hermanos, y que no podían separarlos. Ella contestó que haría lo posible.

Cuando el tren llegaba a un nuevo pueblo, adecentaban a los niños: les lavaban la cara y las manos, los peinaban, les cambiaban la ropa. Ya antes de salir de Nueva York los habían bañado, y les habían entregado no solo una muda de ropa bonita, sino dos: una para el viaje, y otra más bonita aún para la selección. Tenían buenos abrigos y zapatos nuevos de su número, gorras para los chicos, cintas para las chicas. Las agentes eran expertas en hacer trenzas y atar los cordones de los zapatos y borrar todo rastro de lágrimas o siestas interrumpidas. Cuando los niños estaban limpios y presentables, los conducían a una especie de escenario, normalmente en una iglesia o un teatro o un palacio de la ópera. Siempre se congregaba una muchedumbre. La gente se acercaba hasta allí solo para ver.

Incluso entonces Cora comprendió el peligro en que se hallaba, saliendo a un escenario tras otro, permaneciendo inmóvil mientras los adultos pululaban alrededor, examinándolos a ella y a los otros niños, pidiendo a algunos que abrieran la boca y enseñaran los dientes. Se alegró de no ser chico. Hombres y mujeres estrujaban los brazos flacos de los chicos para comprobar la musculatura, y palpaban rodillas y escurridas caderas. Algunos dejaban claras sus necesidades. «¿Has ordeñado alguna vez una vaca?» «¿Has pelado alguna vez mazorcas?» «¿Eres enfermizo?» «¿Eran tus padres enfermizos?» «¿Sabes lo que quiere decir trabajar?» Pero ser niña tampoco suponía una gran ventaja. En una parada, Cora oyó a un hombre de barba larga decirle a una niña mayor con gruesas trenzas negras lo guapa que era, y que había perdido a su mujer hacía unos años, y que ahora estaba solo en la casa, pero era una casa grande, ¿y a ella le gustaban los bebés? La niña, en lugar de contestar, empezó a toser, fuerte e intencionadamente, sin siquiera taparse la boca con la mano, la cara roja como si se asfixiara, hasta que el hombre se alejó. Cuando pasó ante Cora, con expresión lúgubre, ella también tosió.

Rose fue la primera del grupo en irse. Cora no vio a quien la eligió. Su nerviosismo en el escenario era tal que ni siquiera advirtió la ausencia de Rose hasta que estuvieron otra vez en el tren y le quedó todo el asiento para ella. Mary Jane fue elegida en la parada siguiente, echándose casi a los brazos de un hombre joven con abrigo negro y bastón que le preguntó si le gustaría tener su propio poni. Su mujer era guapa y llevaba una falda larga verde y una elegante chaqueta a juego, el pelo rubio en bucles bajo el sombrero. Caminando ya entre ellos, Mary Jane se volvió para despedirse de Cora con la mano y un destello de pérdida asomó a sus ojos, pero enseguida miró sonriente al hombre de nuevo y desapareció por la puerta.

Cora tampoco vio marcharse a Patricia.

En la primera parada de Kansas más de la mitad de los niños se habían ido, pero a Cora no la habían elegido aún. Sabía que era en parte culpa suya. Algunos niños entonaban la canción de Jesús en todos los escenarios, y era cierto que recibían más atención. Pero Cora era muy tímida y, a su manera infantil, demasiado recelosa. Recordaba cuentos que había contado la hermana Josephine, *Hansel y Gretel* y *Blancanieves*. Seguro que las personas que se presentaban en los escenarios eran igual de capaces de disfrazarse, de mostrarse buenas y amables ante la mirada de las agentes, para transformarse en brujas y duendes devoradores de niños en cuanto desaparecían de su vista. Se preguntó qué pasaría si no llegaban a elegirla, si, parada tras parada y escenario tras escenario, tenía que volver al tren hasta que por fin... ¿qué? El tren no podía seguir adelante eternamente. Las agentes tendrían que volver a Nueva York. Si Cora seguía aún con ellas, podía regresar también.

Esa idea le rondaba por la cabeza cuando vio por primera vez a los Kaufmann. Eran los dos altos, pálidos y desgarbados. Cora los miró con curiosidad más que por interés personal. El hombre era mayor que la mujer, con profundas arrugas en la frente, labios finos y exangües. La mujer, más joven, era quizá su hija, pero no era guapa como la mujer del vestido verde que se había llevado a Mary Jane. Tenía los ojos pequeños y pálidos, la nariz afilada. Un gorro de guinga le cubría el pelo.

–Hola –le dijo a Cora.

Tanto el hombre como la mujer se agacharon para tener el rostro a la altura del de ella. Cora no pudo toser ni simular que era retrasada: una de las agentes estaba allí mismo, observando. El hombre le preguntó cómo se llamaba y ella se lo dijo. Le preguntó la edad y ella respondió que no lo sabía, pero que acababa de perder su primer diente de leche. El hombre y la mujer se rieron como si Cora hubiese dicho algo graciosísimo, como si fuera una de las niñas entonando la canción de Jesús, esforzándose por enternecerlos. Les dirigió una mirada severa, pero ellos siguieron sonriendo. El hombre miró a la mujer. La mujer asintió.

–Nos gustaría que vinieras a vivir con nosotros –dijo él–. Nos gustaría que fueras nuestra niñita.

–Tenemos una habitación ya preparada. Tu habitación. –La mujer sonrió, enseñando unos dientes delanteros prominentes–. Con ventana, y una cama. Y un pequeño tocador.

Cora los miró, sin exteriorizar nada. No podían ser sus padres. No se parecían a ella en nada. Y no habían hablado de un poni. Además, aquel era un pueblo extraño, con una calle mayor seca y polvorienta. Y soplaba el viento. En el camino desde la estación, el viento casi la había derribado.

De pronto, la agente estaba detrás de ella.

–Es tímida. Y sin duda está cansada. Han pasado varios días en el tren.

–Y tendrá hambre, imagino –dijo la mujer. Eso parecía preocuparla.

La agente, todavía detrás de Cora, le dio un empujón.

–Anda, ve –dijo, no a modo de pregunta–. Y sé agradecida, ¿eh? Creo que eres una niña afortunada.

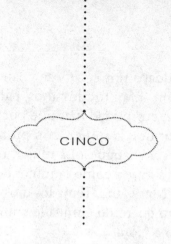

CINCO

Despertó con un parpadeo cuando sonó el silbato y notó el sombrero ladeado en la cabeza. Louise no estaba en su asiento. Se volvió y miró alrededor en el vagón. Al otro lado del pasillo, el bebé regordete, callado pero despierto en el regazo de su madre, miró a Cora con expresión seria. Vio muchos asientos vacíos. Se arregló el sombrero y se frotó la nuca. No tenía por qué alarmarse. Quizá Louise solo había ido al lavabo y, por consideración, había salido al pasillo sin despertar a Cora. Probablemente regresaría en cualquier momento.

El tren pasó ante un maizal con las mieses altas, como era propio del verano, sus puntas doradas asomando entre el verde, estirándose hacia el sol. Cora buscó el libro en su asiento y frunció el ceño al verlo en el suelo. Encorsetada como iba, sería incapaz de alcanzarlo. Intentó levantar el libro sujetándolo entre los pies, pero las suelas de los zapatos eran demasiado rígidas y solo consiguió lanzarlo bajo el asiento de Louise. Fijó la mirada en el asiento vacío. El libro de Schopenhauer permanecía abierto encima de las revistas. Cora se volvió y miró a uno y otro lado del pasillo. Al no ver señal de Louise, se inclinó al frente tanto como pudo y tomó el volumen. Dirigió otro vistazo al pasillo y luego pasó las hojas hasta encontrar un párrafo subrayado por la muchacha en tinta azul.

Sería mejor que no hubiera nada. Como en la tierra hay más dolor que placer, toda satisfacción es solo pasajera, creando nuevos deseos y nuevas angustias, y el sufrimiento del animal devorado es siempre mucho mayor que el placer de quien lo devora.

Había garabatos en los márgenes. Flechas tridimensionales. Ojos de mirada fija. Parras en espiral con hojas. Otro párrafo aparecía marcado con asteriscos.

Gradualmente, lo que pasa por la cabeza de otras personas empezará a sernos indiferente a medida que conozcamos el carácter superficial de sus pensamientos, la estrechez de sus miras y la cantidad de errores en que incurren. Quienquiera que atribuya gran valor a las opiniones ajenas las honra demasiado.

Con expresión ceñuda, Cora cerró el libro y lo dejó donde lo había encontrado, encima de las revistas.

Como era poco después del mediodía, el vagón restaurante estaba muy concurrido y los camareros, con las bandejas muy por encima de la cabeza, pasaban rozándose apresuradamente por los pasillos. Casi todos los reservados estaban ocupados. Pero Louise, sin sombrero, fue fácil de localizar: de cara a Cora, con las piernas cruzadas hacia el pasillo, un zapato con tacón suspendido del pie. En el asiento contiguo al suyo, el hombre que se había ofrecido a bajarles la ventana fumaba un puro. En un ángulo de la mesa había un ventilador eléctrico que empujaba el humo por encima de su hombro hacia la ventana abierta. El hombre tenía el brazo libre apoyado en el respaldo del asiento, cerca del hombro de Louise.

Un hombre negro, vestido con una impecable chaqueta blanca, agachó la cabeza para hablar a Cora en voz baja.

—¿Mesa para uno, señora?

—No, gracias. Yo...

—¡Cora! —Louise agitó una servilleta blanca de hilo—. ¡Cora! ¡Estoy aquí!

Por más que fingiera que no pasaba nada, no engañó a Cora ni por un instante. Aun si Myra la hubiera criado en un granero, una chica de su edad debía saber que no estaba bien sentarse a una mesa con un hombre a quien no conocía.

—¡Venga aquí con nosotros! —Louise volvió a agitar la servilleta—. ¡Ayúdeme, por favor! Sola seré incapaz de acabarme tanta comida.

El tren se ladeó en una curva, y Cora se agarró a un poste. No sabía qué hacer. No podía salir airada del vagón restaurante y dejar allí a Louise. Tampoco podía aferrarla del brazo y llevársela a rastras: con eso no haría más que poner de relieve la indiscreción de la chica ante los presentes. Además, necesitaba comer. Si se marchaba en ese momento, tendría que regresar al cabo de un rato, y bien obligar a Louise a acompañarla, o dejarla sin vigilancia en su compartimento. El nuevo amigo de Louise sonrió, indiferente al parecer a su invitación. Había colgado su bombín de un gancho junto a la mesa, dejando a la vista un cabello entrecano, algo ralo en las sienes. Era de mediana edad, como mínimo, advirtió Cora ahora, cercano a la edad de Alan, y poseía una complexión poderosa, de hombros muy anchos. A su lado, Louise, destocada, parecía aún más menuda y joven de lo que era.

—¿Va a sentarse con ellos, señora? —El camarero señaló hacia la mesa. Si percibió la delicada situación de Cora, o lo incómoda que resultaba, no mostró el menor interés.

Ella asintió y lo siguió hasta el reservado, mirando de reojo a los otros comensales, atenta a expresiones de desaprobación o, peor, de reconocimiento. Tenía la intención de deslizarse en el asiento situado frente a Louise y el hombre, pero cuando lo intentó, lanzando aún ojeadas de soslayo alrededor, descubrió, para su horror, que se había sentado en el regazo de otro hombre.

—¡Válgame Dios! —Se levantó de un salto, casi tropezando con el camarero, quien, en lugar de ayudarla a mantener el equilibrio, retrocedió rápidamente un paso con las manos detrás de la espalda.

La carcajada de Louise fue más bien un chillido. Llegó al punto de recostarse en el asiento y aplaudir.

—Vaya, Cora. ¡Pensaba que lo veía!

—No sabe cuánto lo siento —dijo el otro hombre, que salía ya del reservado para ponerse en pie—. No sabe cuánto lo siento

–repitió, pese a que, por su tono, era evidente que encontraba la escena tan graciosa como la propia Louise. De pómulos marcados y abundante cabello rubio, era más joven que el otro hombre, y un poco más que Cora–. No me había dado cuenta...

–El error ha sido mío. Por favor, siéntese. Por favor –susurró Cora. Necesitaba que él se sentara para poder hacerlo ella. Notó un calor que le ascendía por el cuello. El hombre la complació, y ella se sentó a su lado. Él le sonrió cortésmente, pero enseguida dirigió la mirada de nuevo a Louise.

–Perdone que me haya escapado sin usted. –Louise tendió la mano por encima de la mesa para tocar el brazo a Cora–. Estaba hambrienta, y usted dormía tan plácidamente... ¿Ha disfrutado de la siesta?

–Sí. Gracias. –Cora ladeó la cabeza para esconder la cara tras el ala del sombrero y fijó en Louise una mirada severa sin que los hombres la vieran. Louise sonrió y cortó otro trozo de la enorme ración de pollo.

–El caso es que cuando he llegado, estaban todas las mesas ocupadas, y estos caballeros han tenido la amabilidad de ofrecerme asiento. Cora, le presento al señor Ross, y este es su sobrino, llamado también señor Ross. ¿Verdad que es práctico? –Hundió el tenedor en el pollo–. El doble de fácil de recordar.

–Llámeme Joe –dijo el hombre de mayor edad con un amable gesto de asentimiento.

–Y yo soy Norman –añadió el más joven.

–Señora Carlisle. –Cora esbozó una parca sonrisa. Pese a la uniforme rotación del ventilador eléctrico, le escocían los ojos a causa del humo del puro. Un camarero puso un vaso de agua junto a su plato, acompañado de una carta. Cora, tosiendo un poco, pidió limonada.

–¿Tiene hambre? –Louise señaló con el tenedor su plato, en el que aún quedaba más de media pechuga de pollo, y otra todavía intacta–. El pollo está bueno, pero las raciones son enormes. ¿Quiere un poco de lo mío? Yo no puedo comerme todo esto.

El pollo tenía buen aspecto, asado tal como a Cora le gustaba. Y a pesar del humo del puro flotando en el aire, a pesar del calor, tenía apetito. Si solo comía lo que la muchacha dejara, podrían abandonar la mesa mucho antes. Al parecer los dos hombres casi habían acabado, ya que les habían retirado los platos y tenían ante sí las servilletas de hilo arrugadas.

Cora miró a Louise.

—Gracias. Lástima que no hayan podido ofrecerte algo más pequeño, algo del menú infantil. ¿Les has dicho que solo tienes quince años?

Louise entrecerró los ojos. Cora sonrió y, utilizando el cuchillo y el tenedor, trasladó el trozo de pollo a su plato. Vio que había también panecillos en una cesta y tomó uno. Tendría que moderarse. El corsé solo le permitía comer un poco cada vez.

El hombre de mayor edad apartó la mano del hombro de Louise. Cruzó los brazos ante sí y miró a Cora por encima de la mesa. Parecía disculparse con el semblante.

—Señora Carlisle —dijo con tono cordial—. ¿Es usted también de Wichita?

Ella asintió. El camarero se acercó con su limonada, vio el pollo de segunda mano en su plato y, con una mueca de desdén, se llevó la carta.

Louise se inclinó sobre la mesa.

—Ellos dos son bomberos en Wichita. ¿No es impresionante? Todo el mundo adora a los bomberos. Y nosotras hemos conseguido sentarnos a su mesa.

Cora arrugó la frente. Había supuesto que aquellos hombres eran viajantes de comercio o se dedicaban a algo vulgar. Sería más difícil tratar con brusquedad a hombres que arriesgaban su vida habitualmente para salvar a personas de edificios en llamas. Por otro lado, bomberos o no, no parecían del todo nobles. En la mano izquierda del hombre de mayor edad, que acababa de alejarse del hombro de Louise, Cora advirtió el destello de una alianza nupcial.

—Vamos a Chicago. A la academia de bomberos. —Golpeteó la colilla del puro para echar la ceniza en un cenicero de plata.

—Academia de bomberos... —Cora tomó un sorbo de limonada, que estaba perfecta, no demasiado dulce y asombrosamente fría—. No sabía que eso existiera.

—Pues sí existe. Son muchas las cosas que debemos saber. No nos limitamos a apuntar con la manguera y echar agua. Tenemos que conocer bien los materiales de construcción. Entender de química. Allí veremos nuevas herramientas y técnicas. —Sonrió a Cora—. ¿Cuánto hace que vive en Wichita?

—Desde que me casé.

—¿Y antes dónde vivía?

—En McPherson.

—¡No me diga! —El hombre señaló a su sobrino—. ¡Su padre y yo somos de McPherson! Yo soy un poco mayor que usted, creo. Pero ¿cuál era su apellido de soltera?

—Kaufmann.

El hombre la miró a la cara atentamente.

—Vivíamos un poco lejos. Teníamos una granja.

—Ah, una chica de campo. —Le sonrió quizá con excesiva familiaridad. Louise miró a Cora y enarcó las cejas.

Cora levantó un dedo mientras masticaba, pero incluso después de tragar se abstuvo de devolver la sonrisa con toda la intención.

—Ya no —dijo—. Mi marido y yo llevamos mucho tiempo en Wichita. —Mencionando a Alan se sintió más tranquila.

—¿Aún tiene familia en McPherson?

—No. Éramos solo mis padres y yo. Los dos murieron hace tiempo.

—Ya. —El hombre recorrió su rostro con la mirada—. Bueno, su joven amiga nos ha dicho que van a Nueva York —dijo antes de expulsar un anillo de humo—. Yo he estado allí unas cuantas veces. Es una ciudad de un nivel muy distinto. ¿Dos mujeres solas en Nueva York? A mí eso me preocuparía. ¿Ha estado alguna vez allí?

Cora negó con la cabeza. No le gustaba su tono. «Dos mujeres solas.» Se alegró de que él y su sobrino se quedaran en Chicago. Masticó rápidamente y tragó.

—Puede ser un lugar duro —prosiguió él—. Sobre todo hoy día. En Kansas ya están acostumbrados a las leyes contra el consumo del alcohol, pero en Nueva York aún no se han habituado del todo. —Miró su vaso de agua con semblante ceñudo—. Creo que el movimiento antialcohólico se ha excedido un poco. Nueva York no soportará la Prohibición durante mucho tiempo.

—Mejor —dijo Louise con el codo en la mesa y la barbilla en la mano—. A mí la Prohibición me parece una estupidez.

—No podría estar más de acuerdo —coincidió el sobrino, inclinándose para quedar en su ángulo de visión. Parecía incapaz de mirar a nadie o nada más que a Louise.

—Eso es porque no conoces otra cosa. —Cora se limpió los labios con la servilleta. También ella miraba a Louise—. Ya sé que está de moda entre los jóvenes pensar que nada sería más divertido que legalizar el alcohol, pero tú te has criado en un estado sin alcohol, cariño. Nunca has visto los efectos de los excesos con la bebida. Nunca has visto a hombres beberse el sueldo y olvidarse de sus familias, de sus hijos. —Se volvió para mirar al hombre de mayor edad—. Sospecho que en Nueva York habrá no pocas mujeres casadas que agradecerán vivir como han vivido las esposas de Kansas durante años.

Louise dejó escapar un bufido burlón.

—A menos que les guste tomarse un trago.

El hombre más joven sacudió la cabeza y se rio, pero tampoco así consiguió captar la mirada de ella.

El tío miró a Cora con semblante pensativo a la vez que daba otra calada al puro.

—Perdone —dijo cortésmente—, pero ha dicho usted que se crio en Kansas, donde está prohibido el consumo de alcohol desde hace cuarenta años. Por su edad, diría que no ha conocido nada aparte de la Prohibición. —Se encogió de hombros—. Quizá los problemas que recuerda solo son una prueba de que las leyes contra el alcohol no impiden beber a la gente.

Louise sonrió y le dio un codazo, como si su equipo acabara de anotar un punto.

—No —dijo Cora sin inmutarse—. No se trata de eso en absoluto. Simplemente he conocido a mujeres mayores que recuerdan los malos tiempos. Cuando yo era pequeña oí hablar a Carry Nation.* Si usted se crio en Kansas, seguro que también la oyó.

_____

* Carry Nation (1846-1911), mujer conocida por pertenecer al Movimiento por la Templanza que luchaba en contra del alcohol. *(N. de los T.)*

Y por lo que recuerdo, tenía mucho que contar acerca de su primer marido, que murió a causa de la bebida. Según tengo entendido, no fue la única que pasó por esa experiencia.

El hombre de mayor edad levantó su vaso de agua.

—Ahora pagamos justos por pecadores.

—Es una manera de verlo. —Cora, dejando el cuchillo y el tenedor junto al plato, dirigió un gesto de asentimiento al camarero. Ya había comido todo lo que le permitía el corsé, lo suficiente para aguantar hasta la cena—. Tenemos que aceptar nuestras diferencias.

—¡Brindo por eso! —dijo el hombre. Hizo una mueca y sonrió, dándose una palmada en la cabeza—. ¡Maldita sea! Está prohibido.

Louise entrechocó su vaso con el de él.

—A no ser que lo haga a escondidas.

Cora dejó la servilleta en la mesa.

—Louise, creo que ya hemos acabado de comer. Ha sido un placer conocerlos, caballeros. Debemos volver a nuestros asientos. —Se levantó y abrió el bolso.

—Por favor. —El hombre mayor agitó la mano—. ¡Por favor! Ni se le ocurra pagar. Hemos pedido a la joven que se sentara con nosotros. Y su compañía ha sido también un placer.

—Gracias, pero insisto. —Puso un dólar en la mesa, fijando en él una mirada que zanjaba toda discusión. Deseó que él dejara de sonreírle así. Eran viejos enemigos: el hombre bebedor y la mujer votante. No necesitaba su aprecio.

—Gracias por intentarlo —les dijo Louise. Cuando se levantó, miró al más joven y sonrió a su tío.

Cora esperó hasta que Louise, con sus tacones altos, pasara ante ella por el pasillo con andar rápido y aplomado para volverse, aunque muy brevemente, y desear buenos días a los dos hombres.

Quería leerle la cartilla a Louise en cuanto regresaran a sus asientos. Pero antes debía pedirle que recuperara *La edad de la inocencia,* que estaba aún en el suelo, o eso cabía esperar,

—Tengo dolor de espalda —explicó. Las dos seguían de pie en el pasillo.

Louise la miró con escepticismo.

—Seguro que su corsé tampoco es de gran ayuda. —Afortunadamente, lo había dicho casi en un susurro—. No lo niegue. Llevo toda la vida recogiéndole cosas a mi madre.

Cora observó a Louise cuando se agachó y buscó bajo el asiento. Se movió con gran desenvoltura y agilidad. Cora sabía que muchas chicas no se ponían corsé. Usaban solo unos sujetadores que en realidad les aplanaban el pecho: por lo visto era la última moda, intentar parecer una niña, o incluso un niño. Cora no sabía si Louise llevaba los pechos ceñidos o si los tenía pequeños por naturaleza. Pero todo en ella parecía infantil: su peinado, sus grandes ojos, su baja estatura. Aunque su mirada era sabia y sus labios, carnosos.

Louise se irguió de pronto con una sonrisa triunfal y le entregó el libro.

—Gracias. —Cora también bajó la voz—. Y ahora me gustaría comentarte una cosa. Imagino que ya sabes de qué se trata.

Louise se desplomó en su asiento con un suspiro. Cora, en lugar de sentarse enfrente, se acomodó a su lado. Necesitaba que la conversación fuera lo más íntima y menos estridente posible. Louise, a todas luces indiferente a la discreción de Cora, cruzó las piernas y se inclinó hacia la ventana. Atravesaban un río de aguas lentas y parduzcas. Dos chicos vestidos con mono saludaron al tren desde un bote de remos agitando las gorras.

—No soy tu enemiga —dijo Cora. Le hablaba al lustroso pelo negro de Louise y el par de centímetros de cuello blanco visibles justo por debajo—. No estoy aquí para agobiarte, ni para hacerte sufrir, ni para impedir que te diviertas. De hecho, estoy aquí para protegerte.

Louise, irritada, se volvió.

—¿De qué? ¿De esos hombres? ¿Qué cree que iban a hacer? ¿Propasarse conmigo en el vagón restaurante? ¿Meterme a rastras debajo de la mesa?

Cora se quedó desconcertada. Tuvo que tragar saliva para recuperar la compostura.

—Louise, una chica de tu edad no almuerza con hombres a los que no conoce. No sin una acompañante.

—¿Por qué no?

—Porque no se hace.

—¿Por qué no?

—Porque no.

—¿Por qué no?

—Porque queda impropio.

Se miraron fijamente hasta que Louise apartó la vista.

—Razonamiento circular —dijo entre dientes—. Vueltas y vueltas y vueltas.

—Podemos darnos la vuelta en Chicago —propuso Cora—. Podemos regresar a Kansas ahora mismo.

Fue un error. Dio la impresión de que Louise se asustaba solo por un momento. Luego miró a Cora a los ojos y pareció descubrir el farol al instante. No podía saber por qué Cora no estaba dispuesta a volver, por qué su compañera de mayor edad necesitaba el impulso de ese tren a bordo del cual ya viajaban, avanzando hacia el este a un ritmo constante. Pero la muchacha —tan alerta, tan sensible a la vulnerabilidad— pareció percibir cierta ventaja.

—Supongo que sí —coincidió. Sin apartar la mirada de Cora, sonrió.

—Preferiría no tomar una medida así. —Cora se rascó el cuello y giró la cabeza. Olía su propio sudor seco en la blusa—. Pero si me obligas, lo haré. Tus padres me han confiado una gran responsabilidad. —Se volvió hacia Louise—. Te lo diré claramente: he venido no solo para velar por ti sino para velar por tu reputación. ¿Lo entiendes? Estoy aquí para protegerte, incluso de las especulaciones. Mi sola presencia en este viaje garantiza que nadie pueda sospechar de la posibilidad de una situación comprometedora.

—Ah. —Louise agitó la mano—. En ese caso, puede estar tranquila. A mí esas cosas no me preocupan.

Cora tuvo que sonreír. Para ser una chica tan leída, Louise sin duda estaba resultando muy ingenua. ¿Acaso su madre nunca le había explicado nada de eso? ¿El elemental concepto de la deshonra? No era de extrañar que la irritara la presencia de Cora en el viaje; realmente no entendía qué necesidad había de una acompañante.

–Louise, esos hombres eran de Wichita; viven donde vivimos nosotras. Y lo mismo puede decirse de otras muchas personas en este tren. Puede que tú no las conozcas, pero quizá ellas sí saben quién eres tú. Podrían volver y contar chismes sobre tu conducta. Incluso podrían adornar la historia, aunque tampoco es que les hiciera falta, después de verte almorzar en compañía de unos bomberos. Y luego, cuando regresaras a Wichita al final del verano, tu reputación estaría en tela de juicio.

–¿Y qué?

Cora respiró hondo, haciendo acopio de paciencia.

–Me has dicho que quizá algún día quieras casarte. Que te gustaría ser novia en una boda.

Louise la miró bajo las cejas contraídas, aparentemente confusa. Cora suspiró y se abanicó con el libro. No sabía cómo decírselo con mayor claridad. Había hablado con sus hijos sobre esos asuntos, pero esa conversación había sido muy distinta. Simplemente los había prevenido sobre la conveniencia de mantenerse alejados de cierta clase de chicas, esas chicas con un futuro incierto, esas chicas que podrían poner en peligro también el porvenir de ellos. No sabía si sus hijos habían escuchado sus consejos. Los dos habían tenido novias formales, así como amigas en apariencia no tan formales que los habían rondado durante un tiempo y luego habían desaparecido. Sabía que a alguna que otra no había llegado a conocerla. Pero no había surgido ningún problema, que ella supiera, y tanto Howard como Earle podían marcharse a la universidad sin lastres.

No obstante, Cora pensaba que una chica necesitaba advertencias más serias, aunque solo fuera porque el mundo era injusto. Había iniquidades que no cambiarían. Tal vez no podían cambiar. En todo caso, así eran las cosas.

Echó un vistazo por encima del hombro antes de volver a la carga.

–Louise, te lo plantearé lisa y llanamente. Los hombres no quieren un caramelo que ya ha sido desenvuelto. Para divertirse quizá sí, pero no a la hora de casarse. Puede que el caramelo esté totalmente limpio, pero si no tiene el envoltorio, no saben por dónde ha pasado.

Louise la miró fijamente, su hermoso rostro del todo inexpresivo. Por fin había hecho mella, pensó Cora. Había tenido que recurrir a una analogía burda, que no recordaba ni oía desde hacía años.

Louise se llevó una mano a la boca, en un evidente esfuerzo para no reír.

—Eso es lo más tonto que he oído en la vida. ¿Un caramelo sin envoltorio? ¡Pero qué horror! Francamente, Cora, habla usted como una matrona italiana. ¿Quién le ha enseñado eso, por Dios?

Cora se tensó.

—Te aseguro que lo que he dicho no tiene ninguna gracia.

Louise se apoyó en la ventana. Tenía las mejillas sonrojadas y los ojos encendidos. Fuera cual fuera su postura junto a la ventana, la luz parecía adorar su cara, sus ángulos y su tersura, su tez pálida encuadrada por el cabello negro. Cora la miró con expresión sombría. Louise podía permitirse reír. Era la hermosa hija de unos padres indulgentes. Se creía por encima de los demás. Las reglas no eran aplicables a ella.

—Adelante, tómatelo a broma si quieres. —Cora recogió el libro del asiento—. Pero no son solo aburridos principios morales del pasado, o como quieras llamarlo. Las cosas son así, siempre han sido así, y así serán durante mucho tiempo. —Le sorprendió la ira de su propia voz—. No sabes lo resbaladizo que es el terreno que pisas, jovencita, pero te aseguro que al final hay un precipicio. —Se interrumpió, abochornada. Bajó la voz—. Solo te lo digo porque me importas.

Dicho esto, se puso en pie y, procurando mantener el equilibrio, fue a ocupar su asiento. No miró a Louise, pero sabía que la muchacha aún la observaba. Cora abrió el libro en la página donde tenía la marca e hizo lo posible por mostrarse tranquila. No pensaba retractarse ni escuchar más insolencias. No era eso lo que se necesitaba en ese momento. Louise iba camino de convertirse en una de esas chicas contra las que había prevenido a sus hijos. Le hacía un favor tratándola con severidad.

Intentó acompasar la respiración, concentrándose en el texto. Pero oyó un crujido de papel y percibió movimiento al otro lado de la mesa. No alzó la vista. Oyó desplegarse y abrirse una bolsa de papel. Otro sonido susurrante. Un sonoro chupeteo.

Cora levantó la mirada con cautela. Louise sonrió.

—¿Una piruleta?

En el lado de la mesa de la muchacha, dispuestos sobre una larga hoja de papel de cera arrugado, había varios recuadros desiguales de caramelo duro translúcido, cada uno con un mondadientes clavado.

—Son caseras. —Dirigió a Cora la misma sonrisa condescendiente que había dedicado a su padre en el andén—. Por eso son un poco irregulares. Pero soy muy golosa. Hice una tanda antes de irme.

Cora miró los caramelos. Nunca habría pensado que a Louise pudiera interesarle la cocina. Pero, claro, con una madre tan infeliz y ajena como Myra, debía de haber tenido que aprender a preparar sus propias golosinas.

Louise, apoyando el codo en la mesa, se inclinó hacia ella.

—Y como las he hecho yo misma, puedo asegurarle que sé dónde han estado. —Su voz era un susurro pensado para que lo oyera todo el mundo—. Tengo la total certeza de que están limpias.

Cora le devolvió la mirada. Estaba burlándose de ella. Estaba burlándose de ella y no había nada que hacer al respecto.

—Usted misma. —Louise se llevó un caramelo a la boca de modo que solo asomaba el palillo entre sus labios relucientes de saliva y cerró los ojos con un gesto que expresaba sincero placer.

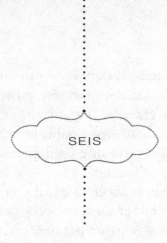

SEIS

A Cora le habían dicho en catequesis que una chica era como un caramelo, envuelto o no, y por entonces aún era demasiado pequeña para entenderlo. La parroquia, en las afueras de McPherson, tenía una sola aula, y como ese domingo habían enviado a los niños al presbiterio para su clase, no había manera de separar a las niñas menores de las mayores. O quizá sencillamente se consideró oportuno que también las pequeñas supieran cuanto antes lo de los caramelos sin envoltorio. En cualquier caso, Cora, que entonces contaba unos siete años, quedó tan confusa por la lección del caramelo que esa misma noche, mientras mamá Kaufmann le remetía las mantas de la cama, tuvo que preguntar qué significaba.

—Cielos —dijo mamá Kaufmann, y abrió desorbitadamente sus pequeños ojos azules antes de apartar la mirada—. ¿Ya están enseñándote eso? —La habitación de Cora estaba en penumbra, con la vela en su palmatoria lejos de la cama, y aun así, en ese débil resplandor vacilante, reflejado en el espejo del tocador, vio que mamá Kaufmann se avergonzaba y el rubor asomaba a sus mejillas pálidas. Alisó el dobladillo del edredón de algodón bajo la barbilla de Cora y finalmente la miró a los ojos—. Quieren decir que las chicas debéis reservaros para el matrimonio. Solo querían decir eso.

Cora no deseaba seguir abochornando a mamá Kaufmann —ni a sí misma— con más preguntas, pero esa noche permaneció mucho rato despierta, aún más confusa que antes. ¿Cómo se reservaba una para el matrimonio? ¿Cómo podía una gastarse? Si se gastaba, ¿quería decir que moría? Si no, ¿qué quedaba de

73

ella? ¿Se daban cuenta los demás de que una estaba gastada? ¿Cómo lo sabían? Y lo más importante, ¿cómo podía Cora evitar gastarse? Porque sí entendió que evitarlo, reservarse, era importante. La lección del caramelo se había presentado de un modo más lúgubre, y más severo, que las habituales clases de catequesis en que se mezclaban niñas y niños. Y las otras niñas, todas ellas, parecían escuchar más atentas que durante las clases de catequesis habituales sobre el amor al vecino y tratar bien al prójimo y todo eso. Pero por otra parte, pensó Cora, eso no era mucho decir: ni las chicas ni los chicos parecían tomarse en serio la catequesis ni remotamente. Porque esos eran los mismos niños y niñas que iban con Cora al colegio, y aunque Cora era su vecina, ni siquiera fingían amarla. No la trataban como les gustaría que ella los tratara a ellos.

Durante la semana era una de los catorce alumnos, de edades comprendidas entre los seis y quince años, nueve niñas y cinco niños, que compartían un aula, una maestra y una estufa y que no disponían de suficientes libros de lectura ni pizarrines. En muchos aspectos, Cora se parecía a ellos. Todos se perdían las clases durante la siembra, y otra vez durante la recolección. Todos tenían quehaceres por las mañanas y procuraban no quedarse dormidos en el pupitre. Sus madres les cosían un conjunto nuevo cada curso, ni más bonito ni peor que el vestido nuevo que mamá Kaufmann le cosía a Cora cada año. Recorrían el mismo camino hasta la escuela. Y sin embargo, ni uno solo de ellos lo hacía al lado de Cora. Fue una niña mayor quien por fin le explicó a Cora la razón, y pareció apenarle ser ella quien tuviera que dar la triste noticia. Era así de sencillo, dijo la niña: sus padres sabían que Cora había llegado en el tren, y que procedía de Nueva York. Probablemente los padres de Cora no estaban casados. Su madre quizá había sido prostituta, o retrasada, o una loca o una borracha; o quizá acababa de desembarcar, ya que, al fin y al cabo, Cora tenía los ojos y el pelo oscuros. Comoquiera que fuese, si sus padres habían tenido que abandonarla, debía de ser de baja ralea.

La maestra, ella misma no mucho mayor que las alumnas, propensa a decir «Eso no importa un comino» cuando alguien

74

le hacía una pregunta que no sabía contestar, parecía apreciar a Cora. Le decía que era una niña buena, que nunca daba problemas y que tenía una caligrafía excelente. Por tanto, en el colegio la parte relativa al aprendizaje iba bien. Pero en el patio Cora se quedaba sentada ella sola mientras los chicos alborotaban y las demás chicas se entretenían con un juego que consistía en manipular dos varillas para lanzar al aire y volver a atrapar un aro de madera del tamaño de la copa de un sombrero envuelto en una cinta. «Gracias», llamaban a ese juego, por la gracia con que se movían las niñas al practicarlo. Solo disponían de dos aros, así que tenían que compartirlos, pero jugaban todos los días, llevando la cuenta de los lanzamientos buenos para ver quién era la primera capaz de atrapar el aro diez veces consecutivas, y la ganadora jugaba a continuación con quien la desafiaba. No dejaban jugar a Cora, y a veces, cuando estaba sentada en el patio sintiendo la soledad con la misma intensidad que la sed, deseaba estar otra vez en Nueva York, saltando a la comba y jugando a la gallinita ciega con niñas que no eran mejores que ella, pese a que desde su llegada a Kansas comía casi a diario ternera o pollo o cerdo, y maíz con mantequilla, y las tartas de fruta de mamá Kaufmann con auténtica nata batida; pese a que le remetían el suave edredón de la cama cada noche con un beso, y pese a que los domingos iba a la iglesia en carreta sentada entre los Kaufmann, y cuando entraban en la iglesia, los Kaufmann, los dos muy altos y rubios, sin parecerse en nada a ella, la aferraban cada uno de una mano, indiferentes a lo que pensaran los demás.

Una mañana de octubre, Cora le dijo a mamá Kaufmann que ya no quería ir a la escuela. Estaban sentadas espalda con espalda, ordeñando cada una una vaca de Jersey, y el aire en el establo era tan frío que Cora veía su aliento a la luz del farolillo. Dijo que sería más feliz en casa, ayudando con las faenas. Al principio mamá Kaufmann se irritó. Le dijo a Cora que su educación era importante, y un privilegio, y que no quería volver a oír semejante tontería. Pero entonces Cora le contó por qué detestaba ir a la escuela: los otros niños sabían que había llegado en el tren; tenía que sentarse sola y mirar a las niñas mientras jugaban a las gracias. Durante un rato solo se oyó el tamborileo de los chorros de leche en los costados de los cubos, y a *Lida* piafar en su cuadra, y al final mamá Kaufmann dijo:

–Las gracias. Recuerdo ese juego. Bueno, está bien que nuestros corazones se fortalezcan por medio de la gracia. Los nuestros y los suyos, supongo. –De pronto se volvió y dio un suave tirón de orejas a Cora con sus dedos húmedos–. Óyeme, cariño, vamos a enseñarles a esas niñas lo que es de verdad la gracia.

Al principio Cora temió que mamá Kaufmann se propusiera ir a la escuela e intimidar a las niñas para que la trataran bien. Podría haberlo hecho perfectamente. Mamá Kaufmann era muy delgada; aun así, era capaz de ofrecer un aspecto muy serio con su nariz puntiaguda, y era tan alta que podía ponerse un pantalón de su marido debajo de la falda de algodón estampado los días que lo ayudaba en los campos. Pero no fue al patio del colegio. En lugar de eso, pasados unos días, el señor Kaufmann le regaló a Cora su propio aro de las gracias. Lo había labrado conforme a las indicaciones de mamá Kaufmann, valiéndose de la afilada navaja que él llamaba su «palillo de Arkansas» y un trozo de madera de la gran rama de roble que había caído el verano anterior. Mamá Kaufmann había envuelto el aro con una cinta roja, dejando colgar el lazo, igual que en los aros de las niñas de la escuela.

–Y aquí tienes las varillas –dijo el señor Kaufmann, y los ojos claros le brillaron, complacido por el asombro que vio en el rostro de Cora. Ella todavía no lo conocía muy bien. Salvo los domingos, solo entraba en casa para comer y dormir, incluso cuando nevaba. En la mesa solía hablar de la lluvia: cuándo iba a llover, durante cuánto tiempo, con qué intensidad. Cuando hacía frío, expresaba en voz alta sus preocupaciones por la escarcha y la tierra helada. Cora entendía, en cierto modo, que su interés por el tiempo y el trabajo era tan necesario para su propio bienestar como todo lo que decía o hacía mamá Kaufmann. Pero también comprendía, con esa misma intuición, que él no la necesitaba del mismo modo que mamá Kaufmann, y que Cora había sido, en cierto sentido, un regalo suyo a su joven esposa. El señor Kaufmann tenía hijos de su primer matrimonio. Su esposa, la primera señora Kaufmann, murió de una pulmonía, pero tres de sus hijos, dos varones y una mujer, aún vivían. A los hijos les iba bien en el Oeste, y la hija estaba casada, era madre ella misma y vivía en Kansas City. Todos los años, poco después de la cosecha, el señor Kaufmann tomaba el tren para ir a visitar a esa hija a Kansas City, y Cora y mamá Kaufmann se quedaban cuidando de los animales. La hija nunca los había visitado a ellos. No debían juzgarla, decía mamá Kaufmann. Para ella sería duro regresar al hogar de su infancia y encontrar allí a la nueva mujer y la otra hija de su padre.

—Gracias —dijo Cora, sosteniendo ante sí el aro y las varillas. Le preocupaba el tiempo que el señor Kaufmann había dedicado a labrar el aro, y qué esperaban exactamente que consiguiera ella con él. No bastaría con agarrar el aro y las varillas y llevarlas a la escuela. ¿Eso pensaban? ¿Que sería así de fácil? El problema era su lugar de procedencia, y el aro y las varillas no la ayudarían en ese sentido.

—Debemos empezar ya mismo —anunció mamá Kaufmann, ya en el zaguán, calzándose las resistentes botas marrones—. Fuera llueve un poco. Podemos ir al establo. Trae el farol para cuando oscurezca.

Cora sintió casi tanto asombro como emoción: mamá Kaufmann nunca había jugado a nada con ella. Siempre andaba ocupada, siempre tenía algo entre manos. Encendía el fuego bajo la gran tina para lavar la ropa y las sábanas; mataba gallinas con el cordel del tendedero antes de colgarlas de las patas en el gancho para desplumarlas; paleaba el estiércol; colaba la leche; recogía los huevos; lavaba los coladores y los cubos de leche; preparaba la comida y ponía en conserva peras y espárragos; sacaba el agua del pozo para lavar los platos; zurcía la ropa. Cora la ayudaba en todo cuando no estaba en la escuela, pero también tenía tiempo para holgazanear, para jugar con los animales, para tenderse de espaldas en la hierba y contemplar las nubes. Aun así, siempre había holgazaneado sola.

Pero desde el momento en que el señor Kaufmann hizo el aro, Cora y mamá Kaufmann empezaron a salir al establo todas las noches, y se iban a dormir más tarde para disponer del tiempo necesario. Mamá Kaufmann tuvo mucha paciencia, sobre todo al principio, mientras Cora aprendía a descruzar las varillas con la rapidez y el ángulo adecuados para lanzar el aro al aire. Cuando seguía fallando, después de muchos intentos, mamá Kaufmann le decía que no movía las varillas con velocidad suficiente. Le mostraba cómo hacerlo y le pedía que lo intentara una vez más. Y otra. Y otra más. A pesar del frío, Cora sudaba bajo su vestido y se le aceleraba la respiración. Pero estaba muy contenta de jugar a las gracias, de jugar a cualquier cosa con otra persona. Solo tenían las dos varillas de Cora, de modo que mamá Kaufmann no usaba ninguna; atrapaba el aro con las manos antes de lanzárselo de nuevo a Cora. Cuando Cora señaló que eso no era del todo justo, mamá Kaufmann la miró con cara de impaciencia y dijo que aquello no era cuestión de justicia.

Comenzó a lanzar el aro desde más lejos. Cuando se hacía tarde, parpadeaba, deslumbrada por el farol, y sus lanzamientos eran menos controlados y más difíciles de atrapar.

Pero al cabo de un tiempo Cora dominaba el juego ya lo suficiente como para arrojar el aro a una altura que le permitiera correr bajo él y atraparlo con una varita o dos. La dejaban quedarse hasta tarde y practicar sola. Pensaba en el juego incluso cuando no estaba jugando, en el satisfactorio chasquido que producía el aro al caer justo encima de las varillas. En Navidad era capaz de lanzar el aro al aire, dar dos vueltas debajo y cazarlo con las dos varillas. Podía capturar el aro por detrás. Podía atraparlo con los brazos cruzados a la altura de los codos. Lo lanzaba tan alto que uno de los peones de la granja se quitaba el sombrero y decía: «¡Yuju!». Incluso podía atrapar el aro con los ojos cerrados, pero después de conseguirlo dos veces estuvo a punto de romperse la nariz y le dio miedo volver a intentarlo.

Los Kaufmann coincidieron en que había llegado el momento de que se llevara el aro a la escuela.

—No tienes que pedirles nada —dijo mamá Kaufmann—. Basta con que te plantes allí y les enseñes lo que sabes hacer. Sonríe si quieres. Pero que vengan ellas a ti.

La mañana fría y soleada en que Cora llegó al patio de la escuela con sus varillas y su aro, al principio nadie se fijó en ella. Las niñas que jugaban a las gracias siguieron lanzando y atrapando el aro, y las demás esperaban su turno. Los niños estaban junto al árbol. Cora oyó el crujido de los guijarros bajo sus pies mientras se balanceaba, preparándose. Se echó las trenzas a la espalda. Era igual que en casa, se dijo, el mismo aro, las mismas varillas. Pero le temblaron las manos al cruzar los palos bajo el aro.

Atrapó varios lanzamientos altos sucesivos. Atrapó el aro por detrás de la espalda, y luego lo repitió. Supo que la miraban cuando cesaron los chasquidos de los aros y las varillas de las otras niñas. Volvió a echar a volar el aro, a una altura mayor que antes, y esta vez, cuando lo recuperó con las varillas por detrás de la espalda, alguien, un chico —nunca sabría quién— gritó: «Caramba, Cora. ¡Bravo!». Y de hecho ese fue el momento, el momento preciso, en que todo empezó a cambiar. Dos de las niñas mayores se acercaron a ella, tal como mamá Kaufmann dijo que sucedería. Querían saber cómo podía lanzar el aro tan alto y atraparlo cada vez. ¿Podía enseñarles? ¿Dónde había aprendido a jugar tan bien?

—En Nueva York —contestó Cora, sin dejar de lanzar el aro muy, muy alto al aire. Todavía no estaba lista para mirarlas—. Allí esto se le da bien a todo el mundo.

Fue sorprendente, y un poco desconcertante, lo fáciles que resultaron las cosas en adelante. Las niñas se peleaban por jugar con ella. Algunas empezaron a mostrarse cordiales a todas horas, incluso cuando no jugaban. A Cora nunca la invitaba nadie a su casa, pero eran todas un poco más amables, y algunas se exponían a la ira de sus padres cuando la acompañaban en el camino a casa después de la escuela.

—Eres de lo más simpática —le comentó una niña—. Mi padre ha dicho que algunas personas pueden superar sus orígenes.

Todo por un juego, un aro y unas varillas, una serie de reglas. En realidad, fue como si Cora las hubiese engañado. Al fin y al cabo, era la misma persona de siempre. Seguía siendo de Nueva York, una niña de ascendencia desconocida y pelo oscuro. A decir verdad, el juego no la había dotado de más gracia ni de ninguna otra cosa, excepto de una mayor aptitud para lanzar y atrapar un aro con unas varillas. Ni siquiera era un juego muy interesante: existía un número muy limitado de variaciones en el lanzamiento y la captura, y pasado un tiempo no quedaba espacio para retos o mejoras. Pero ella siguió jugando, mucho después de empezar a aburrirse, por la misma razón que la llevó a empezar.

-Creo que es muy probable que vengas de buena gente –le dijo mamá Kaufmann a Cora en cierta ocasión. Era su decimocuarto cumpleaños, o lo que ellos llamaban su cumpleaños, el aniversario del día de su llegada en el tren. Mamá Kaufmann y ella estaban en la cocina, lavando y cortando patatas. Mamá Kaufmann vigilaba a Cora para asegurarse de que aplicaba el cuchillo lejos de la mano. El pastel se hacía en el horno de cobre, y pese a que ese día hacía frío, el ambiente en la cocina estaba tan caldeado que la ventana de cuatro cristales se había empañado.

—Esto nunca te lo he contado. —La señora Kaufmann dejó de cortar para mirar a Cora–. Pero ahora eres mayor y creo que puedes oírlo. –Siguió cortando, todavía atenta a las manos de Cora–. Cuando le dije a la señora Lindquist, la vecina, que nos planteábamos quedarnos con un niño del tren, me lo desaconsejó, a menos que solo quisiera alguien para trabajar. No se refería al esfuerzo de criar al niño y esas cosas. –Lanzó una mirada tímida a Cora–. Dijo que no me querrías. Dijo que los niños no pueden responder al afecto si se han visto privados de él en sus primeros años.

Cora reflexionó al respecto, sin dejar de cortar y escuchando la lluvia que caía del alero ante la ventana. La señora Lindquist se equivocaba. Eso era absurdo. ¿Cómo no iba ella a querer a mamá Kaufmann, que cantaba «Negro es el color del pelo de mi verdadero amor» mientras Cora y ella arrancaban las malas hierbas del huerto, quien a veces se enfadaba mucho, pero nunca le había puesto la mano encima más que con ternura? ¿Cómo no iba a gustarle estar en la cocina con ella, o el aroma del pastel en el horno, o el sonido de los cuchillos al cortar?

—Dijo que se había demostrado científicamente. —Mamá Kaufmann echó otras dos patatas al cubo de agua y quitó el barro con las yemas de los pulgares—. Pero entonces llegaste tú, y querías que te hiciéramos mimos ya desde el principio. No en el primer instante, pero sí muy pronto. —Miró a Cora y sonrió. Cuando Cora era más pequeña, imaginaba que los dientes delanteros de mamá Kaufmann eran personitas, empujándose unas a otras—. Te abrazábamos, y tú nos devolvías el abrazo. Te dábamos un beso en la mejilla, y tú nos lo devolvías. Venías y te sentabas en mi regazo. También en el del señor Kaufmann. La señora Lindquist dijo que alguien debía de haberte tenido en brazos cuando eras bebé. Pero tú dijiste que las monjas no abrazaban ni besaban.

Cora tuvo que reírse ante la sola idea. Mamá Kaufmann tendió la mano para enderezarle el cuchillo. A pesar de lo mucho que trabajaba al sol, tenía la piel bastante más pálida que Cora.

—¿Tal vez fueron las otras niñas?

Tal vez. Cora se acordaba de que ella y Mary Jane se agarraban de la mano. Y estaba también el recuerdo más antiguo, el de la mujer de cabello oscuro con el chal de punto. ¿Era un verdadero recuerdo, pues? ¿Y no solo un sueño aislado? ¿Fue ella quien la tuvo en brazos, y le enseñó lo que era estar en brazos de alguien? Ella sabía su nombre cuando llegó al orfanato. Eso decían las niñas mayores.

Alzó la vista para mirar a mamá Kaufmann. Nunca le había hablado de la mujer del chal. Temía hacerle daño si se lo contaba, a esa mujer que le daba para comer verduras pero también pastel y le confeccionaba la ropa y le prendía cintas en las trenzas y se quedaba junto a su cama cuando tenía fiebre. Quizá ahora estaba traicionándola solo por pensar en la mujer del chal. Cora apoyó la frente en el hombro de mamá Kaufmann en una muda disculpa y aspiró el olor a lavanda de su vestido. Cuando volvió a alzar la vista, los ojos azules de mamá Kaufmann brillaban y pestañeaban rápidamente.

—No importa —dijo ella, alisándole el cabello a Cora—. Ahora estamos aquí contigo.

Pero un día, de pronto y para siempre, dejaron de estar.

Ocurrió a principios de noviembre, cuando los días eran todavía templados pero las noches frescas resultaban agradables y ya no había mosquitos. En el establo se alzaban dos ordenadas pilas de heno, y Cora había vuelto ya a la escuela. Ese día había dibujado un mapa del sistema solar, escribiendo pulcramente el nombre de cada planeta al lado. A sus dieciséis años, era la estudiante de mayor edad con diferencia, y dedicaba buena parte de su tiempo en clase a ayudar a la maestra con las lecciones de los niños menores. Se le daba bien dibujar y explicar las cosas. Mamá Kaufmann había dicho que quizá llegaría a ser maestra ella misma, no en ese pueblo, pero tal vez en uno cercano.

Uno de los peones de la granja le salió al paso cuando volvía a casa. Era joven, un noruego con un buen inglés, capaz de levantar un cerdo chillón ya del todo crecido como si tal cosa, pero cuando se detuvo ante Cora sudaba y jadeaba. Había ido corriendo camino de la escuela en su busca, y ahora que la había encontrado, no podía hablar.

—¿Qué pasa? —preguntó ella. Una brisa perfecta, fresca y suave, le acarició el rostro, levantando el polvo del camino. Cora veía el molino, el tejado del establo. Nunca se le había pasado por la cabeza que pudiera perder ese nuevo mundo, y de un modo tan rápido y permanente como el anterior.

Él lamentaba mucho tener que decírselo. Se había producido un accidente.

Cora retrocedió, y él la siguió, asegurándose de que lo entendía. Hacía solo una hora él mismo, al subir a lo alto del silo, había mirado dentro y visto sus cadáveres ya azules, pero con aspecto apacible, tendidos sobre el grano, uno al lado del otro. Como si se hubiesen quedado dormidos al fresco. No creía que se hubieran caído dentro. O quizá uno cayó y el otro fue detrás. Daba la impresión más bien de que habían saltado juntos, como a menudo hacían, para hacer descender el grano atascado. Fue el gas, explicó

82

el peón. Emanado por el grano. Debían de haber pensado que ya había transcurrido tiempo suficiente. Una muerte rápida. Nada dolorosa. Otro peón había ido ya en busca del pastor.

Cora rodeó al noruego y corrió hacia ellos, atajando por el campo en dirección al silo, las manos cerradas, clavándose las uñas en las palmas, pisando con fuerza y rapidez la tierra y los tallos amarillos con las botas, entre los saltamontes que brincaban alrededor. Los perros corrieron junto a ella, ladrando, pensando que quería jugar. A ella le llegó el olor a estiércol y tierra removida, todo tan familiar y ahora sin embargo aterrador. Apartó a un perro de una patada. Se le deshizo el moño, y para cuando se abalanzó hacia la escalera de mano, enloquecida, sentía el calor de la sangre en la garganta. Los peones le cortaron el paso y le dijeron que no podía entrar, que no debía subir allí arriba. Se necesitaría un tiempo para sacar los cuerpos sin peligro. El gas no se veía ni se olía, y si entraba, sin duda moriría con ellos. Cora hizo de nuevo ademán de acercarse a la escalera. Fueron necesarios dos peones para obligarla a entrar en la casa.

Esa noche, los Lindquist fueron a buscarla. Inclinados sobre su cama con sus cabezas de pelo blanco, pronunciaron su nombre hasta que los oyó. No debía quedarse sola, dijeron. Sus hijos eran ya mayores; tenían habitaciones desocupadas. Los Kaufmann habían sido buenos vecinos, y era lo mínimo que podían hacer. Insistieron. Solo durante un tiempo, dijo el señor Lindquist, hasta que se tomara alguna decisión respecto a la granja. Incluso si Cora pudiese hacerse cargo de la casa y mantenerla en marcha, no estaría bien, tratándose de una muchacha sola. El noruego y otro hombre se quedarían a cuidar del ganado y los campos.

Más adelante, la señora Lindquist se disculparía por llevarse a Cora de su casa.

—No sabíamos que les facilitaríamos las cosas para dejarte sin nada —dijo, echando con un tenedor los restos de la comida de Cora en el cubo de las sobras. Lanzó una mirada hacia la granja de los Kaufmann desde la ventana—. El *sheriff* habría ido a sacarte, pero al menos lo habrían tenido más complicado.

La señora Lindquist también le dijo a Cora, una y otra vez, que los Kaufmann no tenían manera de saber que se irían de este mundo tan de repente, o tan relativamente jóvenes. Si lo hubieran sabido, la señora Lindquist estaba segura, habrían hecho testamento, o designado a Cora una de sus herederas legales. Eso con toda certeza. La habían querido como a una hija. La señora Lindquist lo había oído decir muchas veces, directamente de labios de su vecina, y así lo atestiguaría en un juzgado. Era una vergüenza, dijo, la forma en que la joven Kaufmann y sus hermanos pretendían privar a Cora de toda herencia. Había que cambiar las leyes.

La joven Kaufmann. También Cora miró por la ventana, por encima de los campos con los cultivos de otoño, en dirección a su antigua casa. Cuando la señora Lindquist aludió a «la joven Kaufmann» no se refería a Cora, sino a la hija de Kaufmann en Kansas City, que tenía un abogado y estaba empeñada en que no se considerase heredera a Cora, ya que no guardaba con ellos ningún lazo de parentesco, ni consanguíneo ni por vía matrimonial. Como señaló el abogado, Cora había sido seleccionada arbitrariamente. Los Kaufmann podrían haberse quedado con cualquier niño del tren. Era una lástima que Cora hubiese interpretado erróneamente su amabilidad como el amor familiar del que por desgracia había carecido. Pero si hubiesen querido legarle algo, la habrían incluido en el testamento.

Cora no tenía energía para indignarse. El dolor era un peso en el pecho que sentía en cuanto despertaba. Los Lindquist habían ido a buscar las pertenencias de Cora, incluidos los camisones, pero de noche Cora no reunía la energía necesaria para desnudarse. Dormía vestida, y también yacía despierta con su ropa, pensando en los Kaufmann, en que según el noruego tenían un aspecto apacible pero estaban azules. En algún momento dejó de peinarse. La señora Lindquist, que había tenido cuatro hijas y perdido solo a una a causa de la difteria, utilizó grasa de cerdo para deshacer los nudos. Advirtió a Cora que a la próxima no le quedaría más remedio que usar unas tijeras, y sería una pena porque, en su opinión, ese pelo rizado era precioso. Cora se obligó a usar el peine. Se sintió mal por tener un aspecto tan espantoso cuando ocupaba un espacio en casa de los Lindquist. Estos al principio creyeron que ella se quedaría allí solo unos días, quizá una semana. Pero ahora no tenía adónde ir.

El señor Lindquist habló con el pastor, que estuvo de acuerdo en que a Cora estaban despojándola de manera ilegítima de su parte de la herencia. Se acordaba de que los Kaufmann habían mencionado una vez que esperaban adoptar formalmente a Cora, y él podía dar fe de que ellos nunca la habían considerado una criada. Sencillamente, no habían encontrado el momento de adoptarla. Y había una buena noticia. El pastor le había hablado de Cora y su situación a su hijo, que vivía en Wichita y que casualmente conocía a un abogado experto a quien las cosas le iban bastante bien y buscaba algún caso *pro bono*. Quería conocer a Cora y ver si podía ayudar.

El señor Carlisle, como lo llamaba Cora entonces, fue el primer hombre a quien ella vio vestido con chaqueta y pantalón a juego, chaleco y unos zapatos impolutos. Cuando se presentó por primera vez en el porche polvoriento de los Lindquist, ladeándose el sombrero y pronunciando el nombre de Cora, los Lindquist también salieron a observarlo. A los tres les costaba creer que ese hombre, tan importante como para tener fuera un cochero esperando con el caballo y el carruaje, hubiera viajado hasta tan lejos para ayudarla con su caso.

—Y está de muy buen ver, ¿no te parece? —susurró la señora Lindquist mientras Cora y ella ponían las tazas desportilladas en los platillos floreados y esperaban a que hirviera el agua—. Sin alianza nupcial, y aparenta unos treinta. Las mujeres de Wichita deben de ser tontas o estar ciegas.

Cora miró la tetera reluciente, el reflejo distorsionado de su cara. A ella le daba igual si el abogado era apuesto o no. El propio caso le traía sin cuidado. La auténtica hija de Kaufmann había enviado la documentación legal, y en los papeles el nombre de Cora era Cora X. Cuando Cora vio por primera vez esa equis junto a su nombre, le pareció que el ritmo de su respiración se alteraba permanentemente y que ya nunca tendría aire suficiente en los pulmones. Esa sensación no había desaparecido. Si recibía dinero de la venta de la granja, dejaría de ser una carga para los Lindquist. Aun así, los Kaufmann seguirían ausentes. Y ella seguiría siendo Cora X.

En el salón, el señor Carlisle, antes de tomar siquiera un sorbo de té, leyó la documentación legal y dijo que esa X al lado del nombre era absurda, y que la ayudaría también con esa cuestión. Se sentó en el borde de la mecedora de madera de los Lindquist, sin mecerse, con un cuaderno en equilibrio sobre la rodilla. Tenía un corte del afeitado en la mejilla. Señaló que el pastor, al menos en su conversación con él, había mencionado a Cora como Cora Kaufmann. ¿Era así como la llamaban en la escuela? Cora, sentada junto a la señora Lindquist en el sofá, asintió, observándolo atentamente. Comprobó que, en efecto, era apuesto, con el cabello del color del té fuerte, el perfil de rasgos acusados. Y era evidente que se proponía ayudarla, hacer cuanto estuviera en su mano.

—Tendré que plantearle algunas preguntas sobre su pasado. Detalles de su vida con los Kaufmann, de cómo la trataban. Y de antes de eso. —Consultó el reloj de bolsillo y sacó una pluma con el plumín de acero—. No tardaré más de una hora. ¿Está dispuesta?

Ella volvió a asentir. La señora Lindquist, inclinada sobre la mesa para servir el té, le dirigió una sonrisa de aliento. Los Lindquist habían sido muy pacientes con ella, y muy serviciales, acudiendo incluso al pastor para abogar en su favor. Y ahora la vieja señora Lindquist, que a esa hora normalmente echaba la siesta, tuvo que sentarse allí con ellos porque no habría sido correcto dejar a Cora y al abogado solos en el salón. Cora estaba robándole su tiempo, y también el del abogado. Lo mínimo que podía hacer era mostrarse dócil.

Habló con voz clara, respondiendo a cada pregunta de la mejor manera posible. Nunca había sido una criada, dijo. Llevaba a cabo quehaceres como cualquier otro niño, pero los Kaufmann la trataban como a una hija. El señor Kaufmann le había tallado juguetes y muñecas, y mamá Kaufmann había confeccionado la ropa para estas. Sí, dijo, mamá Kaufmann. Así la llamaba. ¿De quién surgió la idea? No lo recordaba. Le contó que los tres se sentaban juntos en la iglesia, y la obligaban a ir a la escuela incluso cuando ella no quería, y que ella ahora se lo agradecía. Le habló de su pequeña habitación en la casa, con la cama y el tocador, y de que los Kaufmann le habían dicho que tendría su propia habitación incluso antes de llevarla a casa desde la estación.

—¿La estación? —El abogado apartó la vista de su cuaderno, con expresión de disculpa.

En ese preciso momento, la señora Lindquist —supuestamente sentada en silencio a su lado, o eso creía Cora— empezó a roncar, con la boca abierta, la cabeza apoyada en lo alto del mullido respaldo del sofá. Cora sonrió. Su primera sonrisa desde el accidente. La tirantez que sintió en los labios le resultó extraña.

—Y yo que me creía tan interesante —comentó.

El señor Carlisle sonrió también.

—¿La despertamos?

Cora movió la cabeza en un gesto de negación. Pensaba en el tren, y en cómo se había sentido de niña, viajando una oscura noche tras otra sin saber qué la esperaba; en gran medida como se sentía ahora. Pero continuó hablando con claridad, sobre el día en que conoció a los Kaufmann, cuando ellos le pidieron que fuera su niña. Le habló del tren, y el sinfín de paradas que hizo antes de que la eligieran. Le contó que les habían enseñado, a ella y a los demás niños, a cantar «Jesús me ama» en los escenarios y las escalinatas de ayuntamientos e iglesias. Los que no salían elegidos volvían al tren. Había una jarra de agua en la parte delantera del vagón, recordaba, y un cucharón. Y si uno tenía sed, podía ir a beber allí.

En algún momento él dejó de escribir y apoyó la barbilla en la mano, con el codo en el brazo de la mecedora.

—Cielos —exclamó Cora—. Espero no dormirlo a usted también.

—Nada más lejos. —Él le sostuvo la mirada antes de volver a posarla en el cuaderno—. ¿Tenía usted familia en Nueva York?

Con la vista fija en el borde floreado de la taza de té, Cora parpadeó. Su único recuerdo quizá no fuese siquiera real, pero aún veía claramente a esa mujer, demasiado claramente para ser un sueño. Veía los bordes raídos del chal rojo.

—Lo siento. Entiendo que esto le resulte difícil. —Él dejó la pluma, sacó un pañuelo blanco del bolsillo e hizo ademán de ofrecérselo; pero, viendo que ella no lloraba, volvió a guardarse el pañuelo en el bolsillo.

—Estoy bien —dijo Cora—. Es solo que no me acordaba de eso desde hacía mucho tiempo. Quizá parezca extraño. —Volvió a mirarlo, esperando. La verdad era que ignoraba hasta qué punto eso era normal o no.

Él se encogió de hombros.

—No sabría qué decirle. Yo me crié con mis padres y mi hermana en Wichita. Nadie me puso en un tren a los seis años.

La señora Lindquist seguía roncando.

Cora volvió a sonreír, posando la mirada en las manos de él. Tenía las uñas limpias y bien recortadas.

—No sé si soy capaz de explicárselo. Venir aquí fue como convertirme en otra persona. Creo que eso lo entendimos todos, pese a lo pequeños que éramos. Sabíamos, o al menos yo lo sabía, que debíamos portarnos bien, o lo que es lo mismo, que debíamos convertirnos en aquello que quisieran que fuéramos. En mi caso, querían una hija, y eso fue una suerte. Aun así, no pude seguir siendo quien era. O quizá simplemente empecé a pensar eso poco a poco. —Desvió la vista y cabeceó—. No sé si eso tiene sentido.

—Lo tiene.

Cora se sorprendió por la convicción que percibió en su voz. La miraba muy atentamente, y ella se pasó la mano por la cara, preguntándose si acaso tenía algo. Pero no. Y en realidad no era así como él la miraba. Ella no sabía qué pensar.

—Le agradezco que me ayude —dijo Cora—. Ojalá pudiera pagarle. Lamento no habérselo dicho ya desde el principio. Pero es que no estoy en mi mejor momento.

—Es comprensible. —Finalmente, él apartó la mirada—. Y es un honor para mí representarla. Tengo la impresión de que es usted una joven honrada que ha vivido tiempos difíciles, y lo ha sobrellevado bien, debo añadir. No parece que sienta el menor resentimiento.

Cora no supo qué decir a eso. A pesar de los ronquidos de la señora Lindquist, oía el tictac del reloj de bolsillo del señor Carlisle. ¿No había dicho que se quedaría solo una hora? Ella no sabía qué hora era, pero desde luego había pasado más tiempo.

–¿Le apetece un poco más de té?

Él negó con la cabeza, y sin embargo no hizo ademán de marcharse. Cora no sabía por qué, ni qué ocurriría a continuación. Ya le había dicho que no podía pagarle.

–Debe de ser apasionante vivir en una ciudad. –Fue lo único que se le ocurrió decir.

–Lo es. –Él desplegó una cálida sonrisa–. Siempre hay muchas cosas que hacer. Ahora han abierto una heladería, con espejos en las paredes y ventiladores eléctricos en el techo. –Señaló el techo desnudo de los Lindquist, moviendo la mano en un gesto rotatorio–. Venden caramelos a granel, de todas las clases, y batidos de leche malteada.

Cora no se explicaba por qué la miraba así, ni por qué se quedaba tanto tiempo, ni la intensidad de su amable mirada. Mamá Kaufmann le había dicho que ella tenía las facciones marcadas, una cara interesante, y que era hermosa de una manera única. Cora lo creía cuando era pequeña, pero a medida que se hizo mayor empezó a sospechar que eran simples halagos de mamá Kaufmann. Había observado la conducta de los niños en la escuela, cómo se comportaban en torno a ciertas niñas, y sabía que una verdadera belleza habría estado por encima de todo, incluso de sus imprecisos orígenes. Y sin embargo, incluso después de convertirse en campeona de las gracias, los chicos de la escuela la trataban con cortesía en el mejor de los casos. Así y todo, ahora –sí, era cierto– ese abogado tan apuesto llevaba sentado en el salón de los Lindquist más tiempo del previsto, mirándola fijamente como si ella de verdad fuera algo digno de contemplarse.

–Debe de ser maravilloso –comentó ella, quizá con excesivo ímpetu, con voz demasiado alta. La señora Lindquist despertó tosiendo. Cora y el abogado callaron y miraron en otra dirección a fin de darle tiempo para recobrar la compostura. Cuando volvieron a mirarla, la señora Lindquist estaba erguida en el sofá. Sonriendo a Cora, bebió el té como si aún lo notara caliente en los labios y no hubiese pasado el tiempo.

—Tengo que irme. —El señor Carlisle tomó su maletín, lo abrió y guardó el cuaderno—. Gracias, señora Lindquist. Gracias, señorita Kaufmann.

Dirigió a Cora una mirada elocuente y se puso en pie. Ella también se levantó, y lo alto de su cabeza apenas le llegaba a él a los hombros. Solo entonces cayó en la cuenta de que al menos durante una hora había descansado del dolor que la oprimía.

La señora Lindquist, de pie junto a ella, preguntó:

—Cariño, ¿estás bien?

Ella asintió. En ese momento, por increíble que pareciera, lo estaba.


Él ayudó, y ayudó deprisa. Ni siquiera hubo juicio. A principios del año entrante, la hija de Kaufmann y sus hermanos aceptaron un acuerdo. Cora no recibiría una cuarta parte entera de los beneficios de la granja, pero sí lo suficiente para dar algo a los Lindquist y, cuando se marchara, pagarse el alojamiento y el seguro médico hasta casarse o encontrar una vocación. Con el dinero se sintió mejor, más esperanzada de cara al futuro. Pero fue su nuevo nombre legal lo que realmente le levantó el ánimo. Ahora era oficialmente Cora Kaufmann, hecho reconocido por el estado de Kansas.

Cora envió una carta al bufete del señor Carlisle en Wichita, comunicándole lo que se proponía hacer con el dinero en el otoño siguiente: ella misma se trasladaría a Wichita, al Fairmount College, y estudiaría magisterio. Le agradecía su amabilidad. Le explicaba lo mucho que había representado para ella su compasión y su caridad, y al pie de la carta añadió: «Con gratitud y profundo respeto», lo cual no se aproximaba siquiera a lo que sentía. En realidad, había revivido esas horas con él en el salón de los Lindquist muchas veces, permitiéndose imaginar que de algún modo volvería a verlo después de instalarse en Wichita. No era una ciudad tan grande: sin duda coincidirían en alguna ocasión. Y quizá era verdad que él aún no estaba casado. Pero en sus momentos más pesimistas, muy frecuentes, comprendía que esas cábalas no eran más que fantasías que difícilmente llegarían a hacerse realidad. Si alguna vez llegaba a verlo en Wichita, Cora tendría suerte si él la recordaba siquiera. En muchos sentidos, no estaban al mismo nivel. Él sencillamente la había ayudado porque era bueno.

Sin embargo, una semana después de enviar la carta, él estaba de nuevo ante la puerta de los Lindquist, esta vez con un ramo de claveles rojos y en apariencia más nervioso que la vez anterior.

La señora Lindquist encontró lógico aquel cortejo; y sí, dijo, era a todas luces un cortejo. Sabía distinguir a un hombre con intenciones cuando lo veía. Y debía decir que no le sorprendió en absoluto. Cora era una joven adorable, pura de corazón y pura de virtud, ¿y qué hombre no desearía eso en una esposa? La señora Lindquist imaginaba que muchos hombres, incluso hombres acaudalados y refinados, preferirían a una campesina inmaculada antes que a una mujer endurecida de la ciudad. El problema legal sencillamente había sido la oportunidad por la que el señor Carlisle había llegado a conocerla. Cierto, era mayor y más instruido, pero ¿no era eso habitual entre marido y mujer? Él no parecía tratarla con prepotencia. Estaba tan encandilado como ella. Saltaba a la vista para cualquiera que tuviera ojos en la cara.

Saltaba a la vista incluso para Cora. Alan —«Alan», lo llamaba ahora— se iluminaba al verla. Quería estar con ella a todas horas, ese hombre apuesto y considerado. Para ella eso era perturbador, ese vértigo, esa excitación, esa emoción por el contacto de la mano de él en su brazo, tan poco después de la aflicción del otoño y el invierno anteriores. La señora Lindquist insistió en que no debía sentirse culpable. Los Kaufmann desearían esa felicidad para ella. Coincidirían en que la merecía.

—Y he hecho unas averiguaciones por ti —añadió la señora Lindquist, bajando la voz, pese a que su marido y ellas se hallaban solos en la casa—. Su familia es muy respetable. Tengo primos en Wichita, y conversaron con su madre una vez. Dijeron que se notaba que había ido a una buena escuela, de tan bien como hablaba.

Al día siguiente, Cora fue a la escuela y le pidió a su antigua maestra que le diera un libro, cualquiera, que la ayudara a mejorar la gramática. La maestra le aseguró que ella ya hablaba bien, mejor que la mayoría de sus alumnos; pero Cora siguió en sus trece, y al final la maestra le prestó *Lecciones de lengua,* de Horace Sumner Tarbell. En el prefacio afirmaba que la seguridad en uno mismo era la clave para el éxito en las artes y que estudiar con regularidad le proporcionaría seguridad en sí misma, si bien las posteriores admoniciones del libro la inquietaron. («Advertencia: no decir "habían dos libros" por "había dos libros".» «Advertencia: no decir nunca "rompido", "cabió", "más mejor" "me se".») Por la noche, cuando los Lindquist se acostaban, Cora se quedaba despierta con el libro y una vela, estudiando la concordancia entre sujeto y verbo y el uso correcto de los adverbios y los errores en el uso del gerundio. Algunas de las reglas las conocía de la escuela, pero no todas. Hizo los ejercicios. Aprendió cuándo había que decir «prever» y cuándo «proveer», cuándo había que decir «que» y cuándo «de que», y a no decir nunca «haiga», y aunque lo que más le preocupaba era lo relativo al habla, leyó y estudió las secciones sobre la puntuación y el uso de las mayúsculas y las formas correctas de saludo, por si llegaba el momento en que tuviera que escribir una nota a una mujer tan bien hablada como la madre de Alan.

La primera vez que Alan la llevó a Wichita para comer en casa de sus padres, que era bonita y moderna, con un cuarto de baño interior provisto de una pequeña cadena encima del inodoro que servía para descargar el agua, estaba nerviosa, convencida de que los decepcionaría por su juventud y sencillez, pese a que lucía el sombrero guarnecido de flores y el elegante vestido de falda estrecha que Alan le había comprado y enviado a casa de los Lindquist. El hecho mismo de que él le hubiera comprado ropa que ponerse para la comida inducía a pensar que sus padres estarían observándola atentamente, y buscó otro libro sobre la etiqueta en la mesa y memorizó cada una de las instrucciones, temiendo que de lo contrario no tardarían en darse cuenta de que era la pueblerina que en efecto era.

Pero, para su sorpresa, la recibieron cálidamente. Los padres de Alan y su bonita hermana parecían encantados ante cada una de las frases ensayadas que salían de su boca. Su madre, una mujer muy alta, con los mismos ojos que Alan, dictaminó que Cora tenía muy buen carácter e inteligencia natural, tal como su hijo la había descrito. El padre de Alan sonrió y brindó por el «saludable encanto» de Cora. Después de la comida, la madre de Alan la tomó de la mano y dijo que, según tenía entendido, Cora había sufrido una terrible pérdida con la muerte de sus padres, y esperaba que su familia pudiera proporcionarle cierto consuelo. A Cora le sorprendió ver auténtica bondad en el rostro de la mujer; pese a sus temores, no se sintió en absoluto juzgada ni ridícula.

Más tarde Alan le dijo que había sido sincero con sus padres, explicándoles todo lo concerniente a su situación legal, incluso lo de su viaje en tren desde Nueva York. Contaba con la comprensión de ellos, dijo. Pero existía una razón por la que no habían hecho el menor comentario sobre su vida anterior a los Kaufmann. Sus padres tenían la firme convicción de que sería mejor, para Cora y para todos —dado que Alan y Cora pasaban tanto tiempo juntos—, que no se hablara de sus orígenes en público. Por lo que a ellos se refería, Cora era una agradable joven que se había criado en una granja en las afueras de McPherson, y eso era lo que la gente necesitaba saber.

Cora accedió de inmediato. Era decididamente partidaria de empezar de cero. No era necesario que nadie en Wichita supiera que había llegado en aquel tren, que había sido Cora X. Y si la señora Lindquist tenía razón, y su mayor deseo se hacía realidad, pronto se convertiría en la señora Cora Kaufmann de Carlisle, y ese sería el nombre que importara. Sería la esposa de Alan, parte de su familia, y aceptaría plenamente su buena fortuna, su amor sorprendente e irracional, tal como había hecho al conocer a los Kaufmann hacía ya tantos años.

SEGUNDA PARTE

«Ah, no, no quería que May pecara de esa clase de inocencia,
esa inocencia que cierra la mente a la imaginación
y el corazón a la experiencia...»
—EDITH WHARTON, *La edad de la inocencia*

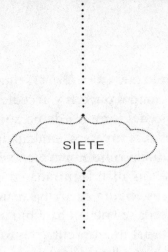

SIETE

Todavía en la acera de la calle Ochenta y Seis Oeste, mientras se alejaba el taxi, Louise dejó su bolsa de viaje en el suelo, levantó los brazos y se declaró enamorada de la ciudad de Nueva York.

—¡Es tal como la imaginaba! —Dejó caer los brazos y contempló la calle, el discontinuo avance de los coches entre bocinazos, sus faros resplandecientes en el aire crepuscular. Se volvió hacia Cora con los ojos radiantes—. Siempre lo he sabido, toda mi vida. Aquí es donde debo estar.

Cora, aunque extenuada, consiguió esbozar una sonrisa. Louise llevaba así desde que habían accedido al vestíbulo principal de la Gran Estación Central. Incluso con gente justo detrás y delante de ellas, muchos hablando en lenguas desconocidas y vistiendo una indumentaria propia de los extranjeros, algunos fumando, algunos tosiendo, todos exhalando demasiado cerca, Louise dijo que se sentía como si entrara en sus propios sueños. En respuesta, Cora se limitó a asentir con la cabeza, recorriendo el vestíbulo con la mirada, fijándose en el techo azul abovedado y las amplias salidas a cada lado. Era un espacio magnífico, más luminoso que la estación de Wichita y con espacio suficiente para engullirla por completo. Pero si ella había estado allí antes, si el tren al que había subido con los otros niños había partido de esa misma estación, no lo recordaba. Nada le resultaba familiar. Quizá lo conservaría en la memoria si hubiese estado allí más tiempo. Pero en cuanto Louise vio la salida a la calle Cuarenta y Dos, se encaminó hacia allí apresuradamente, diciendo que se moría de impaciencia por salir a esa famosa calle y respirar el aire de la ciudad.

La atracción, por lo que Cora veía, era mutua. Cuando Louise y ella cruzaron las grandes puertas y accedieron al aire bochornoso, aun en medio del tumulto de personas que entraban y salían, los hombres más diversos —trabajadores en mangas de camisa, marineros, incluso hombres bien vestidos que aparentaban ir con prisas— posaban la mirada en el rostro de Louise antes de contemplar su figura de arriba abajo. Mujeres hermosas con vestidos de seda se volvían para mirar su cabello, ese flequillo recto tan inusual incluso entre tanto peinado *bob*. O al menos Cora esperaba que fuera el pelo la razón por la que miraban. Esa mañana, en el tren, Louise había vuelto del aseo de señoras vistiendo una falda de color verde claro y una blusa blanca de manga corta con un escote en pico tan profundo que tuvo que jurar a Cora que su madre no solo había aprobado la blusa, sino que de hecho se la había comprado ella. Cora se rindió ante tal argumento. O bien Louise mentía, o bien Myra tenía poco criterio, y Cora no se sintió con ánimos de enfrentarse a ninguna de las dos opciones. Así pues, Louise salió desenfadadamente a las calles de Nueva York con un sinfín de ojos puestos en su adorable cara, su chocante cabello y su escote de debutante. Fingió no advertir la atención que suscitaba, pero Cora, mirándola de soslayo, sospechó que sí se daba cuenta.

Cora, por su parte, sabía que no ofrecía su mejor aspecto. Necesitaba un baño; las ventanas del tren habían estado abiertas la mayor parte del trayecto desde Chicago, y se sentía como si la hubieran embadurnado de grasa, expuesto al calor y finalmente rebozado en polvo. Y estaba cansada. Pese a llevar zapatos sin tacón, más cómodos que los de Louise, tuvo que esforzarse para no rezagarse mientras cruzaba detrás de ella una calle ancha por el paso de peatones, escasamente respetado, hacia la parada de taxis.

—Aquí la gente se mueve más rápidamente —comentó Louise, volviéndose a mirarla por encima del hombro—. ¿Se ha dado cuenta? ¡Camina más deprisa, habla más deprisa, todo! ¡Es fenomenal!

Era desde luego algo excepcional, todo aquel bullicio y revuelo, tal gentío en todas partes. Cora no se permitió alzar

la vista para contemplar los edificios por no quedarse boquiabierta como la recién llegada que era. Se había tomado en serio
las advertencias de sus conciudadanos, y andaba alerta a la posible presencia de carteristas y timadores, aunque durante la breve
espera antes de tomar el taxi no apareció ningún carterista ni
timador. En cuanto Louise y ella estuvieron ya en la relativa seguridad y silencio del taxi, intentó asimilarlo todo, viendo más edificios y coches y trenes y tranvías de los que habría imaginado
juntos en un solo sitio. Había visto fotografías de Nueva York,
escenas callejeras e imágenes de desfiles en el periódico. Se había
pasado años estudiándolas, buscando algo –una esquina, la fachada
de un edificio, la expresión de un transeúnte– que pudiera recor-
darle la primera etapa de su vida. Pero no habría podido concebir el ruido de la ciudad real, todos aquellos motores y bocinas,
los martillos neumáticos y taladros, el chirriante estrépito de los
trenes elevados. La única manera en que alcanzaba representarse
Nueva York, la única manera en que sería capaz de describirla
cuando volviera a casa, era como cien Douglas Avenues juntas
en su día de máximo ajetreo del año, todas apretujadas y una
encima de la otra. Se sintió asombrada y a la vez abrumada.

Pero el entusiasmo de Louise era implacable, incluso después
de llegar al edificio de escasa altura donde tenían previsto alo-
jarse, incluso después de subir los tres tramos de escalera, incluso
después de encontrar la llave bajo la tabla suelta junto a la puerta,
tal como el casero había indicado a Leonard Brooks, y haber
accedido al decepcionante apartamento.

–No está tan mal –anunció Louise, intentando en vano
encender una lámpara que con un poco de suerte, confió Cora,
necesitaría solo una bombilla nueva. La sala era pequeña, con
las paredes de un color amarillo claro, y un escritorio y una mesa
redonda con tres sillas abarcaban casi todo el espacio. No había
ventana, sino únicamente, colgado sobre el escritorio, un óleo
enmarcado de un gato siamés. Cora siguió a Louise hasta una
estrecha cocina que hacía las veces de pasillo para acceder al
dormitorio; este tenía exactamente la misma forma que la sala,
aunque las paredes eran de color verde guisante. En el dormitorio sí había ventana, y un ventilador en el techo. Pero no

alfombra. Una puerta junto a la cama llevaba al cuarto de baño. El dormitorio en sí no tenía puerta.

Louise se dejó caer en la cama, la declaró muy cómoda, y dijo que a los neoyorquinos les traían sin cuidado sus apartamentos porque nunca estaban en casa.

—A mí eso me parece bien —comentó, alzando la voz para hacerse oír por encima del ruido del grifo de la bañera, que había abierto Cora—. Podría vivir en un armario y ser feliz, siempre y cuando estuviera cerca de todo lo que importa.

—Hay agua caliente —anunció Cora. El cuarto de baño tenía su propia ventana, muy pequeña, que daba a un patio de luces, y las paredes habían sido pintadas, por alguna razón, de rojo sangre. Pero eso a Cora le daba igual: por ella, como si eran anaranjadas y a rayas. Lo único que necesitaba era un baño. Quitándose los zapatos, asomó la cabeza al dormitorio.

—Voy a darme un baño, querida. ¿Necesitas ir al lavabo antes de que me meta en la bañera?

—No, gracias. Adelante. —Louise se agachó ante una toma eléctrica y enchufó el ventilador—. Pero no tarde mucho. Estoy impaciente por salir.

Cora se apoyó en la puerta del cuarto de baño, abanicándose con la mano.

—¿Tienes hambre? —Se vio obligada a levantar la voz por el ruido del grifo—. Hemos cenado mucho en el tren.

—No, no tengo hambre. Debemos ir a Times Square. Podríamos tomar el metro.

—Ay, Louise. —Cora cabeceó. Estaba muy cansada. Las literas del tren eran todo lo cómodas que podían ser, con cortinas y almohadas ahuecadas por el mozo; aun así, consciente de la presencia de desconocidos al otro lado del pasillo, por no hablar del balanceo del tren, no había dormido muy bien.

—Ya imaginaba que estaría cansada. —Louise se tiró del cuello escotado de la blusa—. No se preocupe. ¿Quiere que le traiga algo?

Cora se quedó mirándola. Abajo en la calle, un coche petardeó. Louise, sonriente, le devolvió la mirada con un parpadeo, como si lo que acababa de decir tuviera mucho sentido.

—Es casi de noche. —Cora señaló con la cabeza la ventana del dormitorio, más allá del ventilador en funcionamiento, por la que solo se veía una pared de ladrillos a menos de dos metros de distancia—. Y tienes tu primera clase mañana por la mañana.

—No hasta las diez. No me pasará nada.

Se deslizó junto a Cora para entrar en el baño, miró el espejo y dirigió a su reflejo un breve vistazo de aprobación. Estaba preciosa. No despedía ningún olor. Era como si para ella, ni siquiera en ese apartamento caluroso, ni siquiera después de ese largo viaje en tren, existieran el sudor, el polvo y la fatiga. Aún llevaba puestos los zapatos de tacón. Cora ya se había descalzado, y por eso en el espejo parecían de la misma estatura.

—Louise —dijo con un suspiro, preparándose para lo que se avecinaba. Era imposible evitar la discusión. Echó una ojeada a la bañera para comprobar el nivel del agua—. Lo siento. No puedo dejarte salir sola.

Louise volvió a mirarla, ya sin sonreír. Respiró hondo, agachó la cabeza y salió al dormitorio pasando junto a Cora.

—No iré lejos. Solo daré una vuelta por aquí cerca durante un rato. No se preocupe. Me quedaré cerca.

—No puedo dejarte salir sola en ningún caso. —Cora se apoyó otra vez en el marco de la puerta—. Francamente, creo que eso ya lo sabes.

Louise se volvió, su cabeza morena un poco gacha. Como un toro, pensó Cora.

—Yo no sé nada. —Se cruzó de brazos, de pie entre la pared verde guisante y la cama. Cora vio ruborizarse su pecho pálido en el escote de la blusa—. No sabía que era una prisionera. ¿Cuál es mi delito, por cierto? ¿De qué se me acusa exactamente?

Cora se frotó los ojos. No estaba de humor para esas tonterías. Y si no se quitaba el corsé pronto, reventaría como una salchicha demasiado llena.

—Tengo hambre. —Louise levantó el mentón—. Acabo de darme cuenta. Voy a la vuelta de la esquina a por algo para comer mientras usted se baña. No tardaré.

—Si de verdad tienes hambre, me pondré los zapatos y bajaré contigo. He visto una cafetería de camino hacia aquí, y aún estaba abierta. En esta manzana, creo. Mañana podemos ir al mercado y traer algunas cosas para la cocina.

Louise chasqueó la lengua y alzó la vista al techo.

—Esto es una estupidez. Solo quiero dar una vuelta. ¿Qué necesidad hay de que me acompañe?

Cora dirigió también la vista al techo del dormitorio. En el centro había una gran mancha de humedad con forma de cabeza de conejo.

—Es para protegerte.

—¿De qué?

Exasperante. Ya habían pasado por eso. Cora negó con la cabeza. No permitiría que Louise siguiera haciéndose la tonta, planteando preguntas ridículas para recibir respuestas de las que reírse o que volver a cuestionar.

—¿Protegerme de qué, Cora? ¿De lo que podría pensar de mí alguien en Wichita? ¿De los amigos chismosos de mi futuro marido? —Cabeceando, sonrió—. Eso aquí da igual. Nadie me conoce. —Volvió a alzar la vista, pestañeando, con los dedos en la mejilla—. Párese a pensarlo: ¡puedo pasear sola por una calle y aun así tener la esperanza de casarme algún día!

—¿Es que quieres que te violen?

La muchacha guardó silencio, claramente sobresaltada. Para Cora fue satisfactorio ser por fin ella quien causaba conmoción. Todavía apoyada en el marco de la puerta, flexionó los pies y los dedos de los pies, sintiendo el frescor del suelo de baldosas a través de las medias.

—Por lo visto, te gusta ser franca, Louise. Así que he pensado que también yo puedo ser franca contigo. Me disculpo si te he desconcertado. Pero sí, esa es una de las muy buenas razones por las que no puedo dejarte salir sola por la noche en una ciudad desconocida, y menos vestida así.

Louise se miró la blusa, acariciando el cuello con los dedos.

—Y luego está esa tendencia tuya a entablar amistad con hombres que no conoces, a permitirles que te inviten para poder llevarte a un rincón. No puede decirse que sepas discriminar. —Cora agarró la bolsa de viaje y la puso en la cama. La abrió y sacó su largo camisón de algodón—. Sinceramente, si te pasara algo, algo horrible, me costaría defender la idea de que tú no tuviste parte de la culpa.

Un jolgorio de voces, tanto masculinas como femeninas, se elevó desde la calle. *«Oh the Bowery! The Bowery! I'll never go there anymore!»*, cantó alguien. Un hombre gritó algo ininteligible, y la risa de una mujer fue devorada por el fragor incesante del tráfico.

—De acuerdo —dijo Louise en un susurro. Miraba a Cora con dureza, como si memorizara sus facciones—. Me quedaré.

Cora asintió. No quería ser severa. Pero por lo visto necesitaba serlo para que la muchacha la escuchara.

—Te repito, si quieres bajar a comer algo, puedo ir con...

—No tengo hambre. —Volvió la cabeza—. Báñese. No se preocupe. Me quedaré aquí.

Fue maravilloso desvestirse, liberar su vientre y su cadera del corsé, y las piernas de las medias y las ligas, y el pelo de las horquillas, y meterse en la bañera humeante. Pero debía reconocerlo: la verdadera causa de su alivio fue alejarse de Louise, pese a no haber más que una puerta cerrada entre ellas. A Cora el mohín dolido de la muchacha le disgustaba aún más que su tendencia a contestar y burlarse. Si estaba de verdad dolida, suya era la culpa. A Cora ninguno de sus hijos le había hablado jamás con tan poco respeto: si discrepaban de las normas impuestas por ella y Alan, lo sobrellevaban en silencio, como los jóvenes honorables que eran. Desde luego no intentaban minar su voluntad con discusiones continuas y drásticos cambios de humor. Pensó en Myra y en la profesora de baile de Wichita. Las dos deseaban perder de vista a Louise. La causa empezaba a ser evidente.

Se hundió más en el agua, notando el peso del pelo mojado en los hombros. Por ella, la muchacha podía enfurruñarse cuanto quisiera. Cora necesitaba ese momento de quietud para pensar, y para meditar sobre dónde se hallaba. Ese día en el taxi quizá había pasado por calles que en otro tiempo recorriera su madre, y tal vez su padre, acaso cargando con ella. Había visto edificios que ellos habrían reconocido. ¿Habían tenido más hijos?

¿Hermanos y hermanas de Cora? ¿Hablaban el idioma de la mujer del chal? ¿Se parecían a ella? ¿La reconocerían si la vieran por la calle? ¿Su propia gente? ¿Los reconocería ella? Se previno a sí misma de no hacerse demasiadas ilusiones. Pero incluso si nunca los encontraba, incluso si habían muerto, sin llegar a conocerla a ella, ni a Howard y Earle, al menos pasaría las siguientes semanas recorriendo las calles por las que tal vez ellos habían transitado.

Al otro lado de la puerta chirriaron los muelles de la cama. Cora estiró los doloridos dedos de los pies contra el grifo, atenta por encima del murmullo de las cañerías a cualquier otra señal de movimiento. ¿Qué haría si Louise salía corriendo camino de Times Square mientras ella se bañaba, incapaz de impedírselo por estar desnuda? ¿Quién podía decir que no lo haría? Louise era una criatura muy distinta de como había sido Cora a esa edad. Ella necesitaba con desesperación a los Kaufmann: no se habría arriesgado a un comportamiento parecido. Inquieta por el silencio, Cora quitó el tapón del desagüe y se levantó con cuidado. El espejo estaba empañado, y para retirar el vaho utilizó una de las toallas, finas pero limpias, que encontró en el pequeño armario, lo que reveló sus mejillas enrojecidas y su pelo, todavía húmedo sobre los hombros pero ya rizándose. Se observó el cuerpo, los pechos y la cadera, donde las señales de presión del corsé justo empezaban a desaparecer. Se apretó una de las señales con un dedo y la piel roja se tornó blanca, dolorida al tacto. Quizá si tuviera una figura distinta, podría permitirse prescindir del corsé.

Acababa de ponerse el camisón cuando oyó voces masculinas y unos golpes en la puerta. Abrió apenas la puerta del cuarto de baño. Louise, que estaba tendida en la cama, todavía vestida, leyendo a Schopenhauer, no levantó la vista.

—¡Louise!

Más golpes. Louise no parecía oír nada.

—¿Hola? ¿Hola? Nosotros tener, esto, equipaje para Brooks, esto, equipaje para Carlisle, ¿eh?

—¡Louise! —dijo Cora entre dientes—. ¡Los baúles! Me había olvidado por completo. ¿Te importaría abrir? —Señaló su cuerpo—. ¡Estoy en camisón!

Sin mirar a Cora, Louise cerró el libro y se puso en pie. Ya sin tacones, se la veía asombrosamente baja.

—Espera. Tengo que buscar los recibos. —Cora se acercó a su bolso—. Y hay que dar una propina. —Intentó calcular. Dos baúles. Tres tramos de escalera. ¿Serían mayores las propinas en una gran ciudad? Le dio a Louise dos dólares y le indicó que dejaran los baúles en la sala.

Louise agarró el dinero sin pronunciar palabra, sin mirarla a los ojos. Cruzando la cocina, salió a la sala. Cora se quedó en el dormitorio, oculta detrás de la pared.

—Disculpen. Hola. —Oyó que Louise abría la puerta—. Gracias. Sí, tengo los recibos. Carlisle y Brooks. Aquí ya está bien. Gracias.

Cora oyó unos gruñidos, unos pasos pesados. Un hombre habló con brusquedad a otro en un idioma que Cora no reconoció. Tras apagar la luz del dormitorio, miró a través de la cocina en dirección a la sala y vio su propio baúl, un Indestructo, en los brazos de un hombre robusto de cabello oscuro que llevaba solo una camiseta empapada en sudor y unos pantalones con tirantes. Salió de su campo visual mientras otro, barbudo e igual de sudoroso, pasaba con un segundo baúl sujeto por las asas. A Cora le llegó el olor de los hombres desde el otro lado del apartamento, un simple olor a ropa sudada, pero tan fuerte que le escocieron los ojos.

Dijeron algo más, pero Cora no lo entendió. Louise apareció ante su vista y aceptó la pequeña tablilla y el bolígrafo que le tendía uno de los hombres. Se la veía incómoda mientras firmaba, y Cora se preguntó cómo lo soportaba, allí tan cerca. Aún vestía la blusa escotada, pero el hombre que esperaba la tablilla parecía indiferente a ella. Mientras Louise firmaba en el papel, él se enjugó la frente con el brazo.

Louise le entregó el dinero y volvió a dar las gracias, mirándolo más tiempo de lo que parecía necesario. Dios mío, pensó Cora. ¿Es que aquella muchacha no tenía el menor discernimiento? ¿Necesitaba la atención y el deseo de todos los hombres?

Louise devolvió la tablilla al hombre.

—¿Quieren agua? —preguntó.

Silencio. Desde el dormitorio a oscuras, Cora observó a la muchacha llevarse la mano a la boca y, con gestos de mímica, hacer como si bebiera de un vaso. Se oyó la respuesta de los hombres, y a continuación Louise entró en la cocina y abrió los armarios en busca de unos vasos. Cora retrocedió en la oscuridad mientras Louise dejaba correr el agua. Al cabo de un momento les preguntó si querían más. La respuesta debió de ser afirmativa de nuevo, porque se repitió todo el proceso antes de que los hombres pronunciaran unas breves palabras que Cora no comprendió y se dirigieran hacia la entrada.

Incluso después de marcharse, con la puerta ya cerrada y el pestillo echado, flotaba aún en el aire el hedor a sudor. Cora atravesó la cocina, tapándose la nariz y la boca con la mano, y estuvo a punto de tropezar con Louise, que dejaba los dos vasos vacíos en el fregadero. Cora apartó la mano y miró los ojos oscuros de la muchacha. ¿Seguía enfadada? ¿Se mostraría hostil? ¿Iniciaría otra discusión?

—Su pelo —dijo Louise—. Lo tiene rizado. —Adoptó una voz y una expresión neutras. Si estaba aún disgustada, no se le notó—. No lo sabía. Es precioso.

Cora esbozó una breve sonrisa a la vez que se remetía el pelo por detrás de las orejas. Alan también se lo decía siempre.

—Gracias. Y ha sido todo un detalle de tu parte ofrecerles agua.

Era verdad. De hecho, Cora sintió cierto bochorno, incluso vergüenza, por no haberlo pensado ella misma. No se le había ocurrido que aquellos hombres pudieran tener sed. Pero eso Louise no tenía por qué saberlo.

Un bebé, tal vez en la habitación justo encima de ellas, empezó a quejarse y a llorar. Louise parecía tranquila, pero otra vez distante, y eludía su mirada.

—Voy a cambiarme para irme a dormir. —Señaló el baúl con la cabeza—. Sacaré las cosas por la mañana. —Dirigió a Cora una sonrisa mecánica—. Buenas noches.

—Buenas noches, querida.

En la sala, Cora se sentó a la mesa. Quería conceder a Louise cierta intimidad, un poco más de tiempo a solas. Y tenía la familiar

106

sensación de haber olvidado algo vital, sin saber qué era. Miró los baúles. Louise también tenía un Indestructo. De gama alta. «Llega entero», decía el eslogan publicitario. Y realmente era increíble que, siendo tan grande el riesgo de daños o pérdida, los baúles hubieran llegado enteros, los dos, al cuidado de desconocidos durante su largo viaje y a través de aquella ciudad enorme. Cualquier cosa podría haberles pasado a uno o a otro. Y sin embargo allí estaban, indemnes.

A la mañana siguiente desayunaron huevos y café en la cafetería de la acera de enfrente, donde el joven de la barra les aseguró que la calle Setenta y Dos esquina con Broadway no estaba a más de un kilómetro y medio. Dijo que les salía más a cuenta ir a pie: el metro era agobiante en esa época del año, y los tranvías iban siempre atestados. Les dibujó un plano en una servilleta, usando el bolígrafo que llevaba detrás de la oreja.

—¿De dónde son? Creía haber oído ya todos los acentos del mundo. —Miró a Louise mientras volvía a llenar la taza de café de otro cliente.

—De Kansas —contestó Louise, echándose una cucharadita de azúcar en la taza.

—¿Ki-ansas? —El camarero dio un paso atrás, llevándose la mano doblada bajo la pajarita, como si ella hubiese dicho algo gracioso—. ¿Recién salidas de la gri-anja?

Otros clientes sentados ante la barra se rieron. Cora sonrió educadamente. Louise lo miró con frialdad.

—Yo no hablo así —dijo.

Él tomó una cuchara, la lanzó al aire a gran altura, la atrapó y le dirigió una sonrisa cordial.

—Lo siento, guapa, pero sí.

Cuando salieron, Cora intentó consolarla.

—Estaba coqueteando —dijo, reacomodándose el sombrero para protegerse del sol. No estaba preocupada: a juzgar por la reacción de Louise, el camarero no tenía la menor opción—. No tienes acento.

Louise la miró con cara de desesperación.

107

—Usted no lo oye porque tiene el mismo. Nosotras no nos oímos. Hablamos como pueblerinas y ni siquiera nos damos cuenta. —Cabeceó, frunciendo el ceño—. Debería darle las gracias a ese chico. —Hablaba despacio, pronunciando las palabras con cuidado—. Me ha hecho un favor.

También les había dibujado un buen plano. Incluso en el sofocante calor de la mañana, encontraron fácilmente la iglesia donde se celebrarían las clases de Louise. Cora sintió alivio cuando las mandaron al sótano: bastaba con bajar por la escalera enmoquetada para sentir el aire más fresco en la piel húmeda de sudor, pese a que el pasillo del sótano olía levemente a moho y aire estancado. Se oían las notas amortiguadas de un vals interpretado al piano, y la música subió de volumen cuando abrieron una puerta que daba a una sala espaciosa de techo bajo sin ventanas, con una de las paredes cubierta de espejo. Unas veinte mujeres y cuatro hombres, todos jóvenes, todos descalzos, todos con trajes de baño sin mangas, estiraban los brazos y las piernas desnudas en barras de madera a la altura de la cintura, dispuestas a lo largo de las paredes adyacentes al espejo. Tocaba el piano una mujer con gafas que mantenía la mirada fija en la partitura.

—Voy a cambiarme —dijo Louise, pronunciando con nitidez cada palabra. Señaló una puerta roja de la que salían más muchachas. Cora asintió y sonrió. Deseó hacer algún comentario alentador, amable, decirle quizá a Louise que no estuviera nerviosa. Pero la verdad era que Louise no parecía inquieta. Se la veía totalmente serena, sin necesidad del mínimo aliento ni, a decir verdad, de nada. Cora, junto con algunos de los bailarines, la observó alejarse.

Después de veinte minutos realizando los ejercicios de calentamiento indicados, mientras una pelirroja ágil con peinado *bob* daba instrucciones en francés que todos los alumnos parecían conocer, Cora, sentada en una silla metálica en un rincón, entendió por qué Louise no estaba inquieta. Era una buena bailarina. Tenía las piernas más cortas y un poco más gruesas que la mayoría de las otras bailarinas, y aun así después de cada salto se posaba con más gracia que los demás y era capaz de mantener una postura más tiempo sin temblar. Era fuerte. En general, parecía moverse con más facilidad que los otros, incluida la instructora. Cora entendía poco de danza, pero advirtió que también parecían fijarse en Louise un hombre alto y una mujer con turbante, ambos de pie junto al espejo, que de vez en cuando intercambiaban unas palabras y daban una sólida impresión de autoridad. Cuando Louise ejecutó un salto ante el resto de la clase, la mujer del turbante miró al hombre y asintió con la cabeza.

De pronto, la mujer del turbante levantó la mano y el piano dejó de sonar. Los bailarines se quedaron quietos. Pese al relativo frescor del sótano, todos sudaban, incluso Louise, y tenían empapadas las pecheras y las espaldas de sus bañadores de lana negros. Pero, salvo por el jadeo de algunos alumnos, permanecían absolutamente inmóviles, todos mirando a la pareja con actitud reverente. Cuando la mujer del turbante les pidió que se sentaran, ellos así lo hicieron, justo allí donde estaban, en el suelo de madera.

—Bienvenidos todos a Denishawn. Soy Ruth St. Denis.

Cora ni se imaginó qué habría dicho el camarero de la cafetería del acento de Ruth St. Denis. No parecía un acento extranjero, pero hablaba con un ritmo teatral, haciendo hincapié en cada palabra.

Tendió las manos y sonrió.

—Por favor, llamadme señorita Ruth.

Llevaba un vestido sin mangas hasta las pantorrillas, de un color rojo intenso, con un pañuelo de seda marrón atado a un lado de la estrecha cadera. Como los bailarines, estaba descalza. Los pocos mechones de pelo que escapaban del turbante eran de un blanco lechoso, pero, a juzgar por su rostro, no aparentaba mucha más edad que Cora. Llevaba depiladas las cejas en forma de media luna.

—Y este —se inclinó un poco, alargando el brazo fibroso hacia la derecha— es mi marido y compañero, Ted Shawn.

El hombre sonrió a los alumnos. Vestía una camisa blanca sin cuello y un pantalón de franela blanco. También iba descalzo.

Se le veía relajado, tranquilo, y sin embargo su postura era perfecta.

—Podéis llamarme papá Shawn —dijo sin ningún acento ni entonación extraña—. En cuanto nos conozcamos mejor, eso es probablemente lo que haréis.

Los alumnos se echaron a reír; algunos, incluida Louise, parecían encandilados. Ted Shawn, de más de un metro ochenta, poseía una buena musculatura y el pecho ancho. Tenía el cabello ralo y entradas, pero parecía más joven que su mujer. Algo en su actitud recordaba a Alan, pensó Cora. Sonreía a St. Denis mientras esta hablaba.

—Por desgracia —dijo ella—, no podré quedarme en Nueva York para seguir vuestra evolución como bailarines. Quizá sepáis que tenemos un estudio en Los Ángeles y necesito pasar al menos parte del verano allí. Pero sí os veré durante un tiempo, y quería conoceros hoy, y tal vez ofreceros cierta orientación e inspiración.

Mientras hablaba, mantenía la mirada fija en un punto de la pared justo por encima de la cabeza de Cora, entrecerrando los ojos como si viera algo allí, pero al cabo de un rato Cora alzó la vista y por encima de ella no vio más que un espacio vacío en la pared. St. Denis dijo a los alumnos que a partir de ese momento eran todos representantes personales de Denishawn, y que esperaba de ellos que se comportaran como correspondía dentro y fuera del recinto. Por desgracia, otras personas interesadas en la danza moderna habían relacionado ese arte con conductas vergonzosas, al menos a ojos del público, pero ella y su marido se proponían corregir ese error de percepción. Las jóvenes que eran alumnas de Denishawn llevaban sombrero, medias y guantes en público. No se enrollaban las medias. Los alumnos varones llevaban sombrero en público. Naturalmente, no se permitiría fumar ni beber a nadie de ninguno de los dos sexos, ni en la academia ni fuera.

—La danza es una experiencia espiritual —dijo, su tersa mandíbula en alto, recorriendo ahora con la mirada los rostros de los alumnos—. No tolera la indecencia ni la degeneración.

Solo entonces Louise pareció menos prendada. Cora veía su rostro en el espejo: el gesto torcido, la única alumna que no mantenía la vista en alto. Si St. Denis percibió esta sutil disensión, no ofreció la menor señal. Dijo a la clase que estaban a la vanguardia de una revolución en la danza norteamericana. No le interesaba que ellos memorizaran pasos o exhibieran una destreza o una aptitud atlética absurdas. Desde luego, no le interesaban la altura del batimán ni los molinetes. La habilidad técnica, dijo, no era más que una herramienta para que el cuerpo mostrara su comprensión natural del ritmo del universo, permitiendo a todas las personas, todas las razas, asimilar a Dios, Buda y Alá y todas las formas de divinidad. La danza era una visualización de la divinidad, una manera en que los bailarines tomaban conciencia de que ellos no estaban dentro de sus cuerpos, sino que sus cuerpos estaban dentro de ellos.

Cora no sabía de qué estaba hablando. Pero todos los presentes parecían entenderlo, así que ella permaneció quieta y callada. Se había llevado consigo *La edad de la inocencia,* pero no lo abrió. No quería ponerse en evidencia, dar la impresión de que era incapaz de comprender una manifestación artística. Y ciertamente deseaba escuchar lo que esa mujer decía, incluso aquello que era incapaz de entender.

—Quiero que aprendáis a sentir la música —dijo St. Denis, juntando las palmas de las manos—. No que andéis enumerando pasos absurdos en vuestra cabeza. Ciertos compositores facilitan el sentimiento. ¿Alguien de aquí conoce a Debussy?

Nadie se movió ni despegó los labios. St. Denis les dirigió una sonrisa tranquilizadora y se dispuso a hablar. Louise levantó entonces la mano.

—Yo sí. Por supuesto. Mi madre lo toca continuamente.

Unos cuantos alumnos se volvieron para ver quién hablaba. Algunos cruzaron miradas.

Cuando St. Denis y Shawn se apartaron a un lado, la instructora pelirroja reanudó la clase pidiendo a los alumnos que, de pie, movieran la cabeza a uno y otro lado a la vez que mantenían los hombros totalmente inmóviles. La cobra, lo llamó. Louise también destacó en este movimiento, dando la impresión de que su pelo corto y su cuello pálido estaban desconectados de los hombros. Cora, sintiéndose invisible en su rincón, probó ella misma una versión abreviada, moviendo la cabeza solo un poco, con la espalda recta e inmóvil en la silla.

—¿Hola?

Alzó la vista. Ruth St. Denis se acercaba a ella, sus pies descalzos pisando el suelo sin el menor ruido.

—Ah, hola. —Cora se puso en pie, sintiéndose boba y sin gracia. Ni siquiera calzada era más alta que St. Denis, pero desde luego era más ancha. Más torpe. Se llevó la mano al pelo.

—Espero que no haya inconveniente en que me haya quedado. Vengo con Louise Brooks. Soy su acompañante.

—Ah, sí. De Kansas. —St. Denis parecía complacida—. Encantada de conocerla. —Miró por encima del hombro—. Ya había oído que Louise viajaría acompañada. Me pareció muy sensato por parte de su madre.

—Ah. ¿Conoce a Myra?

Negó con la cabeza.

—Yo no estuve en esa gira. Pero Ted conoció a Louise y a su madre cuando fueron a los camerinos después del espectáculo en... —Cerró los ojos y se golpeteó el turbante.

—Wichita —apuntó Cora.

—Wichita. —St. Denis sonrió—. Las dos causaron gran impresión. —Dirigió a Cora una mirada de complicidad—. En fin. La chica parece arrogante. ¿Lo es?

Cora echó una ojeada a Louise, que, con los brazos cruzados, permanecía atenta a la instructora. Cora no supo qué contestar. La respuesta sincera era que sí, sin lugar a dudas, pero de pronto, curiosamente, se sintió protectora.

—Bueno —aventuró—, tiene sus cualidades.

—Mmm... —St. Denis sonrió, enarcando sus finas cejas—. Casi todo el mundo las tiene.

La instructora había entregado a los bailarines un recuadro de tela diáfana de color naranja. Agitó y trazó espirales con su tela por encima de la cabeza, y los bailarines la imitaron.

—Pero tiene talento, ¿no? —Cora observaba a Louise—. Aunque yo no sé nada de danza, he estado aquí mirando, y a mí me parece que lo tiene.

St. Denis movió la cabeza en un lento gesto de asentimiento.

—Eso parece. Para una principiante. —Sonrió a Cora—. Pero eso ya lo sabíamos. —Volvió a dirigir la mirada hacia Louise—. Ted me describió a su madre por la impresión que le causó en el camerino. Ya hemos visto antes a esa clase de personas. Muéstreme a una madre con toda esa ambición frustrada y le mostraré a una hija nacida para el éxito.

Cora observó a Louise mientras trazaba un círculo lento y controlado, con los dos brazos en alto y absolutamente rectos. Mantenía el rostro, brillante por el sudor, orientado hacia las luces del techo del sótano. Cabía pensar que St. Denis tenía razón, que por guapa y talentosa que fuera Louise, solo estaba allí gracias al empuje de su madre. Sin duda, parte de su gracia y su talento le pertenecía únicamente a ella. Pero ¿qué habría sido de Louise sin Myra? Si la joven hubiese sido enviada en tren a otra vida, sin conocer a la madre a quien se parecía tanto, ¿habría salido mejor? ¿Peor? ¿Qué habría sido distinto en ella?

La instructora daba órdenes a los bailarines:

—Vuelta. Otra vez. Otra vez.

St. Denis le tocó el brazo a Cora.

—Ha sido un placer conocerla. Y quería decirle que puede venir a las clases a mirar cuando quiera, pero estarán aquí cinco horas al día. Puede marcharse con toda tranquilidad. Los tenemos controlados. —Sonrió—. También durante el descanso.

A Cora no le cabía duda de que incluso cuando St. Denis se marchara a Los Ángeles, sus expectativas de comportamiento seguirían siendo la ley. Era a todas luces la soberana que regía en ese pequeño mundo, o al menos una de los dos. Podía dejar a Louise sin preocuparse. Tendría esas horas libres.

—Debería salir a ver la ciudad. —St. Denis alzó la vista al techo del sótano, como si toda la ciudad de Nueva York se hallara contenida en la iglesia que se alzaba encima—. ¿Ha estado aquí antes?

Cora negó con la cabeza. Una vez más, la mentira fácil. La instructora permaneció entre los bailarines, sosteniendo el pañuelo naranja por encima de la cabeza. Con un elegante giro, se envolvió los hombros como si fuera un chal, con la cabeza agachada, la expresión oculta.

Cora tuvo que apartar la mirada. Había viajado desde muy lejos, y ahora estaba allí. Llevaba la dirección anotada en el bolso.

Dio las gracias a St. Denis por la sugerencia y coincidió con ella: Sí. Había muchas cosas que quería descubrir en la ciudad. Por supuesto, aprovecharía la ocasión.

Hogar para Niñas sin Amigos de Nueva York
Calle Quince Oeste, 355
Nueva York, Nueva York

Señora de Alan Carlisle
North St. Francis Street, 194
Wichita, Kansas

23 de noviembre de 1908

Apreciada señora Carlisle:

Gracias por su generoso donativo, que recibimos la semana pasada. Pese a lo mucho que agradecemos y dependemos de estas formas de caridad para dar de comer, vestir y educar a las niñas a nuestro cargo, nos es imposible responder a su tercera petición, o cualquier petición futura, de información acerca de sus padres naturales. Nos complace saber que ahora es usted una mujer casada, a quien Dios ha concedido dos hijos propios, y que las cosas le van tan bien como para ayudarnos de esta manera. Le ruego que tenga en cuenta que ese feliz desenlace se ha producido gracias a la oportunidad que se le brindó de empezar una nueva vida lejos de la ciudad y romper los lazos con el lastre del pasado. Nuestra norma es proteger la intimidad de los padres naturales, que acaso no deseen que se conozca su identidad, y también el bienestar de las personas antes a nuestro cargo, que, según creemos, hacen mejor en concentrarse en su vida actual que en sus turbulentos orígenes.

He leído lo que ha escrito acerca de sus anhelos y su confusión. Sepa que la tendré presente en mis plegarias.

Dios la bendiga,
Hermana Eugenia Malley

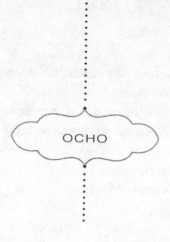

OCHO

Cora caminó por Broadway sola, agradeciendo la sombra continua de los edificios que impedían el paso del sol de media mañana. Para cuando llegó a la cafetería, estaba abarrotada. De camino a la barra apartó con la mano el humo de los puros y los cigarrillos. El camarero de la pajarita que había coqueteado con Louise seguía en su puesto. Sonrió, señalando con la cabeza dos taburetes.

—Hola otra vez. —Retiró unos platos sucios a la vez que miraba alrededor—. ¿Dónde está su amiga de Ki-ansas?

Cora se sentó en un taburete.

—En clase. Tomaré un té con hielo, por favor.

El camarero asintió, claramente decepcionado, aunque cambió la posición del ventilador eléctrico para orientarlo hacia Cora. Ello lo miró mientras servía café a otro cliente. No era ningún disparate que preguntara por Louise, que se creyera con alguna posibilidad. Era un muchacho atractivo, un poco mayor que Howard y Earle, con el pelo castaño aclarado por el sol y unos ojos verdes ante los que una adolescente media probablemente se derretiría. Louise no parecía haberlo notado.

—¿Clase de qué? —Puso un vaso y un azucarero ante ella.

—De danza. —Le dirigió una mirada de desaprobación. No le daría más información.

—Ya me parecía a mí que podía ser bailarina o algo así. —Sirvió el té sin levantar la vista—. Con esa cara podría hacer cine. He preguntado de qué eran las clases porque he pensado que quizá hacía algún curso de verano en la universidad. Yo voy a Columbia. Solo trabajo aquí en verano para contribuir en el

116

pago de mis estudios. —Alzó la vista—. Tal vez pueda usted mencionárselo por mí, ¿querrá? —Sonrió y levantó las cejas—. En recompensa, tendrá un té con hielo gratis.

Antes de que Cora pudiera contestar sonó un timbre, y él se volvió para tomar un pedido de tortitas en la ventanilla que daba a la cocina. Pobre chico, pensó Cora. Ya prendado. Pero no tenía ninguna opción. Louise, imaginó Cora, no se dejaría impresionar por su inminente título. Podía casarse con ese estudiante universitario, ser la envidia de todas, y aun así acabar como su madre.

Cuando él se ofreció a rellenarle el vaso, se inclinó sobre la barra y bajó la voz.

—Por cierto, me llamo Floyd. Floyd Smithers. ¿Son ustedes hermanas o algo así?

Ella puso los ojos en blanco. El chico probaba una nueva táctica: adular a la guardiana. Cora sacó del bolso el papel con la dirección.

—Puedo pagar el té —dijo con toda naturalidad—, pero le agradecería que me dijera cuál es la mejor manera de llegar a esta dirección.

El camarero miró el papel.

—Debe tomar el metro.

Se sacó el bolígrafo de detrás de la oreja y volvió a dibujar un plano con indicaciones en una servilleta, este a una escala mayor, menos enrevesado que el de la mañana anterior. Cora miró por encima del hombro. Una rubia con un peinado *bob* y una falda que mostraba claramente las rodillas desnudas se sentó a una mesa sola, fumando un cigarrillo. Se volvió, sorprendió a Cora observándola y Cora, avergonzada, desvió la vista.

El camarero deslizó la servilleta por encima de la barra.

—Con esto llegará allí. Por cierto, ¿qué tiene que hacer en la calle Quince?

—Ah. —Cora se reacomodó el sombrero—. Solo voy a ver a una vieja amiga.

—¿Ah, sí? —Ladeó la cabeza.

—¿Por qué? ¿Es mala zona?

—No está mal. —Se encogió de hombros—. Está cerca del muelle.

Cora miró la barra de acero, su reflejo borroso. Sí. Sí. Recordó el sonido grave de las sirenas de los barcos. Tocó el vaso de té para contener el temblor en la mano.

—No es una zona espantosa. —Bajó la voz—. Hay sobre todo irlandeses. Italianos. Gente de todo tipo, en realidad. No tendrá problemas si lleva el bolso bien sujeto. Algunos de los niños de por allí son muy rápidos. —Señaló la mano de Cora con el mentón—. Puede que le convenga dejar ese anillo en casa. Alguien podría empeñar eso y dar de comer a una familia de diez durante un año.

Cora se miró la alianza nupcial, el diamante tallado en Europa. Alan y ella lo habían elegido juntos. Volvió a alzar la vista.

—Vaya. No pretendía asustarla. Aquello no está tan mal. Ni mucho menos. ¿Sabe una cosa? Estará solo a unas manzanas del hotel Chelsea. Es famoso. Mark Twain se alojó allí. Y la actriz Lillian Gish. Hay unas casas preciosas por la zona. Mire, se lo señalaré en el mapa. —Volvió a inclinarse para añadir otras marcas—. No tiene más que subir por la Octava Avenida si quiere verlo. —Cuando le devolvió la servilleta, parecía preocupado—. Oiga, no quería dar a entender que hubiera nada de malo en los muelles, ni en la gente que vive allí. No quería decir eso. Es solo que hay muchos extranjeros, y niños hambrientos. Pero no es un mal sitio.

—Gracias. —Volvió a abrir el bolso y sacó tres monedas de diez centavos, el pago por el té más una generosa propina. El día anterior el camarero le había dicho a Louise la cruda verdad acerca de su acento. Ahora acababa de hacerle un favor a Cora, preparándola por medio de otra cruda verdad.

—Oiga, oiga —dijo él, saliendo de detrás de la barra—. Invitaba yo, ¿se acuerda? Usted iba a interceder por mí. —La señaló, y luego se señaló a sí mismo—. Creía que estábamos confabulados.

Cora tuvo que reírse. Floyd Smithers. Era buen chico. Le recordaba a su propio Howard, nacido cuatro minutos antes que su hermano, y a partir de ese mismo momento, o esa impresión daba, había sido siempre un temerario, deseoso de salir a comerse el mundo. Los echaba de menos a los dos. Y estaba preocupada. Les escribiría esa noche, y les recordaría que fueran prudentes. Eran tantas las maneras de hacerse daño en una granja...

—Gracias por las indicaciones. —Se puso los guantes y recogió la servilleta con el dibujo del plano—. Me temo que no puedo ayudarlo con mi joven amiga. Por cierto, es muy joven. Quince años. Está aquí para estudiar danza. Y yo he venido para velar por su seguridad.

—Pero yo solo quiero...

Cora alzó la palma de la mano.

—Debería depositar sus esperanzas en otro sitio.

El joven la miró como si ella debiera sentirse culpable, como si estuviera equivocada, como si le hubiera robado algo. Así y todo, Cora no sintió el menor remordimiento cuando se marchó. Era un buen chico, con un excelente futuro. También ella le había hecho un favor a él.


El metro, en efecto, resultaba sofocante. Cora había albergado la esperanza de que fuera más fresco, por estar alejado del sol, pero iba abarrotado, y en el vagón se respiraba un aire cargado y húmedo y se percibía olor a orina y cuerpos sucios. Aun así, advertía que el tren avanzaba deprisa, y eso era emocionante: ir a toda velocidad bajo tierra, sin obstáculos. Todos los asientos estaban ocupados, de modo que se quedó de pie sujeta a una agarradera, escuchando a dos ancianos que parecían discutir por algo en francés y a alguien que tosía una y otra vez. Procuró no mirar a nadie en concreto. Allá en Wichita, cuando un tranvía iba así de lleno, ella siempre miraba por las ventanas, no tanto por ver el paisaje como por el afán de ser cortés. Aquí la gente también lo hacía, pese a que fuera no hubiese nada que ver excepto la pared del túnel.

Las paradas eran frecuentes y breves. Se apartaba para dejar pasar a la gente, ladeando la cabeza para proteger el ala de su sombrero, consciente de que cada estación la acercaba un poco más a los suyos. A pesar del aire fétido, deseó que el viaje prosiguiera indefinidamente, hasta que estuviese preparada

119

para llegar a su destino. Todavía le costaba concebir el Hogar para Niñas sin Amigos de Nueva York como un espacio físico real, un edificio marrón de obra vista que existía en una calle, y no solo como una obsesión en su cabeza. ¿Qué efecto ejercería en ella verlo realmente? ¿Tocar esos mismos ladrillos con las manos?

Cuando subió por la escalera del metro y regresó a la radiante luz del sol, se hizo a un lado para dejar paso a la gente y dedicar un momento a examinar el plano. Estaba cerca. Según las indicaciones de Floyd Smithers, la dirección se hallaba a la vuelta de la esquina. Se tocó la frente para enjugarse el sudor, humedeciéndose las puntas de los dedos de los guantes. Pronto, demasiado pronto, estaría ante la puerta del orfanato. Guardó el plano. Las calles y las avenidas estaban numeradas conforme a un orden lógico. Si daba un paseo para calmar los nervios, era poco probable que se perdiera. Abrió el parasol y, con la mano libre, estrechó el bolso contra el pecho.

Floyd Smithers estaba en lo cierto acerca del barrio: los irlandeses, o al menos sus nombres, se veían por todas partes. McCormick, zapatero. Taller mecánico y neumáticos Kelly. Paddy's era solo Paddy's: la palabra «taberna» aparecía cubierta por una fina capa de pintura. Pasó frente a una iglesia católica. Muchas de las personas en torno a ella tenían aspecto y acento de autóctonos, pero una anciana asomó por una ventana alta y gritó: «¡Daniel Mulligan O'Brien! ¡Mueve el culo y sube aquí ya mismo!». (Nadie salvo Cora —por lo visto, ni siquiera el niño al que llamaban— se volvió a mirar.) Oyó otros idiomas aquí y allí. Español. Francés. En una calle secundaria con un denso tráfico de ruidosos coches y camiones, un grupo de niñas con trenzas jugaba a botar una pelota de goma desde un portal, hablándose en un idioma que Cora no reconoció. Sobre sus cabezas, a través de la calle, se extendían de ventana a ventana docenas de largos tendederos de los que colgaban ropa interior y otras prendas, en su mayoría de tallas infantiles: pequeños chalecos y camisas, pantalones cortos con culeras y vestiditos con los dobladillos raídos.

Cuanto más caminaba, más niños veía. Y de pronto los había por todas partes. En una calle vio a cinco o seis en cada portal lanzar pelotas contra los peldaños o hacer equilibrios en las barandillas. Unos niños caminaban con sus madres, o acompañados de hombres con gorras de estibador. Otros iban por la acera en pandillas, todo niñas o todo niños. Daba la impresión de que muchos habían estado nadando vestidos, con el pelo todavía pegado y chorreante, aunque ninguno se veía especialmente limpio. Se daban ligeros empujones y se reían, y los que iban descalzos avanzaban dando rápidos brincos por la acera caliente. Cora vio a una niña rubia de unos ocho años meter la mano en un cubo de basura, sacar una manzana a medio comer y, complacida, darle un bocado. Cuando sus amigas se reunieron alrededor, les entregó la manzana, y cada una dio un bocado también.

Pasó junto a una mujer embarazada, con una magulladura en la mejilla y un sombrero arrugado, que llevaba a un niño en la cadera y otro a rastras detrás. Cuando advirtió que Cora la observaba, le lanzó una mirada colérica.

Y bebés. Muchísimos bebés. Lloraban desde las ventanas abiertas y en los brazos de otros niños. Pasaban en cochecitos tambaleantes y dormían en mantillas atadas al cuello de su madre. Una mujer con un vestido negro largo amamantaba a un recién nacido en un banco enfrente de un salón de billar, su pecho desnudo descubierto a la vista de todo el mundo. Cuando advirtió la mirada de estupefacción de Cora, interpretó mal su reacción, sonrió e hizo un comentario jocoso en italiano.

Cora sintió un mareo. Era el calor, o quizá los olores, que variaban ampliamente de una tienda a otra. Pan recién hecho. Orina de gato. Queso fundido. Jabón de colada. Carne asada. Se dispuso a entrar en un café, hasta que se dio cuenta, ya tarde, de que todos los clientes eran hombres. Cuando se apresuraba a salir, todos vociferaron en otro idioma, diciendo cosas que eran, supuso, poco respetuosas en el mejor de los casos.

Volvió a sacar el plano. Aún no se sentía preparada, ni mucho menos. Pero tenía calor y estaba cansada.

Tres niñas chillonas con vestidos sucios la adelantaron a todo correr. La menor golpeó la falda de Cora con su hombro huesudo. La niña siguió corriendo, la trenza oscura agitándose detrás de ella, pero dijo «Perdone, señora» y se volvió por un momento, desplegando una radiante sonrisa llena de mellas.

Estuvo a punto de pasar de largo ante el edificio. No se habría dado cuenta de no ser por la dirección: lo recordaba más grande. Solo tenía cuatro plantas, cada una con cinco ventanas, y en lo alto se veía el muro de la azotea. Un solar contiguo, que ella no recordaba, había sido pavimentado y cercado. Se accedía al interior desde la calle a través de una ancha verja, cerrada, y contenía un anexo de madera de dos plantas. Pero el edificio principal marrón de obra vista era tal como lo recordaba, y junto a la puerta estaba la pequeña placa dorada, con su cruz y sus letras negras grabadas: HOGAR PARA NIÑAS SIN AMIGOS DE NUEVA YORK. Cora la miró con expresión lúgubre. Hay que ver, después de tantos años: ya podrían haber buscado un nombre mejor.

En la calle el aire olía a azúcar y mantequilla, como a galletas recién salidas del horno. Si ella hubiese olido semejantes golosinas en su infancia famélica, desde luego no lo habría olvidado. ¿Ahora daban galletas a las huérfanas? ¿O las hacían las niñas para venderlas? Saltaban a la vista otros cambios. Detrás de la valla había unos columpios rudimentarios, los asientos hechos con las tapas de cajas de embalaje. Había también una cuerda para trepar, con nudos en la parte inferior. Pero algunas cosas seguían igual. Junto a los columpios esperaba, al lado de la puerta, una pila de bolsas de lona llenas. La colada entrante. Cora alzó la vista hacia la azotea.

—¿Puedo ayudarla en algo?

Se volvió. Una joven monja con un leve bigote oscuro subía por la escalinata a toda prisa, seguida de un hombre vestido con mono que acarreaba una caja de madera.

—Ah, sí —respondió Cora, subiendo también ella por la escalinata—. Me... me gustaría hablar con alguien.

—¿Respecto a qué? —La monja, mirándola con expresión afable, sostuvo la caja por un lado mientras el hombre, que cargaba aún con la mayor parte del peso, sacaba un llavero del bolsillo del mono.

Cora vaciló, pero era evidente que la monja tenía prisa.

—Yo viví aquí —farfulló—. De niña.

El hombre, que llevaba unas gafas de montura metálica, miró de soslayo a Cora a la vez que hacía girar la llave en la cerradura. Dirigió un gesto de asentimiento a la monja, agarró la caja y la metió dentro.

—Ya —dijo la monja, frotándose las manos. Pese a la premura, parecía mantener una expresión intencionadamente neutra; era imposible saber si Cora la había sorprendido, o si se presentaban allí huérfanas adultas a diario—. Sintiéndolo mucho, ahora vamos a celebrar la misa. Estaremos todas arriba hasta la una. Podría volver mañana, antes de las doce y media o pasada la una.

Cora hizo todo lo posible para ocultar su decepción. Después de tantos años, aún reaccionaba al reflejo condicionado de no mostrar más que plácida aceptación ante una monja, sin responderle, sin manifestar desacuerdo ni ingratitud, ni siquiera con el semblante. Pero eso era absurdo. Ya no era una niña. Era una adulta, una mujer casada. No tenía nada que temer.

—¿Podría esperar dentro? —Cora le dirigió una sonrisa cordial, disimulando su propia sorpresa—. No sé si podré volver —añadió—. Y vengo de muy lejos.

La monja asintió, y Cora la siguió escalinata arriba y cruzó la puerta. La entrada, pequeña, pintada de blanco, tenía a la derecha una escalera y, justo enfrente, un largo pasillo que conducía a una cocina con mucha luz natural. Cora, desde donde estaba, veía parte de un fogón. El olor a galletas que se percibía fuera había desaparecido; dentro solo olía a lejía.

—Gracias, Joseph —dijo la monja, pese a que el hombre ya se había ido. Cerró la puerta de la calle y echó la llave—. Disculpe. No debo llegar tarde. —Subía ya por la escalera, recogiéndose la falda del hábito con las dos manos—. Siga por el pasillo y, cruzando la cocina, llegará al refectorio. Puede sentarse y esperar allí.

Cora se quedó en la entrada, escuchando las notas amortiguadas de un piano procedentes de algún sitio en los pisos de arriba. La caja de madera había quedado junto a la puerta. Estaba llena de zapatos de niña, como vio Cora, arañados y usados, cada par unido

123

por una goma elástica. Miró la puerta de la calle, el pomo de latón en medio de una placa ovalada con los bordes abullonados. Nada en aquella puerta le resultaba familiar. Pero no tenía por qué. En su día tampoco había pasado mucho tiempo ante la puerta de la calle, entrando y saliendo a su antojo.

Avanzó por el pasillo hasta la cocina, y el olor a lejía era cada vez más intenso. Pasó ante dos puertas, ambas cerradas, espaciadas a intervalos regulares. Continuó oyendo el piano, y ahora también los cantos de unas niñas. «Canta, lengua mía, los trofeos de la Virgen, / quien por nosotros llevó en su vientre a nuestro Hacedor.» Cora se detuvo y alzó la vista hacia el techo. Conocía esa canción, la recordaba. Sin pensar, articuló las palabras con los labios. «Para devolver la paz y la dicha a quienes padecieron la antigua maldición.»

La cocina no le sonaba de nada. Tanto el fregadero como el fogón de esmalte verde parecían más nuevos, modernos. En un estante, junto a la heladera, había tres contenedores cilíndricos de avena a granel. Estuvo a punto de echarse a reír. Después de tantos años, aún servían cereales. Quizá ahora las monjas añadían azúcar o sirope. O tal vez no los sirvieran dos veces al día, todos los días. En todo caso, cuando ella vivía allí, no le importaba comer cereales. Se alegraba de recibir algo que aliviase su hambre, aunque solo fuera durante unas horas. Y por entonces no conocía nada mejor, lo cual también ayudaba. Pero después de unos días en casa de los Kaufmann, comiendo huevos revueltos y patatas y pollo asado y melocotones, había decidido que no volvería a comer cereales en la vida. Daba igual que mamá Kaufmann les echara azúcar moreno, o mantequilla, o sirope. Era la textura lo que Cora recordaba. Desde aquellos tiempos, no había vuelto a tomar un solo tazón.

Por la puerta abierta a su derecha, vio los extremos de dos mesas de bordes rectos. Y bancos, y luz que penetraba por las ventanas cuadradas y atrancadas. Entró en el refectorio, notando que se le enfriaba el sudor en la frente. La sala era más pequeña de lo que recordaba, y las cuatro mesas, dispuestas de dos en dos, no eran tan largas como aquellas donde había comido en silencio con las otras niñas y las monjas. Pero eran las mismas mesas, sin duda. Todo parecía grande cuando era niña. Tenían que comer por turnos, recordaba, las menores antes que las mayores.

Se dejó caer en un banco, apoyando las manos enguantadas en la mesa con cuidado.

—Hola.

Se volvió. El hombre del mono había entrado por una puerta desde el otro lado del refectorio. Llevó una escalera de mano al centro, justo debajo de un pequeño círculo de cables expuestos. Antes de desplegar la escalera se detuvo; sus gafas brillaron a la luz del sol.

—¿Se encuentra bien?

Hablaba con cierto acento, aunque Cora no lo identificó. Tenía el rostro anguloso y el cabello rubio y ralo.

—Sí, gracias. —Tosió, sintiendo la garganta seca—. Solo estoy esperando.

—¿Puedo traerle algo de beber?

—Ah, sí. Un poco de agua me vendría de maravilla. Gracias.

Cora lo oyó primero desplegar la escalera y luego alejarse hacia la cocina, con un tintineo de llaves en su bolsillo. Se quitó los guantes. Cuando oyó correr el agua, apoyó las manos en la mesa y siguió con las yemas de los dedos el surco de la madera. Después de cada comida, limpiaban las mesas con paños hervidos. Miró por la ventana de detrás. La hierba del jardín estaba agostada, y solo quedaba un tocón allí donde antes se alzaba el gran árbol.

El ordenanza volvió y puso ante ella un vaso de agua.

—Gracias —dijo Cora alzando la vista.

El hombre sonrió, sin apartarse. Ella se miró las manos. Siguiendo el consejo de Floyd Smithers, había dejado su alianza nupcial en el apartamento.

—Ahora ya estoy bien, de verdad —afirmó. Esperó a que él regresara a la escalera para llevarse el vaso a la boca con las dos manos. En cuanto el agua fría entró en contacto con sus labios, tuvo la sensación de que su cuerpo recuperaba el control, y se lo bebió todo, trago a trago, con los ojos cerrados, la cabeza echada hacia atrás.

El ordenanza, ahora en lo alto de la escalera, empezó a silbar.

Cora se volvió y dejó el vaso vacío en la mesa. No deseaba mostrarse descortés, pero no le apetecía hablar. Abrió el bolso y sacó *La edad de la inocencia,* más como barrera para refugiarse de toda conversación que por un deseo de leer; en ese momento le resultaba imposible hacerlo. Solo podía fijar la mirada en las páginas, intentando serenarse.

El hombre dejó de silbar. Sin pensar, Cora alzó la vista. Él señaló el libro con la cabeza y se dispuso a decir algo, pero ella, sin darle tiempo a hablar, volvió el cuerpo de espaldas a él, con la mirada fija en el libro, en las palabras no leídas que flotaban ante sus ojos. Consultó su reloj. Era ya la una menos cuarto. Sentía un cosquilleo en los dedos y un picor en los brazos, como si su sangre hubiera reconocido dónde estaba.

La hermana Delores. Cora la reconoció de inmediato —los pómulos prominentes, los ojos azules—, y tuvo que hacer un esfuerzo para ahogar una exclamación. Claro. A esas alturas, las monjas que eran ya viejas cuando ella era niña debían de haber muerto. Pero la hermana Delores era ahora de mediana edad y tenía marcadas arrugas entre las finas cejas, sobre todo alrededor de la boca. Si acaso, pese al austero hábito negro, se la veía menos intimidante que en el recuerdo. Parecía más pequeña, como las mesas, y como el propio refectorio. Cora se preguntó si aún llevaría encima la palmeta.

—Tendrá que perdonarme —dijo, inclinándose sobre el escritorio. Conservaba la misma voz, grave e imperiosa—. Antes pensaba que me acordaría de la cara de todas las niñas que han vivido entre estas paredes. —Inclinó la cabeza hacia delante, escrutando a Cora.

Estaban en un despacho, detrás de una de las dos puertas que daban al pasillo. Justo encima de la cabeza de la monja colgaba un cuadro de Jesús en Getsemaní, y a su lado, una fotografía enmarcada del nuevo Papa. El escritorio de madera estaba despejado, sin nada más que una máquina de escribir, una pluma y una pila de hojas con un crucifijo de plata encima a modo de pisapapeles. Cubría la única ventana una larga cortina de encaje que ondeaba un poco en la cálida brisa, proyectando su estampado a modo de sombra en el suelo de madera.

—No esperaba que se acordara de mí —dijo Cora. En realidad, se alegraba de que la hermana Delores no guardara ningún recuerdo de ella en su infancia. Se había presentado como Cora Kaufmann, de McPherson, Kansas, no como la señora de Alan Carlisle, de Wichita, que ya las había importunado con tres cartas y en respuesta había recibido tres noes.

—Está en Kansas ahora, dice. —Concentró sus ojos azules en los de Cora—. ¿Se marchó de aquí en el tren, pues?

Cora asintió. En el techo se oía el movimiento del agua en las cañerías y los pasos de numerosos pies. Las niñas empezaban a prepararse para hacer la colada, sacando de las bolsas la ropa y las sábanas sucias. Todos esos años, mientras ella vivía con los Kaufmann e iba a la escuela, y luego durante su matrimonio con Alan, y la crianza de sus hijos en Wichita, allí, en el orfanato, las bolsas de la colada habían seguido llegando a diario, a la misma hora, y distintas manos pequeñas se habían encargado de restregarla y tenderla.

—¿Su emplazamiento fue bueno? —La monja hizo una mueca, como si se preparara para encajar un golpe.

—Lo fue, hermana. Me eligió una gente maravillosa. No podría haber tenido más suerte.

La hermana Delores cerró los ojos y sonrió.

—Alabado sea Dios. Me alegro de oírlo. —Abrió los ojos—. Ese ha sido el caso de la mayoría de las niñas que enviamos, o al menos de las que nos ha llegado noticia. No todas, pero sí la mayoría.

—¿Han sabido algo de alguna otra de las niñas que se marcharon en aquellos trenes?

—De unas pocas.

—¿De Mary Jane? No recuerdo su apellido. Pero estuvo aquí en mi época, conmigo, y viajamos juntas en el mismo tren. ¿O de la Pequeña Rose?

—No. Solo de unas pocas, como le he dicho. ¿Sigue usted con la Iglesia?

Cora se planteó mentir. Pero incluso ahora seguían dándole miedo aquellos ojos azules. A través de la cortina de encaje vio la sombra de una gaviota en el alféizar.

—No, hermana. No eran católicos, los que me acogieron.

La hermana Delores frunció el ceño. Tenía un temblor en la mano izquierda. Lo detuvo apoyando encima la derecha e inmovilizándola sobre el escritorio.

—En principio, debían dejarlas a todas en hogares católicos. —Colocó las manos bajo la barbilla y dirigió a Cora una mirada acusadora—. Pero casi nunca lo hacían. ¿Le parece bonito? Nuestras propias hijas, a quienes dimos de comer y vestimos, ahora podrían arremeter contra nosotras con capuchas blancas.

Cora negó con la cabeza.

—Yo nunca he tenido nada que ver con las capuchas blancas.

—¿A qué iglesia asiste?

—A la presbiteriana. Mis padres adoptivos eran metodistas, pero ahora soy presbiteriana.

Fue como si hubiese contestado «A la Primera Iglesia de Satanás». La hermana Delores se quedó mirándola.

—En fin. —La monja volvió a apoyar las manos en el escritorio—. Nos dimos cuenta de lo que hacían. Ahora enviamos nuestros propios trenes. La Iglesia, quiero decir.

—¿Todavía? ¿Todavía salen de aquí niñas en tren?

—Por supuesto. Cuando conseguimos financiación. Ha sido una excelente campaña para la mayoría. —Volvió las manos, mostrando las palmas—. Véase usted misma, tan bien vestida. Acaba de decir que tuvo una experiencia positiva.

—Así es —respondió Cora—. Estoy agradecida.

Era verdad. Sería la primera en admitir lo afortunada que había sido. De no ser por el tren, habría crecido allí, destrozándose las manos con la colada, embrutecida por la falta de educación. Sabía que el tren le había proporcionado una vida más fácil, y lo más importante, a los Kaufmann. Pero eso había sido pura cuestión de suerte.

—Quiero información sobre mis padres naturales, hermana, de quiénes y de dónde vengo.

—En eso no puedo ayudarla.

—¿Por qué no?

—El archivo es confidencial.

—¿Existe un archivo?

128

—Eso da igual. No puedo compartir los datos con usted.

—¿Por qué no?

—Son las normas.

—¿Por qué?

—Porque no saldría nada bueno de ahí. —A los ojos azules de la hermana Delores asomó la expresión dura que Cora recordaba, una mirada fija, sin el menor parpadeo—. Señorita Kaufmann, es probable que sus padres estén muertos, y que hubieran muerto incluso antes de venir usted aquí. ¿De qué va a servirle saber más?

—Quiero saber —dijo Cora—. Aunque estén muertos. —Sonrió—. De hecho, me gustaría tener un mejor conocimiento de mis raíces católicas.

La monja entrecerró los ojos.

—Eso puede hacerlo por su cuenta.

—Quiero saber quién soy. —Cora se miró el regazo. No quería suplicar, pero lo haría—. Quién habría sido sin ayuda de la caridad.

—Eso da igual. Es una hija de Dios. Usted es usted. ¿Necesita averiguar la triste historia? ¿Le aportaría verdadera paz? No. —Colocando la mano en posición horizontal, la deslizó como si cortara el aire—. No tendría ningún valor práctico para usted. Y si no están muertos, el problema es aún mayor. Respetamos la privacidad de las madres naturales. Si viven, no quieren ser encontradas.

—¿Cómo lo sabe?

—Lo sé.

—¿Cómo?

La hermana Delores se reclinó en la silla y suspiró.

—¿Quiere que le hable con franqueza, señorita Kaufmann? Pues lo haré. Si su madre vivía cuando renunció a usted, es probable que la concibiera en una situación sórdida. Alcohol. Drogas. Adulterio. Prostitución. Violación. ¿Quiere que siga? —Se irguió, con la mirada fija aún en Cora—. Eso no sería culpa suya. Nadie dice que lo sea. Esa es la razón por la que cuidamos de usted, y la razón, de más está decirlo, por la que la mandamos en aquel tren. Piense en las molestias que se tomaron muchas personas, en los gastos que se asumieron para colocarlas a ustedes, las niñas, en hogares decentes y permitirles tener vidas decentes. ¿Qué pasa? ¿Es usted una paloma mensajera del sufrimiento? ¿Quiere echar a perder todo el tiempo y el dinero gastado en su interés regresando ahora aquí para descubrir la miseria de la que la sacamos?

Cora tragó saliva. No debía tener miedo, ni a la irritación en la mirada de la monja ni al aplomo de sus preguntas. Era una adulta. Una mujer casada. Ahora podía contestar.

—Pero los padres de algunas niñas solo estaban enfermos —dijo con voz firme—. La madre de una estaba en el hospital. Lo recuerdo. Eso no es miseria. Eso es enfermedad. ¿Y si se curó?

—Probablemente no fue así. ¿Y sabe usted por qué estaba en el hospital? No, no lo sabe. En realidad no. Puede que lo que se le dijo a la niña y la verdad fueran dos cosas muy distintas. Cabe la posibilidad de que le evitáramos a la niña enterarse de algo que habría sido excesivo para ella.

—Pero yo ya no soy una niña —repuso Cora—. No quiero que me mientan.

Sostuvo la mirada a la monja, sin apartarla. Quería que lo entendiera. Nada sería excesivo para ella. Incluso si sus padres vivían en un entorno sórdido, estaban locos, o eran unos borrachos, o si habían muerto, quería saber quiénes eran. Y no podían ser tan malos. Ella los veía, estaba segura de verlos, en sus propios hijos. Earle era callado y reflexivo como su padre, pero ¿de dónde había sacado Howard su arrojo, su osadía? En la familia de Alan nadie tenía una sonrisa como esa. ¿Y de dónde había sacado Earle el talento para el dibujo? Le traían sin cuidado la sordidez y la miseria. Daba por hecho que posiblemente la historia sería desagradable. Pero deseaba conocerla. Realmente lo deseaba.

—Cuando me trajeron aquí —explicó con serenidad—, no era una recién nacida. Ya caminaba, y sabía mi nombre. Las niñas mayores me lo contaron. Era regordeta, dijeron. Estaba bien cuidada. Me recuerdo a mí misma en brazos de una mujer, una mujer que me hablaba con dulzura. Y en otro idioma, no en inglés.

—Pues conserve eso. —La monja se encogió de hombros—. Sabe que la quisieron. No lo estropee con detalles que no harían otra cosa que echar a perder ese recuerdo. Y piense en sus padres adoptivos, quienes, como acaba de decirme, fueron lo mejor que cabía esperar. ¿Por qué traicionar a las personas que cuidaron de usted como si fuera su propia hija?

Cora miró la cortina de encaje con ojos llorosos. Era una táctica astuta, utilizar a los Kaufmann para avergonzarla. Pero no era justo. ¿Acaso no la había llevado el propio señor Kaufmann al cementerio de McPherson para enseñarle las tumbas de sus padres y sus abuelos, aquellos que habían colonizado la tierra y le habían enseñado a labrarla? ¿Y acaso mamá Kaufmann no le había hablado de su abuelo el abolicionista, tan comprometido con su causa que había trasladado a su familia de Massachusetts a Kansas? La hermana Delores le decía ahora que la sangre no significaba nada, cuando la vida entera de la mayoría de la gente venía determinada por quiénes habían sido sus padres y abuelos. Ahí estaba sin ir más lejos el caso de Louise. Myra no era una madre ideal ni por asomo, pero Louise se había criado muy segura, muy convencida de cuál era su destino.

La hermana Delores se levantó lentamente, apoyándose en la mesa. Cora supo interpretarlo: la entrevista había terminado. La respuesta era, y sería siempre, no. Cora asintió y también se puso en pie. Ya no había nada más que hacer. Daba igual si lloraba o se reía o gritaba o se postraba de rodillas y suplicaba.

Cora consiguió dar las gracias educadamente. Al menos había llegado hasta allí. Estaba mirando a la cara a alguien que la había conocido de niña, en el primer hogar que recordaba. Aun así, no era eso a lo que había ido, e incluso mientras seguía a la monja por el pasillo hacia la puerta de la calle, tan obediente como la niña que en otro tiempo fue, sintió la misma ira que le sobrevino al recibir la carta de la hermana Eugenia, allá en Wichita. ¿Quiénes eran esas viejas, con sus vidas enclaustradas, para decirle qué podía o no podía saber? ¿Qué necesitaba y qué no?

—Veo que está decepcionada —dijo la hermana Delores. Ahora hablaba con un tono más suave, pero en sus ojos claros no se produjo el menor parpadeo—. Lo entiendo. Pero sepa, por favor, que mi objetivo es protegerla a usted. De sí misma. Cree que quiere saber más de lo que en realidad quiere saber.

Se abrió la puerta de la calle y entró el ordenanza. Miró a Cora, directamente a la cara, como si le incumbiera su angustia. Cora bajó los ojos y pasó de largo. Y después solo quedó eso: el olor dulce en el aire cuando salió, el golpe de la puerta al cerrarse, el chasquido del pasador al correrse a sus espaldas.

NUEVE

En el intermedio, Louise comentó que el problema con las Ziegfeld Follies era que se había formado muchas expectativas.

–La comedia es buena –le dijo a Cora, toqueteándose la sarta de cuentas que llevaba al cuello–. Pero ¿las coristas? Caras bonitas y trajes elaborados. Un aburrimiento. Quizá una o dos son verdaderamente guapas. Y eso es todo. Nunca he visto tantas sonrisas postizas.

–Baja la voz –susurró Cora. El gran vestíbulo del teatro estaba abarrotado de hombres y mujeres que hablaban en corrillos. Un cartel señalaba la sala de fumadores para hombres, pero muchas mujeres fumaban también y, por lo que Cora veía, ninguno de los sexos parecía interesado en separarse.

–Usted recuerde lo que le digo –prosiguió Louise, a un volumen apenas un poco más bajo–. Cuando yo esté en el escenario, no sonreiré solo porque alguien me lo diga. Sonreiré cuando sea real.

Cora, mirando la bóveda de cristal en el techo del vestíbulo, dejó escapar un suspiro. En el interior del New Amsterdam no había un solo centímetro sin ornamentación: en las paredes, parras enroscadas y flores y pájaros tallados; en las alfombras, dibujos a juego de tonos verdes y malva. En su opinión, solo estar en un espacio tan hermoso, por no hablar ya del aire frío que proporcionaban los ventiladores eléctricos, valía el precio de la entrada. Todo eso le había levantado el ánimo, ayudándola a apartar el pensamiento, al menos provisionalmente, de su rápida derrota ante la hermana Delores. Había tenido que recobrar la compostura antes de recoger a Louise, a quien por lo visto no se le

133

daba tan bien detectar la alegría forzada como ella creía. O eso, o Cora era mejor actriz que las coristas.

Y ahora disfrutaba sinceramente con el espectáculo y se alegraba de sus distracciones. Se moría de ganas de contarles a los chicos y a Alan que había estado en la representación de las Ziegfeld Follies y había visto a Will Rogers en persona, por no hablar de la divertida Fanny Brice en su interpretación de una bailarina. A su juicio, las coristas eran preciosas, aunque no entendía por qué, incluso en el número en el que cada chica era supuestamente una flor distinta en una corona nupcial, tenían que lucir trajes tan impúdicos, algunas de ellas con las piernas y la cintura al descubierto. Habría preferido que las coristas se quitaran aquellos recargados tocados de plumas y los utilizaran para taparse los muslos.

Se volvió hacia Louise.

—¿Cómo puedes saber que sus sonrisas eran postizas? Estamos en la última fila de la platea superior.

—Lo he visto. Eran postizas.

Mirando a la multitud, Louise se llevó el collar a la boca y se puso una cuenta entre los labios. Cora le tocó la mano y sacudió la cabeza. Costaba saber cuándo pretendía provocar o captar la atención y cuándo se limitaba a pensar. Esa noche llevaba un vestido sin mangas tan negro como su pelo, y cuando no mordisqueaba su bisutería, se la veía más sofisticada que ninguna otra mujer en el vestíbulo.

—Creía que te encantaba el teatro —observó Cora—. ¿Acaso las personas en el escenario no tienen que fingir emociones continuamente? ¿No es ese su trabajo?

Louise hizo una mueca antes de alzar la vista y mirar a Cora como si fuese la idiota más insoportable del planeta. Incluso con el flequillo recto se parecía mucho a Myra.

—Actuar no es fingir, Cora. Al menos no cuando se actúa bien. —Cabeceó, claramente molesta—. Una actriz de verdad, una artista de verdad, siente la emoción que manifiesta, sea cual sea. Acaba de ver la interpretación de Fanny Brice. ¿Está diciéndome que no nota la diferencia entre sus expresiones y las de esas coristas idiotizadas?

–Fanny Brice solo está siendo graciosa.

–Es un genio.

Ah, pensó Cora, sonriendo un poco. Al menos había alguien que contaba con la aprobación de la muchacha. Louise admiraba también a su madre, claro está, así como a la chica mayor de Denishawn, una tal Martha, que, según ella, era la mejor bailarina que había visto. De modo que era un club con solo tres personas. Todos los demás, por lo que Cora veía, no merecían otra cosa que su desprecio.

Un hombre de cabello plateado con traje oscuro pasó junto a ellas contemplando a Louise sin el menor recato. Louise le devolvió la mirada, con un destello en sus ojos oscuros, antes de volverse hacia Cora.

–Es un público elegante, ¿no?

Cora asintió. Precisamente hacía un momento había pensado con extrañeza lo raro que era que ese teatro lleno de mujeres con vestidos de lentejuelas y trajes de noche de seda, tantas de ellas con largos collares de perlas o cuentas de acero, alguna que otra con un cigarrillo en una boquilla en espera de que algún hombre trajeado se lo encendiera, estuviese a solo treinta manzanas del barrio del orfanato. Costaba imaginar que ambos lugares pertenecían a la misma ciudad, incluso al mismo lado de Manhattan. Bien podría haber habido un océano entre uno y otro.

–Sí piensa que es un público elegante, ¿no? –Louise aguardó con la vista fija en Cora.

–Sin duda. –Cora le devolvió la mirada con recelo. No era propio de Louise solicitar su opinión sobre nada.

–Mmm... –Louise sonrió, toqueteándose otra vez las cuentas–. Habrá visto que muchas de las mujeres van maquilladas.

Cora contrajo los labios. Así que ahí estaba la trampa. Antes de salir del apartamento esa noche, habían tenido una discusión sobre si Louise podía o no ponerse colorete y carmín para ir al teatro. Cora se había mantenido firme, obligando a Louise a lavarse la cara. No la había creído cuando afirmó que Myra le permitía pintarse la cara como una ramera. Por lo que sabía Cora, las mejillas y los labios demasiado pintados eran un rasgo propio de las mujeres de cierto oficio.

Sin embargo, mirando alrededor en ese momento, vio que muchas de las mujeres presentes, si no la mayoría, se habían aplicado sin miramientos sombra y delineador en los ojos, y carmín y brillo en los labios. Más de una llevaba la falda justo por encima de las rodillas. Por supuesto, en comparación con las chicas maquilladísimas y semidesnudas de Ziegfeld a las que todos acababan de aplaudir y pagar por ver, las mujeres del vestíbulo parecían monjas. Nada de eso habría sido concebible cuando Cora tenía la edad de Louise. Tal vez Louise estuviera en lo cierto. Quizá las viejas pautas empezaban a cambiar. Cora se vio en un espejo de marco dorado: el vestido largo de cuello alto, el pelo recogido, el rostro sin maquillar. Al salir del apartamento se vio guapa, luciendo su buen vestido rosa con el fajín que le estrechaba la cintura, o se la estrechaba aún más. Pero ninguna de las mujeres más jóvenes en el vestíbulo llevaba una falda tan larga como la de ella, ni un cuello tan alto.

Quizá se estaba quedando desfasada, tan provinciana y anticuada en su pensamiento como en su indumentaria. Acaso era como las viejas que reprochaban a las mujeres de su generación un comportamiento anormal por molestar a los legisladores y pedir a desconocidos en la calle que firmaran peticiones para intentar conseguir el voto.

Pero Cora no se podía creer que todos los valores fueran realmente tan efímeros. ¿Y hasta dónde podían llegar esas nuevas modas? ¿Dónde terminarían? ¿Se esperaría que las mujeres, al cabo de unos pocos años, se pasearan con los muslos y la cintura al aire, y serían tildadas de puritanas si no lo hacían? ¿O quizá las mujeres no se vestirían siquiera? Simplemente llevarían el maquillaje y la ropa interior. ¿Todo por ser modernas? ¿Cómo se sabría que una mujer desempeñaba determinado oficio si todas las mujeres vestían igual?

Se volvió hacia Louise, bajando la voz hasta hablar en un susurro.

—Aunque maquillarse sea más habitual ahora, sigo pensando que queda vulgar. Y mucha gente está de acuerdo.

—Acaba de decir que están ele...

—Por elegantes quería decir ricos. Pero rica o no, una mujer con el maquillaje muy visible parece desesperada. Todo el mundo lo sabe. Una mujer que se pone colorete ya puede colgarse un cartel anunciando: «Hola. Hago un gran esfuerzo por estar atractiva».

—¿Qué hay de malo en esforzarse por estar guapa?

—No tiene nada que ver con esforzarse por estar guapa, Louise. Tú estás muy guapa ahora mismo, una chica con la cara limpia, sin más que agua y jabón. Eres más guapa que cualquiera de ellas.

—Eso ya lo sé.

—Me refiero al maquillaje. Las mujeres que se pintan tanto parecen... —Miró por encima de los dos hombros—. Disponibles.

—¿Y eso qué tiene de malo?

Cora desvió la mirada. No se dejaría arrastrar a otra discusión ridícula sobre algo tan evidente. A Louise sencillamente le gustaban las disputas, devolver cada respuesta como una pelota que rebotara en un portal. Cora deseó poder llevar a la muchacha a la calle Quince y dejarla enzarzarse con la hermana Delores para ver quién decía la última palabra. Dudaba que Louise llegara mucho más lejos que ella, pero el mero hecho de imaginar esas dos fuerzas en pleno combate resultaba divertido.

—Ojalá tuviéramos mejores asientos —comentó Louise.

Cora se volvió hacia ella, agradecida. Como gesto de paz no era gran cosa, pero al menos había probado con un tema en el que podían estar de acuerdo.

—Es verdad. La columna del anfiteatro no me deja ver, y me duele el cuello de tanto torcerlo. A partir de ahora compraremos las entradas con más antelación. —No se le había pasado por la cabeza que casi no quedarían localidades una noche entre semana, y menos en un teatro tan grande—. He visto unas cuantas butacas vacías más cerca del escenario. Podríamos intentar cambiarnos.

Louise arrugó la nariz.

—¿Cómo sabremos que esas butacas no pertenecen a alguien que simplemente llega tarde? Podría ser que esas personas volvieran a sus asientos después de reanudarse el espectáculo, y entonces tendríamos que movernos. Qué vergüenza. —Miró a la multitud con desdén—. Se me ocurre una idea mejor. Enseguida vuelvo.

Ya había empezado a alejarse. Cora tuvo que retenerla por el codo.

—¿Adónde vas?

Louise bajó la vista y miró la mano de Cora en su codo, claramente ofendida. Cora no la soltó.

—Voy a hablar con un acomodador. —Bajando la voz, Louise le habló en un susurro hostil—. Cora, es verdad que seguramente será un hombre. Pero ninguno de sus reparos anteriores a que hable con hombres se sostiene en este caso. En primer lugar, no estamos en Wichita, ni estamos rodeadas de gente de Wichita. Estamos rodeadas de desconocidos que no pueden tener ninguna incidencia en mi reputación allá en nuestra ciudad. En segundo lugar, estamos en el vestíbulo atestado de un teatro, y usted, mi atenta acompañante, estará a poco más de cinco metros, con lo cual no será fácil que me ataquen, ni siquiera a mí.

Dicho esto, desprendió el codo de la mano de Cora girando el brazo.

—Deme tres minutos.

—Voy contigo.

—No. —Alzó la mirada por encima del hombro—. Si viene, no saldrá igual de bien.

Cora, desde donde estaba, veía a dos acomodadores, ambos de pie junto a una salida. Vestían igual: chaqueta de color gris claro, camisa blanca y corbata negra. Los dos, curiosamente, eran altos y muy delgados, pese a que uno no parecía mucho mayor que Louise y el otro era como mínimo de la edad de Cora. Louise se detuvo entre ellos por un momento, mirando primero a uno y luego al otro, antes de abrirse paso entre la multitud para acercarse al de mayor edad. Cuando llegó hasta él, mantuvo las manos entrelazadas detrás de la espalda, balanceándose ligeramente. Cora observó mientras el hombre se inclinaba para oírla mejor. Tenía una expresión amable, pero negó con la cabeza. Louise señaló en dirección a la sala y luego, con la misma mano, se rozó el cabello y se tocó el hombro desnudo. El hombre se llevó una mano a la oreja y negó con la cabeza. Louise se puso de puntillas, separando apenas los tacones del suelo y apoyando una mano en el brazo del acomodador.

Cora avanzó tan deprisa como pudo, expresando disculpas aquí y allá mientras atravesaba el gentío, con una mirada colérica y severa fija en la nuca de la muchacha. Pero cuando había cruzado medio vestíbulo, Louise se volvió y se la señaló al acomodador. Este la miró y asintió antes de devolver la sonrisa a Louise. Ella se apartó de él y se volvió hacia Cora con una sonrisa.

Parecía una niña. Era por algo en su semblante, una satisfacción elemental e ingenua en su sonrisa, sin la menor señal de la voluntad férrea ni el cinismo que poseía y Cora ya conocía. Resultaba extraña, esa capacidad suya para pasar de aparentar una edad menor a aparentar una mayor, y luego viceversa, con la misma desenvoltura. ¿Acaso el acomodador, con su mínima autoridad, había hecho aflorar la niña que llevaba dentro? ¿O había recurrido ella a la apariencia de niña a modo de herramienta fiable antes siquiera de pronunciar él una palabra?

—Louise —dijo Cora con aspereza.

—¡Cora! —Louise aún sonreía, pero la expresión de sagacidad había vuelto a su mirada—. Cuánto me alegro de que me haya encontrado. —Volvió la cabeza para mirar por encima del hombro y le dijo algo al acomodador mientras Cora la aferraba del brazo—. Por un momento me he sentido como un perro sin correa.

—¿Quieres que volvamos a casa? —preguntó Cora entre dientes, llevándosela a través del vestíbulo.

—¿A casa? —Louise la miró con los ojos muy abiertos—. ¿Se refiere al apartamento? ¿O ya está amenazando con Kansas otra vez?

—Basta ya.

—No sé por qué hemos de plantearnos ninguna de las dos posibilidades. —Se inclinó hacia ella—. Y menos ahora que mi nuevo amigo ha propuesto que cuando las luces empiecen a parpadear, lo sigamos a nuestros asientos en un palco.

Cora se detuvo y la miró.

—Lo sé. —Louise se encogió de hombros—. No es lo que yo habría elegido, desde luego. Mi madre siempre dice que los palcos son para la gente que quiere dejarse ver en el teatro, no para la gente que quiere ver el teatro. Pero será mucho mejor que la última fila de la platea superior.

—Louise, ¿has llegado a alguna clase de acuerdo con ese hombre?

—Esa insinuación es repugnante. Solo se lo he pedido amablemente. Eso es lo único que de verdad quieren la mayoría de los hombres.

Cora le lanzó una mirada recelosa. Pero no sabía bien qué hacer. En realidad, tal vez Louise no había hecho nada malo. Había conseguido lo que quería, sin ningún riesgo ni daño reales. No tenía sentido culpabilizarla por su aplomo y la generosidad de los acomodadores. Quizá era ella, Cora, quien tenía una mente obscena, como una vieja señora Grundy que sermoneaba a las jóvenes, que veía pecado y escándalo en todas partes.

—Puede darme las gracias más tarde —dijo Louise, alzando los ojos negros cuando las luces empezaron a parpadear—. La próxima vez, si quiere un asiento en el patio de butacas, tal vez me deje ponerme un poco de colorete.

Más que inquieta, estaba calladamente exaltada, como si hubiera tomado mucho té o azúcar, con la cabeza alerta y concentrada pese al calor del mediodía. Llevaba esperando desde hacía casi veinte minutos a la sombra del toldo rayado de una farmacia. Había dejado el reloj en el apartamento, junto con los pendientes de perlas y la alianza nupcial, pero si se volvía y miraba a través del escaparate de la farmacia podía ver el reloj colocado encima del mostrador, junto a una imagen de la Santísima Virgen y un anuncio de chicle Juicy Fruit. Estaba a una manzana del orfanato. Pasados tres minutos, se pondría en marcha.

Esa mañana había llovido. Al acompañar a Louise a clase había usado un paraguas, y para cuando regresó sola al apartamento conservaba el pelo más o menos seco bajo el sombrero, pero sus rizos, avivados por la humedad, habían iniciado una rebelión descontrolada, con varios mechones escapando de las horquillas, con lo que su reflejo en el espejo del baño parecía, como vio, el de una mujer un poco desquiciada. Había vuelto a peinarse, recogiéndose el pelo en un nuevo moño más apretado, pese a lo cual unos pocos mechones crespos habían roto filas otra vez durante el espantoso trayecto en metro.

Volvió a mirar el reloj de la farmacia. A las doce y media en punto se puso en marcha. Lo había planeado todo la noche anterior, mientras yacía en vela en la cama, con Louise dormida a su lado. Si había calculado mal, si la hermana Delores o alguna otra monja salía a abrir, podía pretextar que había perdido el parasol y pensado que tal vez se lo había dejado allí en su visita anterior. Se lo dijo a sí misma, lo ensayó, incluso mientras recorría la calle Quince, incluso mientras subía por la escalinata para llamar.

Abrió la puerta el ordenanza, con el mismo mono, u otro distinto. Parecía limpio.

—Lo siento —dijo sin el menor asomo de cordialidad—. Las hermanas están en misa. Todos los días a esta hora.

Ella retrocedió y tuvo que apresurarse a echar un vistazo atrás para ver si estaba muy cerca de la escalera por miedo a caerse. El ordenanza era alemán. La vez anterior Cora no se había dado cuenta, de tan poco como había hablado. Pero ahora estaba casi segura. Durante la guerra se hacían parodias sobre el káiser en los vodeviles que por lo general consistían en que un cómico con un bigote enroscado postizo se paseaba por el escenario y vociferaba con acento hasta que le lanzaban una tarta a la cara.

—Ah —dijo—. ¿Puedo esperar otra vez?

Él asintió.

—Gracias —dijo ella, con una sonrisa tan cordial como la de cualquier chica Ziegfeld.

El hombre se hizo a un lado y señaló la entrada. Apenas era un poco más alto que ella, pese a que tenía los hombros anchos, los antebrazos gruesos. Ella pasó junto a él y esperó a que cerrara la puerta y echara la llave. Arriba se oía el canto de las niñas y las notas del piano.

El ordenanza la guio por el pasillo, acompañado por el tintineo de un llavero que llevaba prendido de una presilla del mono. Cora fijó la mirada en su coronilla, algo calva, el cabello muy corto a los lados.

—La lluvia de esta mañana ha sido agradable, ¿no le parece? —preguntó Cora—. Muy refrescante.

Él la miró apenas por encima del hombro, pero asintió. Cora lo siguió hasta el refectorio a través de la cocina. Tres de las largas mesas estaban tan limpias y vacías como el otro día, pero un mantel de hule cubría la del fondo, y encima había una caja de caoba de unos treinta centímetros de altura rodeada de herramientas y tornillos.

—¿Le apetece un poco de agua?

—¡Ah! ¡Ah, sí! Gracias. —Cora siguió sonriendo—. El otro día estuvo usted muy atento, y también hoy, claro. Quiero decir, ofreciéndome agua otra vez.

Él la miró con extrañeza antes de volver a la cocina. Ella se tocó el pelo bajo el ala del sombrero. Hablaba demasiado deprisa, quizá. Tal vez él no entendía tan bien el inglés. Se volvió y miró por las ventanas atrancadas al mismo tiempo que se desabotonaba los guantes. No tenía sentido pensar en Alan.

Él no siempre pensaba en ella.

—Perdone el desorden —dijo el alemán al entregarle el agua—. Estoy trabajando.

—Muchísimas gracias. —Aceptó el vaso y se acercó a la mesa del fondo, moviéndose con desenfado, como Louise, o eso esperaba. No tenía que ser ella misma. Podía ser cualquiera. Nunca volvería a ver a ese hombre—. Su desorden parece interesante. ¿Qué es?

—Bueno —dijo él, acercándose—, era una radio.

Cora miró la caja, a la que, como ahora vio, le faltaba el panel delantero, con lo que quedaban a la vista los cables negros y las lámparas transparentes del interior. El panel, con uno de los diales de cristal roto, estaba en la mesa. Pero lo reconoció: era el mismo modelo que Alan le había enseñado en la ferretería poco antes de su viaje. Él iba a decidir entre ese modelo y otro durante la ausencia de Cora. A ella le encantaría tener una radio, dijo Alan. La nueva emisora de Wichita aún emitía en esencia los precios agrícolas y los partes meteorológicos, pero tenía previsto añadir más música y charlas, cosas que a ella podían interesarle.

Tocó con un dedo el dial roto.

142

—¿Qué le ha pasado?

—Iban a subirla o bajarla de un barco, no sé bien. A alguien se le cayó y se rompió, y la tiraron. —Él se plantó junto a ella con los brazos cruzados ante el pecho, mirando la radio—. Me lo dijo un amigo mío, y fui a buscarla.

—Ah. ¿Se le da bien arreglar cosas?

—A veces. —El ordenanza volvió a mirarla a través de las gafas con sus ojos pequeños y verdes. Cora sonrió, y con la mano libre se tocó el hombro. Se había puesto su único vestido de manga corta.

—¿Qué espera oír en la radio?

Él la miró de nuevo con extrañeza. El pelo ralo, advirtió Cora, lo envejecía, al menos a cierta distancia. Tenía más o menos su edad, con apenas alguna que otra arruga en las comisuras de los ojos.

—Es para las niñas —dijo, señalando el techo—. Para que la oigan ellas.

—¡Qué detalle por su parte!

No era necesario que él siguiera mirándola así. Ella solo estaba dándole conversación. Tomó un sorbo de agua. No pasaba nada. Había monjas y niñas arriba. Si él interpretaba errónea-mente la situación, si era un mal hombre, ella podía pedir ayuda a gritos.

—¿No es usted de por aquí?

Ella negó con la cabeza.

—Soy de Kansas. —Guardó silencio por un momento—. Está en medio del país, al oeste del río Misuri.

Él sonrió.

—Sí, lo sé. —Se señaló la boca—. Me he dado cuenta de que no era de aquí por su manera de hablar.

Cora asintió y miró de nuevo la radio. No creía que él qui-siera hablar de acentos y lugares de origen.

—¿Cómo harán tantas niñas para compartir los auriculares? —preguntó ella—. Tendrán que turnarse.

—No. Pueden usar una bocina, como con un gramófono. —Señaló la bocina, sobre el mantel de hule—. Podrán oírla todas a la vez.

143

—¡Qué maravilla! —Cora siguió sonriendo. Le resultaba difícil tocarse el pelo, porque llevaba sombrero, pero hizo cuanto pudo—. ¡Lo tiene todo pensado!

El ordenanza se encogió de hombros y la miró con un parpadeo desde detrás de sus gafas.

—Está mucho más amable que el otro día.

Cora tuvo que hacer un esfuerzo para seguir sonriendo. Quizá en Nueva York, o en Alemania, esa clase de franqueza no se consideraba grosera. Dejó el vaso de agua en la mesa.

—Sí —dijo con cautela—. El otro día estuve seca con usted. Luego lo pensé, y ahora me disculpo. Quería decirle que lo siento. Es que estaba alterada. Muy alterada.

Él asintió, mirándola a los ojos.

—Descuide.

—Verá, he venido de muy lejos, nada menos que desde Kansas, para pedir mi expediente. Y creo que está en este edificio. Pero las hermanas consideran que no debo verlo. —Bajó la cabeza, levantando los ojos para mirarlo desde abajo—. Opino que eso tendría que decidirlo yo. Soy una mujer adulta, al fin y al cabo, ¿no le parece? —Tragó saliva, intentando mantener aún la sonrisa.

Cora era incapaz de adivinar lo que pensaba aquel hombre, que la observaba con expresión neutra. Tal vez no fuera muy inteligente. Las gafas le conferían cierto aspecto de intelectual, pero era solo un ordenanza. En todo caso, Cora no disponía de mucho más tiempo. Si uno pensaba demasiado, decidió, perdía el aplomo.

—Se me ha ocurrido que, como parece usted tan amable... —Entrelazó las manos detrás de la espalda—. Y como tal vez sepa dónde guardan los expedientes... Se me ha ocurrido que tal vez usted sería más comprensivo...

Él se acarició el asomo de barba del mentón con las yemas de los dedos, mirándola fríamente desde detrás de la montura metálica. Señaló primero a Cora y luego se señaló a sí mismo.

—¿Está usted... intentando mostrarse seductora?

Sonrió, y se le arrugó la piel en la comisura de los ojos.

Cora notó una oleada de calor que le subía por el cuello. Agarró los guantes y retrocedió.

–¿Tan desesperado se me ve? –El ordenanza tendió las manos y se miró: el mono limpio, los zapatos arañados–. Mire, si quiero pagar a una mujer para que sea amable conmigo, puedo buscar a una... profesional, y no arriesgarme a perder el empleo.

–Esa insinuación me escandaliza. –Sin mirarlo, se puso un guante. Tuvo la sensación de estar cayendo dentro de su propio cuerpo, precipitándose a una velocidad enorme y vertiginosa.

Él volvió a reírse.

–Usted piensa que debería estarle agradecido.

Cora estaba a punto de desmayarse. El perímetro de su visión se oscurecía. Aun así, se dio media vuelta y se encaminó hacia la cocina. Era mejor desplomarse fuera, en la calle, que delante de ese hombre horrendo, ese káiser ordenanza. Casi había llegado a la cocina cuando sintió que se caía. Se agarró al borde de una mesa.

–Debería sentarse. –Él la sujetó por el codo.

Ella echó atrás la mano para apartarlo y, sin querer, le dio un bofetón. Notó las gafas bajo el guante y las oyó caer al suelo.

–Usted siéntese. –El ordenanza apoyó la mano en su hombro con fuerza–. Debe sentarse.

–No me toque.

–De acuerdo. –Él volvió a reírse, y ella captó el significado, la crueldad que entrañaba. Él no quería tocarla. Esa era la broma. El ordenanza inmigrante no quería tocarla.

–Estoy bien –dijo ella, pese a que ahora lloraba, contra su voluntad. Volvió la cabeza, aferrándose al borde del banco. Solo llevaba un guante. El otro se le había caído en algún sitio.

–Voy a traerle agua. Si se levanta ahora, acabará en el suelo. No lo haga. Espere. –Empezó a alejarse, pero se detuvo–. Puede... Debe inclinarse hacia delante y agachar la cabeza, entre las rodillas.

Ella cabeceó. No era capaz de hacerlo. No con el corsé. Notó un rizo suelto, pegado al cuello por el sudor.

–Me ha malinterpretado –farfulló. Pero necesitaba que él lo supiera–. Estaba pidiéndoselo amablemente. Solo eso. Estaba pidiéndole amablemente algo que necesito.

Él regresó con el agua. Ella la aceptó, y él se sentó en el extremo opuesto del banco. Llevaba otra vez las gafas.

—Beba —dijo.

Ella bajó la mirada, intentando quitarse su único guante.

—¿Qué hace? —Él se deslizó por el banco hacia ella—. Olvídese del guante. Beba.

Cora, sosteniendo el vaso, volvió la cabeza en otra dirección y bebió como pudo. La nariz le moqueaba. Pero no pasaba nada. No pasaría nada. Nadie de su ciudad, del mundo real, se enteraría de aquello. Podía salir por la puerta y sonreír, y sería como si nada hubiera ocurrido. Lo sabía mejor que nadie.

—De acuerdo —dijo el ordenanza—. La ayudaré.

Ella se volvió.

—¿Cómo?

—La ayudaré. Sé dónde están los expedientes. —Asintió—. Pero hoy ya es demasiado tarde. Están a punto de bajar. Tiene que volver otro día, y la dejaré entrar.

Cora se quedó mirándolo.

—¿Por qué? ¿Por qué me ayuda?

El hombre se encogió de hombros.

—Le doy lástima.

Él volvió a encogerse de hombros.

—*Ja*.

Ella volvió la cabeza y, llevándose los puños a los lados de la cara, se miró aquellos cómodos zapatos suyos. Debería alegrarse. Aquel hombre iba a ayudarla. Eso era lo único que quería de él. Debería haber apelado a la compasión desde el principio. Ese había sido siempre su punto fuerte. ¿En qué estaba pensando? ¿Que era una gran belleza? ¿O siquiera encantadora? Ella no era Louise. Nunca había sido Louise, ni siquiera de joven. Si Alan la viera en ese momento, sabiéndolo todo, probablemente también él sentiría lástima. Ese era el sentimiento que solía inspirar en los hombres. Y curiosamente, también admiración. Alan se lo decía una y otra vez: que la admiraba, la admiraba muchísimo.

—¿Se encuentra bien ya? —preguntó el ordenanza. Se acodó en la mesa y cruzó las piernas, apoyando el tobillo en la rodilla contraria. La miraba, esperando, pero en sus ojos no se advertía crueldad ni enjuiciamiento; ella lo advirtió ahora que estaba más tranquila: su expresión era considerada.

—Solo estoy avergonzada —respondió ella, irguiéndose—. Pero sí, me encuentro bien. Gracias. No puedo venir durante el fin de semana. Pero estaré aquí el lunes, si le parece bien.

Todavía mirándola, el ordenanza sonrió, levantándosele un poco las gafas.

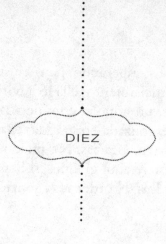

## DIEZ

Se despertó demasiado temprano, justo antes del amanecer, e incluso en camisón ya tenía calor y sudaba. Era sábado, la primera mañana sin clase de danza, y como no quería despertar a Louise, cerró la puerta del baño mientras llenaba la bañera. Se quedó en el agua durante un rato, leyendo y de vez en cuando echando más agua templada por encima de los pies. Supuso que si Louise se despertaba y necesitaba algo, llamaría a la puerta.

Pero, después de salir de la bañera y ponerse la bata, abrió la puerta y se encontró la habitación vacía. Fue a la sala, sintiendo aún el frescor del pelo mojado en la nuca, y vio la nota. Estaba escrita en una página arrancada de una de las revistas de Louise, un anuncio de jabón Palmolive con la foto de una joven novia vestida de blanco animando a las lectoras a «Conservar la tez como el día de su boda». En el globo donde aparecía la frase de la novia, Louise había tachado el texto original y escrito sus propias palabras:

Buenos días, Cora. Espero que disfrute de un baño agradable. Necesito ir al lavabo, así que voy a ir a usar el de la acera de enfrente. Es posible que coma algo.

P.D. No se lo tome a la tremenda.

L.

Cora la encontró en la cafetería, charlando con Floyd Smithers, que estaba inclinado sobre la barra, obviamente más interesado en lo que ella decía que en las necesidades de los demás clientes. Cuando el camarero vio a Cora, se irguió y dirigió su atención a una mujer que fumaba y a su hijo de corta edad. Cora ocupó el taburete contiguo al de Louise, que jugueteaba con la pajita de su bebida. Resultaba difícil saber si se había vestido deprisa o con toda intención. No parecía llevar ropa interior —ni siquiera sujetador— bajo el fino vestido. Pero sí se le veía liso y bien peinado el pelo negro.

Louise alzó la vista.

—Ah, hola —saludó, sin mostrarse especialmente complacida ni disgustada. Agachó la cabeza y miró por debajo del sombrero de Cora—. Aún tiene el pelo mojado. Espero que no haya venido aquí precipitadamente.

—Así estoy más fresca. —Cora se abanicó con la carta de papel de la cafetería. Ya había decidido que eludiría otra agarrada. No había ningún peligro en que la muchacha cruzara la calle para desayunar sola—. Gracias por dejarme la nota.

—Ah, ¿le ha gustado? ¿La novia ruborizada? He pensado que le gustaría. —Señaló con la cabeza a Floyd, que había vuelto para tomar nota del pedido de Cora—. Acabo de recibir una lección de dicción gratis de mi docto amigo. ¿Sabe que nuestro camarero estudia en Columbia?

Cora sonrió cautamente a Floyd.

—Creo que ya había oído algo al respecto.

Floyd eludía su mirada, concentrado en su cuaderno, con el bolígrafo a punto. Lógicamente, seguía intentándolo con Louise, pensó Cora. Era lo propio, dada su juventud. No cabía esperar que le preocupara mucho la edad de Louise. Era a Cora a quien correspondía mantenerlo a raya.

Floyd le dio las gracias por el pedido pero no dijo nada más. Por lo visto, las lecciones de dicción habían terminado. Cora aguardó hasta que él se fue para dirigirse a Louise.

—Si de verdad te preocupa tu manera de hablar, no me cabe duda de que tus padres te pagarán unas clases de verdad.

Louise negó con la cabeza.

—La gente que toma clases siempre suena postiza, como si imitara un acento inglés. —Señaló otra vez a Floyd, que ahora mantenía una agradable conversación con el niño acerca de las tortitas–. Esto es mucho mejor. Él habla perfectamente, sin el menor acento. Y ha dicho que no le importa ayudarme.

–Mira por dónde. –Cora observó el vaso de Louise–. ¿Eso es un batido de chocolate?

Louise contempló la mezcla de su vaso con expresión ceñuda, pero tomó otro largo sorbo.

–Lo sé –dijo al fin, limpiándose la boca con una servilleta–. Tiene razón. Debo andarme con cuidado. Estoy engordando.

–No me refería a eso.

Louise apartó el vaso.

–No. Tiene razón. Debo estar en todo. Solo elegirán a unas pocas chicas para unirse a la compañía al final del curso, o tal vez a ninguna. Mi madre piensa que tengo muchas posibilidades, pero si estoy gorda no lo conseguiré.

Cora tuvo que hacer un esfuerzo para no mirarla con exasperación. Aunque la verdad era que Louise, pese a su corta estatura, tenía más cadera que la mayoría de las chicas que salían en las revistas del momento. Las modelos y actrices eran delgadas no solo de cintura, sino también de cadera, y en su mayoría sin nada de pecho. Todas esas chicas habían abandonado el corsé en un gesto de liberación, pero por lo visto no comían.

–Eso es una tontería –dijo Cora quitándose los guantes–. Tienes muy buen tipo. Los batidos no son un buen desayuno para nadie. Puedes comerte la mitad de mis huevos con pan tostado cuando me los traigan. –Dio unas palmadas a Louise en el brazo. No sabía que la muchacha albergaba una verdadera esperanza de unirse a Denishawn, y que la meta, también para Myra, era que Louise no regresara a Wichita–. Y hoy descansas de la danza –añadió–. Nuestro primer fin de semana. ¿Qué te gustaría hacer?

Louise arrugó la frente.

–¿Hacer?

–Sí. ¿Qué te gustaría hacer hoy? Supongo que querrás ver algo más de la ciudad aparte de Broadway y ese sótano de iglesia. He estado consultando la guía. No estamos muy lejos de la tumba de Grant, que, según he oído, es impresionante. Pero también podríamos llegar fácilmente al Museo de Historia Natural. En algún momento me gustaría ver la estatua de la Libertad.

Louise soltó un gemido.

—Lo siento. No me interesa hacer el papel de turista del Medio Oeste. ¿No puede hacer todo eso mientras estoy en clase? —Se volvió hacia Cora, que la miraba perpleja—. Por cierto, ¿qué hace cuando yo estoy en clase?

Cora no supo qué contestar. Hablarle a Louise del orfanato sería un error. Era todo demasiado delicado, demasiado doloroso. Cualquier burla le resultaría insoportable.

—Descanso en el apartamento —dijo Cora—. Me meto en la bañera y leo.

Louise se apoyó las manos en la zona lumbar y flexionó los hombros.

—Esa sí que es una idea maravillosa. Es lo único que me apetece hacer hoy. Creo que nunca he estado tan dolorida. Probablemente regresaré al apartamento y echaré una siesta. Además, tengo que escribir a mi madre. —Se volvió hacia Cora—. Y esta noche vamos al teatro. ¿Ya tiene las entradas?

—En el patio de butacas. —Cora frunció el ceño—. Ese teatro queda lejos, en la calle Sesenta y Tres. ¿Por qué está tan apartado de todos los demás?

Louise se encogió de hombros. Se acercó el batido y bebió otro sorbo de la pajita. Floyd puso los huevos y el pan tostado ante Cora y, muy profesionalmente, preguntó si necesitaba algo más.

—Otro plato, por favor. Y cubiertos.

El muchacho atendió su petición sin mediar palabra, y lanzó a Louise una mirada melancólica antes de marcharse. Cora, con ayuda del cuchillo y el tenedor, sirvió la mitad de los huevos y el pan tostado en el segundo plato, que deslizó hacia Louise.

—Come —dijo—. Y entiendo que hoy solo quieras descansar. Pero para mañana he encontrado una preciosa iglesia presbiteriana no muy lejos de aquí.

Si a Louise le complació la idea, no lo exteriorizó. Se llevó la mano a la boca mientras masticaba.

—¿Iglesia? No sabía que fuera usted religiosa.

Cora sonrió. Era muy poco devota. Alan y ella se saltaban los oficios continuamente, sobre todo ahora que los chicos se habían ido. Pensaba ir al día siguiente por Louise. Y a ella personalmente no le importaba; con la semana que llevaba, anhelaba algo familiar, un ritual que conocía y comprendía.

—En realidad, creía que tú eras religiosa —le dijo a Louise—. En Wichita te gustaba ir a catequesis, ¿no?

Louise dejó el tenedor. De pronto estaba inequívocamente furiosa. Fijó la mirada en la de Cora.

—¿Cómo se ha enterado de eso?

Cora no supo qué decir.

—¿Se lo contó mi madre?

—No... Llegó a mis oídos.

—Llegó a sus oídos. —Louise alzó la barbilla—. ¿A través de quién? ¿A través de quién llegó a sus oídos ese chisme, Cora?

—Louise, yo...

—¿A través de quién?

—Soy amiga de Effie Vincent —balbuceó Cora—. Su marido da clases de catequesis. —Era una mentira a medias, que excluía a Viola. Cora no quería decir que se había enterado de que Louise iba a catequesis porque una amiga suya era amiga de la mujer del profesor de catequesis. Sonaba demasiado retorcido, como si se hubiese celebrado una gran reunión al respecto. Y de hecho sí conocía a Effie Vincent, una buena mujer que nunca hablaba mal de nadie—. Somos amigas —repitió.

—No me diga. —Louise la miró con frialdad. Guardaron silencio en medio del ruido de platos y el timbre de la cocina—. ¿Qué más le dijo Effie Vincent?

—Nada. Solo que te gustaba ir a catequesis. Eso no es un chismorreo, Louise. Es un comentario agradable sobre ti. No entiendo por qué te pones así.

Cora deseó tender la mano y tocarle el brazo con delicadeza, para demostrarle que no lo decía con mala intención. Pero algo la disuadió. ¿Acaso Louise estaba solo exagerando? ¿Era ese uno de los famosos estallidos propios de las adolescentes? Sus hijos nunca habían actuado así, imaginando un desaire donde no lo había. Earle a veces se mostraba distante y callado en los momentos de desánimo, pero ninguno de sus hijos se había enfurecido tanto ni la había interrogado así por un comentario de lo más inocente.

Louise apartó bruscamente el plato.

—No me pongo de ninguna manera. —Alzó la vista y le dedicó a Cora una sonrisa condescendiente, exactamente igual a la que había dirigido a su padre en el andén en Wichita—. Solo me asombra que ustedes, las buenas mujeres, sean capaces de seguir tan de cerca el rastro de todo el mundo. La verdad es que tiene mérito lo mucho que ustedes saben.

El teatro de variedades de la calle Sesenta y Tres, además de no estar en la zona de los teatros, carecía de la suntuosidad del New Amsterdam. En realidad, no era más que una vieja sala de conferencias con un foso para la orquesta minúsculo y butacas con la tapicería rota. Cora y Louise fueron de las primeras en llegar, y reinaba tal silencio en la sala que se oía el persistente timbre de un teléfono, sin pausa ni respuesta, procedente de algún sitio a la izquierda de la sala. Pero Louise había asegurado que *Shuffle Along* era uno de los mayores éxitos del año y que, según la reseña que había leído, no contenía humor o lenguaje soeces. Y en efecto empezaron a ocupar los asientos personas de aspecto respetable, de modo que Cora, ya más relajada, sacó el libro del bolso. No había opción de conversar. Louise, sentada a su izquierda, se había enfrascado en su Schopenhauer nada más sentarse.

Mientras las dos leían, alguien tocó a Cora en el hombro. Cuando alzó la vista, vio a un hombre de color con un terno.

—Disculpe —dijo.

Lo acompañaba una mujer, también de color, con un vestido de organdí y un collar de perlas.

Cora los miró, sin saber qué pensar. No quería problemas.

—Cora. —Echándose a reír, Louise le dio un codazo en el brazo. Ella ya se había puesto de pie—. Tienen que pasar a sus asientos.

Cora recorrió con la mirada las otras filas de butacas. Y entonces vio que había sentadas al menos cuatro personas de color en el foso de la orquesta, más cerca del escenario que ella.

—Ah, sí, claro —dijo, levantándose de inmediato. El asiento se replegó detrás de ella—. Disculpen —añadió, mirando a la pareja. Se echó hacia atrás para dejarles espacio. Cuando hubieron pasado, se sentó lentamente, mirando a uno y otro lado. No sabía muy bien qué ocurría, si aquello era una especie de protesta o instigación. Unos años antes, en Wichita, un grupo de hombres de color habían intentado sentarse en la platea de un teatro, pero los habían detenido antes de empezar la función.

En cambio allí nadie, ni blanco ni negro, parecía alterado en absoluto.

Consultó su programa. El dibujo de la portada era inocuo, solo las piernas de varios hombres y mujeres en fila, mientras la parte superior de sus cuerpos quedaba por detrás del título. Abrió el programa y echó una mirada al reparto, a los nombres de los personajes: Girasol Sincopada, Madreselva Feliz y Jazmín Jazz.

Tragó saliva y le tocó el brazo a Louise.

—Louise —susurró—. ¿Qué clase de espectáculo es este?

Louise alzó la vista con cara de incomprensión y enojo, como si no entendiera qué le preguntaba, como si no ocurriera nada fuera de lo corriente, lo cual era sencillamente irritante, porque desde luego el hecho de que personas de color ocuparan asientos en la platea de un teatro era algo realmente fuera de lo común, incluso en Nueva York. En el New Amsterdam, las personas de color se sentaban en el anfiteatro, como sucedía en todos los teatros a los que había ido Cora. Nunca había oído hablar de un sitio, en todo el país, donde las cosas fueran de otra manera.

—Dicen que es un espectáculo excelente —comentó Louise, y fijó de nuevo la vista en el libro. Señaló con un gesto los asientos ante ellas—. Obviamente, tiene mucho éxito.

Cora recorrió las butacas con la mirada y se centró de nuevo en el programa. El hecho de que un personaje se llamara Jazz se le antojó particularmente preocupante. ¿Era un espectáculo de jazz? ¿Un espectáculo radical para un público mixto? Vaya una

154

acompañante estaba hecha, sentada allí pasivamente con Louise en espera de que empezara a sonar la música. Hacía solo un año, un artículo en *Ladies' Home Journal* advertía que la nueva fiebre del jazz era una auténtica amenaza para los jóvenes, ya que por lo general conducía a una vil forma de baile que excitaba los bajos instintos. Solo escuchar jazz ya era malo, sostenía el artículo: sus ritmos primitivos y sus gemebundos saxofones eran intencionadamente sensuales, capaces de hipnotizar a los jóvenes. Cora sabía que Viola les había dicho a sus hijas muy claramente que no debían escuchar jazz, nunca.

—Louise, creo que debemos irnos.

—Yo no voy a ninguna parte. —Ni se molestó en levantar la vista.

Cora podría haber insistido, o habría intentado insistir, pero en ese preciso momento una mujer de color se sentó a su derecha. Cora alzó la mirada, y la mujer, que llevaba un peinado *bob* y unas ondas *Marcel,* sonrió brevemente antes de dirigir la mirada hacia el telón que cubría el escenario. Al otro lado de la mujer se había sentado un niño delgado de unos doce años, también de color, que sostenía el programa ante el ojo, enrollado como un telescopio. Cora, con el corazón acelerado, plegó el programa por la mitad y luego en cuartos. Ahora ya no podían levantarse y marcharse, no sin dar la impresión de que huían de la proximidad de esa mujer y el niño, de que por alguna razón la presencia de ellos las ofendía personalmente, y no era ese el caso ni mucho menos. Cora no tenía el menor problema con las personas de color. A Della, por ejemplo, la apreciaba, y mucho. Procuraba decirle que la valoraba por sus aptitudes como ama de llaves y cocinera. Fue ella quien le dijo a Alan el año anterior que debían subirle el sueldo a Della, y siempre había tratado de mostrarse comprensiva y generosa cuando Della había tenido que quedarse en casa con uno de sus propios hijos.

Era solo que nunca habría esperado sentarse al lado de una persona de color en un teatro. Siempre había oído que las personas de color, a menos que fueran alborotadoras o comunistas, preferían disponer de su propio espacio en el anfiteatro, y que en todo caso eran pocas las que sentían interés por el teatro.

Apenas empezaba a tranquilizarse cuando la orquesta salió al foso. Miró a los músicos con asombro. Eran todos de color, no músicos blancos con la cara pintada de negro, sino auténticos músicos de color. Todos. Allá en Wichita había visto pianistas de color en los espectáculos *minstrel*,\* haciendo el payaso y sonriendo exageradamente, sus rostros aún más oscurecidos por medio de maquillaje o corcho quemado. Pero saltaba a la vista que aquello era otra cosa. Cora nunca había visto un espectáculo con violinistas de color y oboístas de color y saxofonistas de color, y desde luego nunca había visto a un director de orquesta de color de aspecto relajado que vestía un terno y calzaba unos zapatos bien lustrados. Desplazó la mirada a la izquierda. Louise. Louise debía de saber que eso no era un espectáculo de Broadway al uso. ¿Acaso le había tomado el pelo, instándola a comprar las entradas para aquello? ¿Era llevar al ama de casa de Kansas a un teatro radical una especie de broma graciosísima?

Lo que Cora no sabía era que no estaba sola: aunque los espectadores sentados alrededor aparentaban serenidad, gran parte de Nueva York había reaccionado con igual desconcierto cuando se presentó *Shuffle Along*. Antes del estreno, en 1921, nadie se creía que un público blanco pagaría por ver un musical escrito, producido, dirigido e interpretado única y exclusivamente por negros. Los productores contrataron la sala de la calle Sesenta y Tres porque fue el único local que encontraron, pero después del estreno las representaciones consiguieron pleno aforo con un público encandilado y entusiasta, tanto negro como blanco, durante más de quinientas veladas.

La representación batió toda clase de récords. Unos cincuenta años después, cuando el ahijado de Cora, el dentista —que nació en Wichita el mismo verano que Cora estaba en Nueva York con Louise, y que a la edad de veinte años com-

_____

\* Actuaciones con música de inspiración negra, ejecutadas por actores blancos que se pintaban de negro. *(N. de los T.)*

156

batió bajo el mando del general Eisenhower en el norte de África durante la Segunda Guerra Mundial—, descubrió que su anciana madrina había visto la producción de *Shuffle Along* de 1922 en Broadway, le preguntó si conservaba algún recuerdo de una hermosa muchacha negra, que sin duda se había adueñado del espectáculo, la misma que más adelante se convertiría en Josephine Baker, o la mujer más imponente del mundo, tan demencialmente popular en su Francia adoptiva que ni siquiera los nazis se atrevieron a tocarla durante la ocupación, la misma muchacha que sería conocida como la «Venus de Bronce», o la «Perla Negra», o sencillamente «La Baker», como se la llamó cuando actuó ante las tropas aliadas y despertó tan obsesivo frenesí en el joven ahijado de Cora que cuando volvió de la guerra leyó todo el material impreso sobre La Baker, como si eso fuera a mejorar sus opciones con ella en caso de que esta alguna vez decidiera abandonar Francia y regresar a Estados Unidos, y quizá algún día dejarse caer por Wichita, donde acaso le sobreviniera un dolor de muelas y se presentara en su consulta, para que él pudiera abandonar a su mujer y declararle a ella su amor eterno.

No, había dicho Cora, lamentando decepcionarlo. No recordaba a ninguna chica en particular. El ahijado pareció defraudado solo por un momento, antes de darse una palmada en la cabeza y decir, claro, claro, Josephine Baker se presentó a la audición para *Shuffle Along* en Broadway, pero al principio la rechazaron, aduciendo que era demasiado delgada y demasiado morena para el escenario. Le permitieron trabajar entre bastidores como ayudante de camerino, echando una mano a las estrellas a cambiarse de traje, a la vez que en secreto memorizaba las frases y los números. Unos meses más tarde, cuando una corista tuvo que dejar el espectáculo, Josephine Baker ocupó su lugar con ese talento natural suyo, como la leyenda en que se convertiría, y demostró su valor. Pero la noche en que Cora y Louise fueron a ver *Shuffle Along,* Josephine Baker, nacida el mismo año que Louise, seguía entre bastidores, siendo una simple auxiliar de vestuario, invisible y reconcomiéndose por dentro.

¿Era eso lo que flotaba en el aire ese mes de julio? ¿Todo ese talento y esa ambición y ese anhelo, tan cerca que Cora no pudo por menos que respirarlo? Porque incluso después de tantos años recordaba aún que esa cálida noche en la calle Sesenta y Tres, pese a toda su incomodidad y temor, en un momento dado dejó de preocuparse, dejó de despotricar en silencio contra Louise, y empezó a disfrutar del espectáculo, marcando aquellos ritmos sincopados con los dedos de los pies comprimidos por las punteras de los zapatos, y dejando escapar las lágrimas al final de la lenta balada «Love Will Find a Way». Eso la sorprendió. Nunca había visto una auténtica historia de amor entre personas de color, y la idea misma se le antojó extraña y absurda, pero al final de la canción ya no era así.

Cora tendría ya algo más de setenta años cuando un grupo de jóvenes negros de Wichita decidió sentarse ante el mostrador de Dockum Drugs todos los días, desde que abrían hasta que cerraban, mientras no los atendieran. Soportaron insultos, amenazas y aburrimiento, pero al cabo de un mes el dueño de Dockum, cansado de perder clientes asustados o desplazados, por fin cedió y atendió a los autores de la protesta en el mostrador. Muchos blancos de Wichita pensaron que tenían motivos de preocupación, porque ahora que en Dockum servían a personas de color, estas tal vez pensarían que las acogerían en cualquier sitio. Cora, si era sincera consigo misma, debía admitir que quizá habría sido una de ellos de no ser por aquella noche de 1922 en que, sentada entre Louise y la mujer negra con las ondas *Marcel*, vio a un negro dirigir una orquesta de negros mientras hombres y mujeres negros hablaban y bailaban y cantaban «I'm Just Wild About Harry», y blancos y negros los aplaudían juntos, y no pasó nada malo. De hecho, pese a que esa noche ella entró en el teatro con sus propias tribulaciones y su tristeza, pasó una velada magnífica, como más tarde aseguraría a las horrorizadas señoras de su círculo, muchas de las cuales, en 1958, eran bastante más jóvenes que ella. Una barra de una cafetería sin segregación racial, les diría Cora, no era el fin de la civilización, y los colegios y teatros sin segregación racial tampoco serían el fin. No ocurriría nada, aseguró a sus amigas, recordando aquella noche en Nueva York. De verdad. No ocurriría absolutamente nada.

Había tomado conciencia de ello gracias a su estancia en Nueva York, y más aún gracias a Louise. Esos pueden ser los efectos del trato con jóvenes, es la gran recompensa a tanto dolor. Los jóvenes pueden exasperar, claro está, y asustar, y mostrarse condescendientes, e insultar, y cortarte con sus aristas todavía sin pulir. Pero también pueden arrastrarte, mientras protestas y regañas e intentas apartarte, hasta la mismísima ventana del futuro, e incluso empujarte por ella.

Leyó la postal la tarde del día siguiente, mientras Louise estaba en la bañera. No tenía intención de hacerlo. Nunca había curioseado en las habitaciones de sus hijos, ni siquiera cuando le asaltaba la tentación, y había aprendido a no hurgar entre los objetos de Alan. Pero la postal de Louise se había caído del escritorio al suelo de la sala, y Cora, mientras barría, se había agachado a recogerla, y la mirada se le fue hacia su propio nombre en la letra apretada pero legible de Louise.

> Cora Carlisle es una ñoña, y la típica provinciana. Y tiene un marido rico y apuesto, a lo cual no le veo el menor sentido. Una y otra vez deseo que se caiga al Hudson o la atropelle un tranvía o algo así, pero cada día...

Cora dejó la postal, con el texto hacia abajo, para ver solo el dorso, una fotografía de Charlie Chaplin. Miró las paredes amarillas y el cuadro del gato siamés. Daba igual. No pasaba nada. No le inquietaba lo que pudiera pensar de ella una esnob de quince años. Y en todo caso no debería haberla leído, ni siquiera esas pocas líneas. Se cruzó de brazos, sin dejar de mirar la postal. ¿Lo había escrito a su madre? Plantearse esa idea, que Louise escribiera semejantes crueldades a Myra, le resultaba demasiado espantoso. Cora rodeó la mesa una vez, luego otra, antes de tender la mano para volver a leer la postal.

Mi queridísimo Theo:

Cora dejó la postal. Theo era el hermano. No el hermano mayor con el que Louise se había peleado, sino el más pequeño, que había preferido jugar al bádminton solo. Daba igual. ¿Qué importaba si Louise había escrito lo mismo a Myra? Qué importaba. No miraría ninguna otra postal. Le traía sin cuidado. Se apartó de la mesa.

Entró en la cocina y se sirvió un vaso de leche. La bebió poco a poco, escuchando el goteo uniforme del hielo al fundirse en la heladera. Al otro lado de la pared se desaguaba la bañera, y oyó a Louise tararear una lánguida versión de «Ain't We Got Fun?». Dejó el vaso y tamborileó con los dedos en la superficie del fogón. Que Louise la llamara aburrida y provinciana no era ninguna sorpresa. Eso mismo decía con la mirada casi cada vez que hablaba; Cora ni siquiera podía acusarla de falta de sinceridad. Lo que le dolía, lo que sentía como un golpe físico en el pecho, era la observación cruel pero sagaz sobre Alan, sobre la mala pareja que formaban. Lástima que Cora no hubiera conocido a Louise el verano de su boda, cuando quizá le habría ido bien estar en contacto con esa sinceridad brutal.

Louise entró en la cocina envuelta en una bata rosa, el pelo mojado y peinado hacia atrás. Tenía la frente ancha y prominente, advirtió Cora, casi abultada. Sin flequillo, no llamaba tanto la atención. Aún se la veía joven y guapa, pero no tan fuera de lo común.

—Dios mío, qué bien me ha sentado ese baño. —Inclinó la cabeza a un lado y otro—. Pero hace tres minutos exactos que he salido del agua, y ya estoy sudando. Espero que el teatro esté refrigerado con hielo.

Cora asintió y tomó un sorbo de leche.

—¿Qué le pasa?

—Nada. —Cora la miró y sonrió—. Tienes razón. Parece que hoy hace más calor.

Louise se desperezó con un bostezo exagerado y empezó a hablar de *Blossom Time,* comentando que esperaba que cumpliera

160

las expectativas creadas por la crítica. Cora se apoyó en el fogón y la escuchó con expresión interesada y afable. No tenía sentido sacar a colación la postal ni lo que Louise había escrito sobre Alan, y nunca lo tendría. De modo que, pese a sentirse aún dolida, oprimida por una pesadumbre en la mente y el corazón, actuó como si no pasara nada. Y Louise, naturalmente, se lo creyó. Quizá la muchacha pusiera reparos a las sonrisas postizas, pero Cora sabía lo necesarias que podían resultar, y las suyas las tenía muy ejercitadas y eran convincentes.

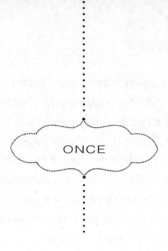

ONCE

El señor Alan Carlisle de Wichita y la señorita Cora Kaufmann de McPherson fueron unidos ayer en matrimonio bajo una pérgola de rosas y claveles blancos ante el embarcadero cubierto del Riverside Park. Ofició el pastor John Harsen, de la Primera Iglesia Presbiteriana de Wichita. Inmediatamente después de la ceremonia se organizó una suntuosa y festiva recepción en el hotel Eaton, donde más de cien invitados disfrutaron de generosas porciones de rosbif, croquetas de boniato, quesos variados, fruta y verdura, y una tarta nupcial de múltiples pisos. Una pequeña orquesta acompañó a la feliz pareja mientras bailaba un elegante vals, y familiares y amigos pronto se unieron a ellos en la pista.

La novia, adorable, lucía un vestido veraniego blanco con cuello alto de encaje, decorado con un dibujo de encaje orlado de trencillas. Llevaba un alto peinado Pompadour adornado con flores de azahar auténticas, regalo de la señorita Harriet Carlisle, su nueva cuñada y dama de honor. El novio, alto y elegante, vestía el clásico traje negro y plastrón a rayas con aguja de plata.

El señor Carlisle es un próspero abogado, muy conocido y apreciado en Wichita, y desde hacía tiempo las damas solteras de nuestra ciudad especulaban sobre cuándo y con quién contraería matrimonio. Según cuentan, está perdidamente enamorado de su joven novia, quien en fecha reciente quedó huérfana a causa de un trágico accidente en una granja, y que parece una joven muy digna, de carácter afable. La flamante señora Carlisle cuenta ya con muchos amigos aquí en su comunidad de adopción.

Notas de sociedad, *The Wichita Eagle,* 7 de junio de 1903

Cora agradeció mucho que el periodista omitiera el momento más desafortunado de los festejos nupciales, que fue cuando Raymond Walker, el hijo de un granjero convertido en abogado que a veces jugaba a las cartas con Alan pero ni siquiera había asistido a su fiesta de compromiso, intentó hacer el primer brindis de la recepción, olvidando por lo visto, o trayéndole sin cuidado, el hecho de que estuviera borracho. Raymond Walker era más bajo que Cora, pero ancho de hombros, con el cabello de color rojo fuego y una grave voz teatral que le permitía captar la atención fácilmente. Cuando se puso en pie y empezó a hablar sobre la amistad y el amor, incluso los ajetreados camareros se volvieron a mirarlo.

—¡Alan! —exclamó con voz atronadora, alzando su vaso de limonada—. ¡Vaya un hombre bueno y decente estás hecho!

Esta declaración fue acogida con una salva de aplausos, y otros invitados levantaron sus limonadas y añadieron: «¡Bien dicho, bien dicho!». Cora se rio y asintió. Pero entonces Raymond Walker, todavía de pie, dejó la limonada en la mesa y, con toda tranquilidad, sacó una petaca de plata del bolsillo interior de su chaqueta y procedió a dar un largo y audible trago. Cora lanzó una mirada a Alan, que estaba sentado a su lado y miraba a Raymond con expresión triste y movía la cabeza en un leve, casi imperceptible gesto de negación.

—Algunos se casan por amor —prosiguió Raymond, mirando a toda la cabecera de la mesa con los ojos empañados—. Pero, Alan, tú nos has enseñado a todos que el auténtico decoro, y la auténtica caridad, empieza en casa.

Alan se puso en pie. Pero sus dos tíos y un primo se dirigían ya hacia Raymond con semblantes sombríos. Alguien se preguntó en voz alta si debían quitarle la petaca, pero otro dijo: «No, echadlo de aquí». Raymond Walker se zafó de los hombres y dijo que saldría por su propio pie. Tambaleante, se marchó, echando atrás los grandes hombres, bajo una mirada colectiva de desaprobación, pero Cora, atónita, no pudo hacer otra cosa que quedarse mirando el plato. Una flor de azahar se le desprendió del pelo y fue a caer en el rosbif.

Era solo un borracho, se dijo. Y estaba equivocado. No era caridad: Alan la quería, la quería tanto como ella lo quería a él. Alan así se lo había declarado, muchas veces, y lo había dicho con auténtica sinceridad en los ojos, con total esperanza y bondad. El afortunado era él, había dicho. Llevaba toda la vida buscándola.

Cuando apenas se había cerrado la puerta después de que Raymond Walker saliera, el padre de Alan se levantó, alzó la limonada y con su muy venerable voz le dijo a Alan, que continuaba en pie, lo felices que eran su madre y él por invitar a incorporarse a la familia a una joven tan excelente como Cora, que se enorgullecían de él y que les deseaban muchos hijos y años de felicidad. Cruzó el salón, estrechó la mano de Alan y lo abrazó en medio de un clamoroso aplauso, y a partir de entonces fue como si el horrendo momento con Raymond Walker sencillamente no hubiese ocurrido. Cuando Alan volvió a sentarse y le tendió la mano a Cora, a ella le sorprendió ver lágrimas en sus ojos. Remitiendo ya su propia humillación, la conmovió ver que para él las palabras de su padre significaban tanto.

El único consejo sobre cuestiones sexuales que recibió Cora fue de la señora Lindquist, quien solo unas semanas antes de la boda le dijo que no quería asustarla, pero consideraba oportuno hacerle saber que un hombre era distinto de una mujer en el sentido de que a menudo vivía esclavizado por su ser físico, con un deseo mucho mayor del necesario para un hogar feliz con una cantidad de hijos razonable. Era el deber de una esposa, explicó a Cora, tanto someterse a ese deseo como moderarlo, ya que era una fuerza poderosa, y no podía esperarse que un marido, ni siquiera un caballero, pensara siempre con la cabeza.

—Es como dar de comer a los caballos y a los perros —añadió, cascando un huevo contra el borde de un cuenco—. No quieres matarlos de hambre. Pero ellos siempre quieren más de lo que necesitan.

Cora no se asustó. De hecho, sintió curiosidad ante la idea de que al menos en ese terreno del matrimonio con Alan fuese ella quien llevara las riendas. No abusaría de ese poder. No tenía intención, por tomar prestadas las palabras de la señora Lindquist, de matar de hambre a su apuesto prometido, ni de dejar insatisfecho su apetito durante mucho tiempo. Aun así, él era mayor que ella, y más culto, y estaba más acostumbrado a la vida en sociedad y a tener dinero y a vivir en la ciudad. Pese a lo mucho que había mejorado su manera de hablar gracias al aplicado estudio de la gramática, y pese al estilo de vida de Alan y su familia, Cora no se sentía precisamente en pie de igualdad con él, en particular cuando se hallaban en público. Pero si la señora Lindquist tenía razón, en lo tocante a las intimidades conyugales, a pesar de todo lo que ella no sabía, él se rendiría a sus pies.

Y ciertamente, durante sus primeras noches como marido y mujer, su Alan, hombre refinado y de buenos modales, parecía un poseso, abandonando sus delicadas caricias en cuanto iniciaba sus esfuerzos sobre ella, agarrándose con las manos a la almohada por encima de sus hombros, como si necesitara aferrar algo con fuerza para no hacerle daño a ella. De no ser por el olor a menta de su loción para después del afeitado, ella no lo habría reconocido como el hombre que, durante el día, se quejaba entre risas de los actuarios perezosos del juzgado y le enseñaba a jugar al ajedrez y la llevaba agarrada del brazo en sus paseos por Douglas Avenue. En su habitación, Cora no lo veía. Alan solo se acercaba a ella ya entrada la noche, y nunca llevaba farolillo. Ella lo prefería así. Con luz, habría tenido que preocuparse de cuál debía ser su propia expresión. ¿Paciente? ¿Resuelta? No lo sabía. Había visto animales aparearse en la granja, así que comprendía la mecánica del sexo, pero no sabía nada de cómo debía comportarse en cuanto humana, en cuanto mujer. Dudaba que Alan, dada su edad, fuese también virgen, y le preocupaba que ella, en su ignorancia, fuera a hacer algo inaudito y quedara en ridículo. Incluso en la oscuridad, no sabía si debía permanecer quieta o si sería mejor envolverlo con sus brazos y piernas, como era su deseo. No quería mostrar interés por el sexo. Pero tampoco quería que él pensara que se aburría, porque en realidad su cuerpo y su mente deseaban que él continuara más tiempo, y se sentía extrañamente privada de algo cada vez que él se desplomaba sobre ella con una exclamación ahogada, y aquello terminaba. No sabía bien qué pensaría él si ella hablaba de eso.

Después, cuando él tendía la mano para tomar la suya, le preguntaba si estaba bien, como si le hubiera hecho daño de algún modo, cosa que ella no entendía, porque era su esposa. Y ya le había dicho, incluso antes de casarse, cuánto deseaba un hijo, que no quería esperar, lo mucho que significaría para ella saber que alguien, aunque fuera un bebé, compartía su sangre. Y él no le hacía daño. De hecho, cuando le aferraba la mano y lo que necesitaba de él para tener un hijo estaba ya dentro de su cuerpo, incluso entonces deseaba desplazarse en la cama y tocarle el costado con la mano y apoyar la cara en la piel caliente de su pecho.

Pero eso podía resultar extraño, o demasiado atrevido.

—¿Cora? ¿Cariño? ¿Estás bien?

—Estoy bien —respondía ella, apretándole la mano, porque no podía decir nada más.


En el parto de los gemelos estuvo a punto de morir. Una mañana, cuando aún le faltaban tres semanas para salir de cuentas, despertó con la sensación de que tenía un pico clavado en el vientre, y la boca y la garganta tan secas que en un primer momento no pudo gritar. Cuando por fin lo hizo, el pico se movió, hendiéndose en ella por ambos lados, pero Alan apareció en la puerta de su dormitorio, todavía en pijama, boquiabierto al verla.

Después le dijo que estaba tan pálida, incluso sin color en los labios, que parecía ya un cadáver, pero se retorcía de dolor en la cama.

Por suerte, tenían teléfono. Casi nadie lo tenía aún, y gracias a eso ganaron tiempo, cosa que, según dijo el médico más tarde, fue vital: Cora podría haber muerto desangrada. En cuanto hizo la llamada, Alan regresó a su lado con agua y un paño mojado que ella agarró y mordió. Empezó a nublársele y oscurecérsele la visión, pero oía a Alan llorar y rogarle que no se fuera. Eso la asustó. Él le besó la frente, rozándole la mejilla con la barba del mentón aún sin afeitar, y le pidió perdón en un susurro. Siguió diciendo lo mucho que lo sentía. Ella se irritó, a pesar de que el pico seguía hincándose. Él no había hecho nada malo. Solo había ejercido de marido. No era culpa suya que algo en el cuerpo de ella fallase de manera tan estrepitosa. La culpa era de su propia maquinaria defectuosa, sin duda deficiente desde su propio nacimiento. Un parto normal era la maldición de Eva, un dolor soportable para todas las mujeres, pero eso, el de ella, era otra cosa.

Cuando llegó el médico, preguntó a Cora si su madre había padecido toxemia. ¿O una hermana? ¿Quizá una tía? ¿Alguna de ellas había presentado complicaciones en el parto? ¿Coágulos sanguíneos?

Cora agarró la mano de Alan y le clavó las uñas en la piel.

—No lo sabe —le dijo al médico. Y luego, con más firmeza, añadió—: No la altere con esas preguntas.

Cora nunca llegó a entender cómo sobrevivió a eso, cómo fue capaz de empujar cuando apenas podía respirar, a instancias del médico y la enfermera, pese a que les habló del pico, pese a que chillaba y rogaba que pusieran fin a su dolor. Era la placenta, explicó el médico. Estaba desprendiéndose demasiado pronto, y tenían que sacar al bebé. No podía usar cloroformo. Ella tenía que ayudarlos a empujar para salvar a la criatura, y para salvarse también a sí misma.

Alan fue expulsado de la habitación. Ella no sabía que se había ido, ni cuánto tiempo llevaba fuera. Después le dijo a Cora que oyó el primer sonoro llanto de Howard desde el salón, y que él estaba de rodillas, con la frente apoyada en el brazo del sofá. Y Cora también oyó el primer llanto de Howard, pero no llegó a oír el de Earle; para cuando este salió, ella perdía ya mucha sangre y sufría desvanecimientos intermitentes. Y cuando aún oía, no podía mover ni sentir los brazos ni las piernas. Pero la sensación del pico clavado había desaparecido, y estaba en paz, dispuesta a dormir, aun sin saciar antes su sed, aun tras haber oído el primer llanto de su hijo. Tal era su cansancio, tal era su temor al regreso del pico. «Estamos perdiéndola», dijo el médico en voz baja, pero ella lo oyó, y a pesar de eso solo deseaba descansar, dejar de luchar, abandonarse al designio de la naturaleza y volver a apoyar la cabeza en el grano. Pero unas manos la aferraron y la sacudieron para despertarla. «No respires el veneno», dijo mamá Kaufmann. «¿Cora? ¿Cariño? No puedes verlo ni olerlo, pero te matará.» Estaban los dos con ella, sus manos en ella, despertándola a sacudidas pese a que no los veía, arrastrándola hacia la escalera del silo. «Vete –dijo el señor Kaufmann, empujándola sin la menor delicadeza–. Vete ya.» No podía volverse. Tenía que mantener la vista fija en la abertura del silo, la mancha de cielo azul, tendiendo los brazos hacia allí, y los oía a los dos detrás de ella, instándola a continuar subiendo por los peldaños resbaladizos a través de la espesura, a seguir adelante y permitirse ser una mujer feliz y la excelente madre que ellos siempre habían sabido que sería.

Ya tenían a una mujer sueca de cierta edad para el día de la colada, pero al nacer los gemelos Alan le pidió a Helgi que fuese todos los días a hacer las tareas domésticas y también a cocinar. De modo que Cora pasó los primeros meses de la vida de sus hijos convaleciente en cama como recomendó el médico, con un moisés a cada lado, los dos fácilmente accesibles para amamantarlos. Pese a la debilidad residual de Cora, la madre de Alan había insistido en descartar a un ama de cría, ya que estas en su mayoría eran madres solteras e inmigrantes, adujo, y era imposible saber qué debilidades o vicios invisibles podían ingerir los bebés junto con la leche. Cuando la anciana señora Carlisle decía cosas como estas, Cora no sabía si sencillamente había olvidado los propios antecedentes turbios de Cora. Su suegra era siempre amable, y nunca sacaba a colación el hecho de que la propia Cora muy probablemente había sido hija ilegítima. Pero Cora sabía que lo sabía.

Así que incluso cuando tuvo fuerzas para bajar por la escalera ella sola, se esforzó en demostrar que no solo se bastaba, sino que era capaz de alimentar sobradamente a sus voraces hijos, enojados al parecer ambos un poco por haber sido expulsados del útero demasiado pronto, y que en su delgadez deseaban alimento desesperadamente. Ella les cantaba «Negro es el color del pelo de mi verdadero amor», maravillada por el cabello claro y la fuerza con que agarraba Howard, y porque Earle, con su mirada seria, se parecía ya a Alan. Gemelos. La sorpresa de aquello la hacía reír, aunque reía más bien de cansancio. En la familia de Alan no había antecedentes de mellizos. Quizá por el lado de ella sí los había.

Alan se ocupaba de la compra. Casi a diario, al volver a casa del trabajo, iba a la tienda de alimentación y a la panadería y a los puestos de verduras y compraba lo que necesitaba Helgi para cocinar lo que fuera que Cora deseara. Llevaba a casa con regularidad hígado de ternera, que el médico había recomendado para regenerar la sangre y el hierro, aunque a Cora eso no le apetecía en absoluto. Le llevaba novelas, y le construyó un pequeño atril para que pudiese leer mientras amamantaba. Subieron el gramófono a la habitación y lo colocaron junto a su cama, y Alan compró discos que creía que podían gustarles a ella y a los niños. Le subía la cena y se sentaba a su lado junto a la mesa del rincón, con los dos niños en brazos para que ella pudiera comer. La paternidad le sentaba bien. Se le veía muy feliz, contemplando sus caritas con una sonrisa radiante o, si uno o los dos se echaban a llorar, paseándolos por la habitación y asegurándoles, en voz baja y paciente, que no ocurría nada, que su madre había pasado por una situación difícil y debían dejarla descansar.

En cuanto Cora pudo subir y bajar por la escalera sin marearse, Alan y ella empezaron a comer otra vez en el comedor, dejando a los gemelos arriba dormidos, con la maciza puerta de su habitación cerrada durante solo esa media hora, para que ella, dijo Alan, no los oyera si uno despertaba y se echaba a llorar. Cora agradecía que él insistiera en que pasaran juntos ese rato ininterrumpido, y que él siempre se esforzara en entretenerla con historias de secretarios hostiles y jueces beligerantes. Pero a ella le costaba mantener su parte de la conversación: sus días consistían en ciclos breves y repetidos donde toda su actividad se reducía a dormir, comer y cambiar pañales, y era imposible sacar de eso demasiadas anécdotas y observaciones amenas. Podía preguntarle sobre noticias que había leído en el periódico: ¿había leído lo del incendio en la fábrica de hielo? ¿Pensaba realmente que costaría veinticinco mil dólares construir una fábrica nueva? ¿Había leído que Henry Ford acababa de inventar un automóvil capaz de ir a más de ciento cuarenta kilómetros por hora? Planeaba estos temas con antelación, para no parecer tan aburrida, pero luego, cuando Alan intentaba hablar con ella al respecto, le resultaba imposible concentrar su mente cansada. Incluso con la puerta de arriba cerrada, era capaz de oír a uno o a los dos niños llorar, y la pechera del vestido se le humedecía de leche y no oía siquiera a Alan.

Lo sentía por él. Antes del final del embarazo, iban a fiestas y bailes juntos. Ahora ella se sentía como un adefesio andante, con el cuerpo todavía demasiado hinchado para comprimirlo con un corsé, los pechos demasiado grandes a causa de la leche. Y en realidad no deseaba alejarse de los gemelos durante mucho rato. Pero invitar a gente a cenar también le resultaba un reto, y bochornoso, ya que todavía era una vasija extenuada y con posibles escapes. Solo se sentía cómoda con las visitas de la familia de Alan, para quienes ella era incapaz de hacer nada malo.

Alan insistía en que era absurdo que se disculpara, que no tenía nada que lamentar. Era lógico que necesitara un tiempo para restablecerse.

—Estuviste a punto de morir —le recordó, y dio un bocado a una tortita recubierta de azúcar, uno de los postres de Helgi que más le gustaban—. Y no estoy en absoluto insatisfecho. Llevamos un año casados, y tenemos dos hijos saludables. Tú has sido una madre abnegada para ellos. —Le sonrió desde el otro lado de la mesa—. No tengo la menor queja.

Ella cortó su tortita y alzó la vista para mirarlo. Todavía llevaba puesta su ropa del juzgado, incluso la chaqueta, aunque se había quitado la corbata y desabrochado el cuello de la camisa. La piel por debajo no era más que una tenue sombra a la luz de las velas de la mesa. Ella le miró las manos.

—Gracias —dijo—. Pero quiero que sepas... —Tragó saliva y bajó la mirada hacia el plato—. Quiero que sepas que estoy impaciente por recuperarme del todo y poder ser así también una esposa para ti otra vez.

Ahí estaba. Lo había dicho, con la mayor claridad posible. No sabía qué más hacer. Él no había visitado su cama desde que ella le anunció que estaba embarazada. Había supuesto que era una práctica común, y que mantener relaciones durante el embarazo sería perjudicial para el niño de algún modo, y que el médico, por pudor, no se lo decía. Y Alan, siempre tan considerado, quizá la viera aún demasiado cansada o frágil para las relaciones. Pero ahora, mirándolo a la luz de las velas, incluso con Helgi limpiando aún en la cocina, deseó ir a sentarse en su regazo y rodear con los brazos sus anchos hombros, y apretar la nariz contra su nuez, inhalando el olor a menta y el aroma de su piel cálida. No quería que él siguiera siendo considerado eternamente.

Lo oyó dejar la cuchara. Cuando alzó la vista, la sonrisa de él había desaparecido. Se volvió hacia ella, rozándole la rodilla con la suya por debajo de la mesa.

—Cora —dijo, alargando el brazo por encima del ángulo de la mesa para agarrarle la mano—. Me temo que debo decirte una cosa.

Cora, conteniendo la respiración, esperó. Notó la mano de él cálida sobre la suya.

—No podemos tener más hijos. O no debemos. No quería decírtelo cuando aún estabas débil, pero el médico fue tajante. —La miró fijamente—. Lo que pasó en el parto de los gemelos probablemente volvería a suceder, y no puede garantizar que tuvieras tanta suerte.

Ella miró la luz de la vela. Alan no le decía nada que ella no sospechara ya. Pero había apartado ese pensamiento de su mente; soñaba desde hacía mucho con una gran familia al lado de Alan, para verse compensada finalmente por tantos años de soledad. Deseaba ser una de esas mujeres con la casa llena de niños que solo conocían el amor y la unidad, que la llamaban todos «mamá» y a quienes no les faltaba de nada. Lo había deseado tan profundamente que parecía una necesidad, una misión.

Pero ahora, al oír la cruda realidad, su miedo se impuso a todo eso. Alan tenía razón. Ella amaba a los gemelos más que a esos niños imaginarios. No se arriesgaría a dejarlos sin madre, y de hecho era algo más que eso. Recordaba con toda claridad la sensación de que le arrancaban la vida. No quería morir, ni volver a sentir nunca ese pico. Quería disfrutar de una larga vida y estar en este mundo con su apuesto marido y sus bebés y su bonita casa con la torreta y el sol vespertino proyectado oblicuamente sobre los suelos de madera. Incluso por sí misma, incluso sin pensar en los gemelos, no quería morir desangrada. Agradecía que Alan no le hubiese dejado a ella la elección, ni insinuado que podían intentar tener otro hijo de todos modos. Porque quería vivir incluso más de lo que ansiaba tener más hijos, pero decir eso en voz alta parecería poco femenino, y cobarde, y egoísta.

Se inclinó para besarle la mano a Alan.

—¿No te importa? —preguntó ella, alzando la vista.

Él le alisó el pelo y negó con la cabeza.

—No lo soportaría si algo saliera mal —dijo Alan—. Necesitamos que vivas.

Él nunca más volvió a su cama. La besaba en la mejilla, y la besaba en la mano, y a veces le acariciaba el pelo, pero incluso cuando los gemelos dormían ya toda la noche en su propia habitación al final del pasillo, incluso cuando ella pudo volver a ponerse el corsé y lucir bonitos vestidos y bailar con Alan en las fiestas, él se quedó en su propia habitación por la noche. Cora comprendía que estaba siendo caballeroso, protegiéndola de su deseo.

Pero también se preguntaba, de vez en cuando, si tanta caballerosidad era necesaria. Sin duda, no siempre el acto sexual tenía como consecuencia un bebé. Muchas mujeres que ella conocía habían dado a luz a diez o más hijos, pero algunas tenían solo tres o cuatro, y costaba creer que todas las mujeres casadas que no concebían cada año yacían solas en sus camas todas las noches como ella. ¿Y las malas mujeres? Desde luego, no podían arriesgarse a traer un hijo al mundo cada vez que mantenían relaciones.

Debía de haber algún truco, algo que otras mujeres sabían y ella ignoraba. ¿Existiría algún riesgo si no completaban el acto? ¿Si paraban antes de que él derramara su semilla? Eso sería mejor que nada. Pero ¿a quién podía preguntárselo? Al médico no. A Viola o a Harriet, tampoco. Probablemente cualquiera de ellos se ofendería, o se horrorizaría, y pensaría que ella era una mala mujer. Podía decir que solo lo preguntaba por el bien de Alan, por el bien de un matrimonio feliz, pero tal vez no haría más que ponerse en una situación bochornosa.

Se preguntaba si él acudía a malas mujeres. Si era así, hacía bien en no visitar su habitación. Había salido un aviso en el periódico que advertía sin tapujos a los hombres que no visitaran a malas mujeres a menos que desearan transmitir la sífilis y toda clase de enfermedades a sus esposas, y quizá provocarles la esterilidad. Cora conocía a una mujer muy agradable que llevaba cinco años casada, sin hijos, y Viola Hammond sostenía que era estéril porque su marido había visitado a una mala mujer y le había contagiado una enfermedad. Ocurría continuamente, afirmó Viola, y después fijó la mirada en Cora de tal modo que esta se preguntó si no estaría insinuando que Alan era también responsable del difícil parto de los gemelos, posibilidad que, por otro lado, no podía descartar. ¿Se lo habría dicho el médico a ella? No lo sabía. Eran muchas las cosas que no sabía, y no tenía manera de averiguarlas.

Pero no podía ir y acusarlo. No con tan poco fundamento. Y no cuando los trataba tan bien a ella y a los niños. Cuando Howard y Earle ya gateaban, Alan se sentaba en el suelo para jugar con ellos, incluso después de una larga jornada de trabajo, y les permitía que se subieran a su espalda y pasaran a rastras por debajo de él, riéndose y haciéndoles pedorretas en la tripa hasta que también ellos se reían. Y a menudo sorprendía a Cora con un obsequio, un sombrero nuevo de Innes, o algo bonito para la casa. Si ella le recordaba que no era su cumpleaños ni Navidad, él contestaba que ya lo sabía, pero sabía también que era una esposa y una madre extraordinaria, y que no era culpa de él si ella tenía una cabeza a la que le sentaba bien cualquier sombrero.

Cuando los gemelos cumplieron cuatro años, Cora pensó que sería divertido llevarlos a El País de las Maravillas, que estaba poco más allá del puente de Douglas Avenue, un parque de atracciones con un tiovivo, una pista de patinaje e incluso una montaña rusa llamada La Gran Emoción. Dejándose llevar por su propio entusiasmo, cometió el error de anunciar su plan a los niños con antelación, y quedó tan encantada al verlos tan ilusionados que les prometió llevarlos ese mismo sábado si hacía buen tiempo. Alan tenía mucho trabajo últimamente, pero dijo que él también sentía curiosidad por El País de las Maravillas, y creía que podría tomarse un sábado libre. Harriet y su nuevo marido, Milt, se sumaron también, ya que pronto se trasladarían a Lawrence, y sabían lo mucho que echarían de menos a sus sobrinitos, y no digamos ya a Cora y Alan, cuando vivieran a tres horas de viaje de allí.

Pero cuando llegó el sábado y amaneció despejado, augurio de un día magnífico, Alan dijo que no se sentía bien. Solo le dolía la cabeza, explicó, ciñéndose el cinturón de la bata, y quizá tenía alguna molestia de estómago. No necesitaba ir al médico, sino únicamente un poco de descanso en casa. Debían ir sin él.

—¿Estás seguro? —preguntó Cora, apoyando la mano en su frente. Estaban en el dormitorio de él, con cortinas de terciopelo verde y una colcha de esa misma tela en la cama. Llevaban cinco años casados, y ella rara vez entraba en esa habitación. Nunca se había sentado siquiera en la cama—. Podríamos ir otro día.

Él le retiró la mano de su frente y se la besó. Incluso en ese momento, ella lo encontraba arrebatador. Se había dejado un bigote como el de Teddy Roosevelt, y a Cora la sorprendía lo mucho que le gustaba en él.

—Me sentaría fatal que los niños se llevaran una decepción —adujo Alan—. Hace días que no piensan en otra cosa. En serio. Solo necesito un poco de descanso. Estaré bien.

Antes de salir, Cora también empezó a notar un ligero dolor de cabeza. Procuró no darle importancia, porque los niños ya se habían entristecido al saber que su padre no los acompañaba y ella tenía la firme determinación de sacarle el máximo provecho a la situación. Pero, para cuando se reunieron con Harriet y Milt en el tranvía, comenzó a mostrarse arisca con los niños a causa del dolor, y demasiado sensible al volumen de todas sus voces juntas. También notó que temblaba un poco, pese a que brillaba el sol y todo el mundo decía que soplaba una brisa agradable. Si Alan no hubiese enfermado esa mañana, quizá ella se habría obligado a seguir, pero como sus síntomas habían aparecido después de los de él, con apenas unas horas de diferencia, pensó que probablemente estaba enfermando de verdad. Y aunque esperaba con ilusión ver a sus hijos divertirse, todo un día en el parque de atracciones con dos niños excitados no parecía ser lo que necesitaba en ese momento.

Después de unos minutos de consulta en voz baja, Harriet coincidió en que seguramente lo mejor era que Cora volviera a casa.

—Queridos —explicó Harriet, volviéndose en su asiento para dirigirse a los niños—. Vuestra mamá está enferma, quizá con lo mismo que tiene vuestro papá, y necesita volver a casa para descansar. Vosotros podéis volver con ella e intentar estar muy tranquilos todo el día, pensando que tal vez no haya nadie que os dé de comer, o podéis venir a El País de las Maravillas conmigo y con vuestro tío Milt, y subir en la montaña rusa y el tiovivo y atracaros de golosinas, y no volver a casa hasta que estéis satisfechos y cansados.

Cora se sorprendió, y conmovió, al ver que a los gemelos les costaba un poco decidirse. Querían que ella fuera a El País de las Maravillas, dijeron. Earle se echó a llorar, y fue solo cuando Cora prometió que los llevaría otra vez el sábado siguiente, una vez recuperada, y les dejaría que la guiaran por el parque, cuando ellos accedieron a ir con sus tíos. Cuando se bajaron del tranvía y ella se quedó a bordo, se sintió apenada; así y todo, se despidió con la mano, sonrió y les dijo que fueran valientes. Si Alan y ella pasaban el día en cama, era mejor que ellos no estuvieran en casa.

Cora entró en la casa sigilosamente y se quitó los zapatos junto a la puerta. Pensó que tal vez Alan dormía y no quería molestarlo. Pero al llegar a lo alto de la escalera oyó un suspiro, o quizá un bostezo, y decidió anunciarle que estaba en casa y ver si necesitaba algo. Sin embargo, cuando se acercó a su habitación con la mano enguantada ya en un puño, lista para llamar, descubrió la puerta abierta y, dentro, a pleno sol, a su marido desnudo en la cama, casi encima de Raymond Walker, también desnudo, tapados los dos hasta la cintura por la sábana, y Alan tenía una mano hundida en el cabello rojo fuego de Raymond y deslizaba los dedos de la otra lentamente por el hombro pecoso de este. Raymond mantenía los ojos cerrados, y Alan lo miraba, tan absorto que no reparó en la presencia de ella.

Se quedó quieta. Una vez, hacía tiempo, una ternera le había dado una coz en la barbilla mientras ayudaba al señor Kaufmann en el establo. Recordaba el brusco movimiento de la cabeza hacia atrás, aquel primer destello sin dolor, solo la certidumbre de que el dolor vendría después.

—Dios mío —exclamó. Se cubrió la boca con la mano y se llevó la otra al vientre.

Alan se incorporó, la miró. Ella fijó los ojos en él. Nunca había visto su pecho desnudo, los rizos de vello oscuro en torno a los pezones.

—¡Cierra la puerta!

Alan habló con voz tan imperiosa, tan sonora, que ella obedeció, o lo intentó, tendiendo la mano hacia el pomo. Pero el corsé le comprimía las costillas de tal modo que no podía respirar. Se agarró al marco de la puerta, creyendo que iba a desmayarse, esperando hacerlo, aunque solo fuera para escapar de lo que ocurría, de lo que acababa de ver, y sumirse en la nada como durante el parto de los gemelos. Pero, en un arranque de obstinación, se negó a desvanecerse, a desplomarse. Siguió consciente, permaneció de pie, en extremo alerta. Resollando, se volvió y se dirigió hacia la escalera, sin más deseo que alejarse de allí, salir de la casa, pero le costaba respirar y se le nublaba la vista. Dio media vuelta y, con los párpados muy apretados, tambaleándose, pasó por delante de la puerta de Alan en dirección a su habitación, humillada por los jadeos guturales que le era imposible contener. Se dejó caer en la cama y se quitó a tirones los guantes para poder desabotonarse el cuello. Un botón se le quedó en la mano. Lo arrojó a la pared y rebotó. Se desabrochó el cinturón de la falda y se deslizó la mano por debajo de la blusa para tirar de la cinta delantera del corsé. Y su mente aterrorizada se negaba aún a desvanecerse, a olvidar lo que había visto.

Su vida había terminado. Eso estaba claro. Su marido, el padre de sus hijos, era un hombre abyecto, malévolo. Nada era como ella había creído hasta entonces.

Cuando se le acompasó la respiración, oyó sus voces, en susurros, y el tintineo de la hebilla de un cinturón, y el chasquido de unos tirantes, y luego unos pasos que bajaban deprisa por la escalera, y la puerta de la calle al abrirse y cerrarse. ¿Se iban juntos? Lo único que veía, con los ojos abiertos o cerrados, eran los dedos de Alan deslizándose sobre el hombro pecoso. Tan tiernamente. Creyó que iba a vomitar.

Oyó correr agua y luego unos pasos lentos y pesados que ascendían por la escalera. Intentó levantarse para cerrar la puerta, pero no llegó a tiempo, y Alan estaba ya allí en el umbral, con su bata verde y su pantalón de pijama negro, tendiéndole un vaso de agua. Tenía en los ojos una expresión afligida, dolida.

—Bebe —dijo.

Ella negó con la cabeza, desviando la mirada. La ventana estaba abierta. Un pájaro gorjeaba, y Cora sintió una brisa fresca en la cara. Alan pasó junto a ella en dirección a una silla que había en el rincón de la habitación, al lado de una mesa pequeña. Dejó allí el vaso de agua y, sentándose con las rodillas separadas, se acodó en ellas, con las palmas de las manos juntas y la cabeza gacha. Cora se movió, y él alzó la vista.

—¿Dónde están los niños? —preguntó.

Durante un momento aterrador, ella no lo supo. Y de pronto se acordó.

—Con Harriet y Milt —contestó—. No me encontraba bien y he vuelto.

Se miraron. Todo había desaparecido. Alan era un monstruo. Ese hombre, su marido, era un monstruo. Un depravado.

—Lo siento, Cora. Lo siento mucho.

—Eres asqueroso. Eso era algo vil, horrible.

Él se irguió, apartando la mirada.

—Es un pecado. Lo dice la Biblia.

—Sí. Soy consciente de ello.

—¿Y para colmo en nuestra propia casa? ¿Has traído a ese hombre espantoso a nuestra casa?

—Eso no debería haberlo hecho. —Bajó la voz—. No es un hombre espantoso.

—¿Cómo?

—No es espantoso.

Ella alargó la mano hacia un pequeño cuenco de cristal que había junto a su cama. Se lo lanzó a la cabeza, pero no acertó. El cuenco se hizo añicos en el suelo. Él se quedó mirando los fragmentos, tirándose de la punta del bigote.

—¿Ese era el mismo borracho que tuvo un comportamiento abominable en nuestra boda? —Elevaba cada vez más la voz, al borde de la histeria. No podía evitarlo—. ¿El que me insultó?

—No suele beber. —Él la miró—. Lamenta mucho aquel episodio. Fue un día difícil para él.

Cora alzó la palma de la mano, para que no siguiera hablando. Todavía tenía frío y estaba dolorida, como en el tranvía, pero eso no era nada, nada, en comparación con el vértigo que sentía en ese momento. Y sin embargo todo empeoraba. Ya que él ni siquiera lo lamentaba, en realidad no. No se avergonzaba, no se postraba de rodillas.

—¿Qué quieres decir?

Él la miró a los ojos.

—¿Por qué fue un día difícil para él? —Cora casi se echó a reír—. ¿Estaba celoso? ¿Quería ser tu esposa? —Su sonrisa burlona desapareció al escrutar su rostro, al advertir la angustia en él. Volvió la cabeza y se aferró al borde de la cama. Pensó en las manos de Alan deslizándose por el cabello rojo fuego, la manera en que habían acariciado los hombros pecosos.

Era una idiota. Aquel día tan feliz había sido una idiota vestida de blanco, con flores de azahar en el pelo.

—¿Ya entonces? ¿Cuando nos casamos?

Él asintió. Tendió la mano para recoger un trozo de cristal y ponerlo en la mesa, observando el borde desigual.

—¿Hacías eso con él ya entonces?

—No. Habíamos acordado dejarlo.

—¿Dejarlo? —Tenía la impresión de que las paredes se derrumbaban en torno a ella, como el endeble decorado de un vodevil—. ¿Cuándo empezó?

—Nos conocimos en la facultad de derecho.

Ella cabeceó. No podía hablar. Por eso él no la tocaba.

—No quería hacerte daño, Cora. Quería ayudarte.

Ella entornó los ojos.

—Me has utilizado.

—No, eso no es verdad. Pensé que Raymond y yo podíamos dejarlo. Pensé que yo lo conseguiría. Lo intenté. No sabes lo mucho que lo intenté.

Cora miró el cristal roto en la mesa. Podía levantarse, agarrarlo y abrirse la garganta con él, o abrírsela a Alan. Pero ¿y los niños? Estaban en El País de las Maravillas, quizá montados en el tiovivo. Volverían a la hora de cenar, los dos cansados y deseosos de mimos. Pero ¿y si hubiesen vuelto a casa con ella? ¿Y si Harriet no los hubiese convencido para que accedieran a ir sin ella, y uno de los dos hubiese subido por la escalera corriendo y visto lo que ella había visto? ¿Esa perversión en su casa?

—Eres abyecto.

—Cora. No digas eso. No es verdad, y tú lo sabes. —Le brillaban los ojos, fijos en los de ella—. Tú me conoces.

—Yo no te conozco en absoluto. Me dijiste que me querías. Lo dijiste muy sinceramente.

—Te quería. Te quiero. —Tragó saliva. Una lágrima resbaló por sus mejillas, y después otra, humedeciéndole el bigote. Ella no sintió lástima. Ninguna.

—Es verdad que te quiero, Cora.

—Y sin embargo haces cosas abyectas. Con ese hombre. Y no tocas a tu propia esposa.

—Acordamos no tener más hijos.

Ella sacudió la cabeza, disgustada. No toleraba ese tono paternal, su paciente llamamiento a la lógica. No había ninguna lógica en lo que decía. No permitiría que la confundiera.

—No puedes tener un hijo con otro hombre, ¿verdad que no, Alan? Y eso no te ha disuadido.

—Para los hombres es distinto.

Cora hizo una mueca. Todo aquello era una locura. No tenía sentido, lo que él decía.

—Para ti es distinto, Alan. Otros hombres no hacen eso. Otros maridos no hacen eso. Lo es para ti, Alan. Solo para ti. No actúes como si fueras igual que otros hombres. Tú quieres tener relaciones con otro hombre.

Él vaciló, luego asintió.

—Pero necesitabas una esposa para que nadie se enterara. Para que nadie lo sospechase siquiera.

Él volvió a asentir.

—Y habrías podido elegir a cualquier mujer de Wichita, una más guapa, o una más rica, o una de buena familia, pero me elegiste a mí porque era joven y tonta y pobre, sin familia, y no me enteraba de nada.

Alan se reclinó en la silla.

—Te elegí porque me gustabas. —Todavía le brillaban los ojos, ribeteados de rojo, pero sonrió. Realmente sonrió, enjugándose las mejillas con el dorso de la mano—. Te admiraba, Cora. Desde el primer momento. Y pensé que podía ayudarte. —Se tapó los ojos—. Sabía que no amaría a ninguna esposa, en ese sentido, como se supone que los hombres aman a sus mujeres, pero sabía que podía ayudarte, y proporcionarte una vida mejor. Pensé que así lo compensaría.

Ella se echó a reír, y la risa se convirtió en un jadeo por falta de aire.

—Compensar ¿qué? ¿El hecho de que harías cosas abyectas a mis espaldas? Pues no lo has compensado, gracias. Preferiría ser criada en cualquier sitio, estar sola.

—No. No. Raymond y yo lo habíamos dejado. Compensarte por amarlo, quiero decir. Eso no podía evitarlo.

Durante un rato solo se oyeron el gorjeo del pájaro y el lento andar de un caballo por la calle. Cora era una necia. Nunca dejaría de sentir grima, pensando en que había yacido bajo él en esa misma cama, convencida de su deseo. Pero todo el mundo se había dejado engañar. «Según cuentan, está perdidamente enamorado de su joven novia.» ¡Cuánto la complació leer eso en el periódico! Vaya una idiota.

—Quiero que te marches de casa —declaró ella—. Quiero que te marches hoy mismo. Antes de que regresen los niños. —Desvió la mirada. Si él lo lamentaba de verdad, y se avergonzaba de verdad, solo podía apartarse de su vista a rastras. Pero no se movió. Ella se volvió hacia él, encolerizada—. ¡Vete!

—¿Estás segura? —preguntó Alan, sin levantar la vista—. Reflexiona por un momento, Cora. Piensa en tu vida, en lo que tienes. Los niños. La casa. No te falta de nada. Disfrutas de una buena vida con amigos. Y conmigo, Cora. Te quiero. Es la verdad.

—Es mentira.

—No lo es. —Alzó la vista, dolido—. ¿Acaso no he cuidado siempre de ti?

—No necesito que sigas cuidando de mí. Eres un... sodomita. —Escupía las palabras. La ira le confería seguridad, fuerza—. Podría contarle lo que acabo de ver a cualquier juez, y me concederían el divorcio y todo lo que tienes.

Él se puso en pie y se frotó la mandíbula.

—Si haces eso —respondió en voz baja—, me llevarás a la ruina, y quizá a la muerte. Eso tenlo en cuenta. No podré ejercer, ni ganar dinero para manteneros a ti y a los niños. —La miró—. Y me consta que hay gente que me mataría si supiera lo que has visto. Piensa al menos en los niños, y en el efecto que eso tendría en ellos, en sus corazones, y en sus posibilidades futuras. Por favor, Cora, piensa en eso.

—Quizá deberías haber pensado tú en eso.

Alan calló. No era necesario hablar. Howard y Earle estaban en el centro de los pensamientos de Cora. Veía ante sí sus rostros despreocupados. Alzó la mano.

—Bien —dijo—. Solo quiero el divorcio. Y tú tendrás que mantenernos a los niños y a mí. —Cerró los ojos ante la sola idea.

Sería una mujer divorciada. Un escándalo. ¿Y cómo lo explicaría? Si no le contaba la verdad a nadie, sería ella la deshonrada. Tendría que sobrellevarlo todo, la vergüenza del divorcio, las conjeturas en cuchicheos, el aislamiento. El futuro se extendió ante ella, largo y oscuro. Nunca volvería a ser feliz.

—Piénsalo —dijo él. Se llevó las manos al pelo y se lo mesó con tal fuerza que sus ojos ribeteados sobresalieron de las cuencas como los de un pez—. Si quieres el divorcio, te lo daré. Obviamente. Me tienes en tus manos. Pero plantéate si tanto alboroto merece la pena, pensando en los niños, pensando en nosotros.

A ella se le ocurrió en ese mismo momento que él tenía todo aquello ensayado, ese pequeño discurso, tal como ensayaría un alegato final antes de exponérselo a un jurado. Había pensado en sus puntos fuertes, lógicos y emocionales, con mucha antelación. Y ella seguía estupefacta, enloquecida. No tenía alternativa.

—Cora, te daré todo lo que desees durante el resto de nuestros días. Pregúntate qué es lo que te falta. No puedes tener más hijos. Tienes a los niños. Tienes mi amor y mi devoción, como siempre los has tenido.

—¿Qué me falta? —Lo preguntó con indignación, y sin embargo no fue capaz de contestar. Solo sabía que lo odiaba. Lo odiaba de verdad. Echó el brazo hacia atrás y le arrojó una almohada a la cabeza. Y luego otra. Miró alrededor en busca de algo más duro, pero solo había una buena lámpara que a ella le gustaba—. ¿Me has transmitido alguna enfermedad? ¿Por culpa de eso tan asqueroso que haces me has transmitido una enfermedad? Contesta sinceramente, por lo que más quieras. ¿Es por eso por lo que estuve a punto de morir?

Alan contrajo las cejas, por fin atónito también él.

—¿Qué? No, Cora. No fue por eso. Aquello pasó únicamente por un problema tuyo. Lo dijo el médico. No tenía nada que ver conmigo. Te lo juro.

Ella hundió la cara entre las manos.

—Cora.

—Deseaste que muriera —dijo—. Así habrías podido hacer el papel de viudo compungido, recibir compasión por perder a una esposa a la que ya de entrada no amabas.

—Si te hubiese querido muerta, habría insistido en tener más hijos.

La crueldad de esas palabras la asombró, pero cuando lo miró, solo le pareció cansado. Alan se acercó a la cama e hizo ademán de sentarse, pero ella se apartó con un respingo y le pidió que saliera de su habitación y que por favor no dijera nada más. Él ya había presentado su argumentación: ella había recibido mucho a cambio de poco. Tenía todo aquello que una mujer podía desear, excepto más hijos, lo cual no era culpa de él. No debía estar furiosa, sino agradecida.

Cediendo al deseo de ella, y por no alterarla más, Alan la dejó a solas con la decisión.

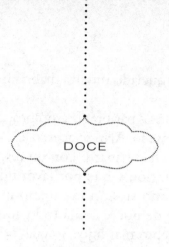

DOCE

Cora solo había llamado dos veces, y suavemente, cuando el alemán abrió la puerta. Desviando la mirada, lo saludó. Aún estaba muy abochornada.

–Llega puntual –dijo él, haciéndose a un lado. Tenía una mancha oscura de grasa en la pechera del mono.

Cora asintió y, pasando junto a él, entró en el vestíbulo, desde donde miró por el pasillo en dirección a la cocina bien iluminada. No había una sola monja a la vista. En el piso de arriba se oía el canto de las niñas, casi ahogado por el sonido desafinado del piano.

El hombre cerró y le indicó con un gesto que lo siguiera por el pasillo, dejando atrás la puerta cerrada del despacho de la hermana Delores. Al llegar a la segunda puerta cerrada, se detuvo. Cora esperó, con la mirada fija en la parte trasera de su cabeza calva mientras él rebuscaba en su llavero; su nuca le quedaba a la altura de los ojos. A lo largo del fin de semana Cora había estado previniéndose de que no debía concebir demasiadas ilusiones, demasiadas expectativas. Pero ahora estaba allí, y el alemán en efecto iba a permitirle entrar, tal como había dicho. En menos de media hora quizá saliera de esa habitación conociendo su apellido en el momento de nacer, o el nombre de pila de su madre, o el de su padre.

O quizá no. Sacó un pañuelo del bolso y se enjugó el nacimiento del pelo. La parte de ella que conocía y recordaba la decepción emitió un severo aviso. Cabía la posibilidad de que ni siquiera existiese un expediente suyo, o si existía, que no revelara nada. Cabía la posibilidad de que, pese a sus esfuerzos, tuviera que regresar a Wichita sin saber más de lo que sabía. Y entonces ¿qué? Seguiría adelante, claro. Retomaría su vida, resignada.

—Es esta —dijo el alemán, con una llave plateada en la mano. Se volvió y, con expresión ceñuda, echó una ojeada a la muñeca de Cora—. ¿No lleva reloj?

—Perdone. Lo tengo aquí. —Sacó el reloj del bolso. De nuevo había seguido el consejo de Floyd Smithers acerca de la conveniencia de no lucir joyas en ese barrio.

—Bien. —El hombre levantó entonces el grueso antebrazo para consultar su propio reloj, con una ajada correa de cuero—. Tendrá que estar fuera de aquí en menos de veinte minutos. Yo almorzaré en la escalera. Si alguien baja antes de tiempo, oirá mi voz. Eso significará que no debe salir, y entonces tendrá que esperar a que yo se lo indique. —La miró muy serio—. Si eso llegara a suceder, tendrá que quedarse hasta que se vayan a dormir, así que le conviene estar fuera de aquí dentro de veinte minutos.

Cora asintió. Satisfecho, el alemán hizo girar la llave en la cerradura y abrió la puerta de una pequeña habitación con barrotes en la ventana, una mesa, una silla y, a ras de pared, un fichero de madera tan alto como ella y un poco más ancho de lo que podía abarcar con los brazos. Tenía cuatro columnas de cajones, cada uno con un pequeño tirador de latón.

—Veinte minutos, ¿de acuerdo? —El alemán salió al pasillo—. ¿Entendido?

—Se lo prometo. —Ella se volvió de cara a él—. Y muchas gracias —dijo con toda sinceridad. Aquel hombre ni siquiera le había pedido dinero.

El alemán se encogió de hombros y lanzó una mirada al techo.

—No tiene importancia —respondió—. Como en la escalera todos los días.

Cerró la puerta y la dejó allí sola. El sonido del piano se había atenuado, y ahora oía a las niñas cantar en latín, con sus voces agudas y melancólicas.

Perdió casi cinco minutos en deducir que los expedientes a veces aparecían ordenados por año de nacimiento y a veces por año de ingreso. Dentro de cada carpeta, los papeles estaban sujetos con alfileres. Hacía calor, y se quitó los guantes. No tardó en pincharse, y sangró un poco. Chupándose el dedo herido, deslizó las carpetas con la mano libre, leyendo los nombres en los rótulos de las pestañas. DONOVAN, Mary Jane. STONE, Patricia. GORDON, Ginny. Las pasó una tras otra. Arriba, las niñas habían dejado de cantar.

Lo encontró, su propio expediente, en el cajón de 1889, su nombre escrito en mayúsculas en la pestaña: CORA, nada más. Sin apellido. Extrajo la carpeta. Si hubiese tenido más tiempo, habría hecho una pausa, para prepararse.

La primera página no estaba amarillenta ni arrugada, y la letra mecanografiada se leía con facilidad.


Cora, 3, de MNF.

Pelo: castaño.

Ojos: castaños.

Parece tener buena salud, buena inteligencia, carácter amable; angustia actual debida probablemente a la transición. Llevaba un tiempo en la MNF (Bleecker St., 29).

Padres: desconocidos


Al pie de la página alguien había escrito a mano:


Enviada en tren por medio de la Asociación de Ayuda a la Infancia, noviembre de 1892.

Colocada.


Retiró el alfiler. La segunda página era una carta escrita a mano en papel pautado con cenefa de flores. No había sobre, pero el papel tenía dos pliegues por donde la carta había estado doblada en tercios.

10 de noviembre de 1899

A las bondadosas personas del Ogar para Niñas Sin Amigos de Nueva York:

Escribo esta carta con mucha admiración a la buena labor que yevan ustedes a cabo. Mi marido y yo somos los felices padres adoptibos de Cora, que ahora tiene trece años, y residió en su ogar en la primera infancia y nos fue traida a Kansas en un tren de uerfanos hace siete años. Creemos que está tan contenta por haber venido a Kansas como nosotros. Sin embargo, también creemos que le habría gustado saver más sobre su historia y sus padres naturales, pues pensamos que sentirá aún más curiosidad al respecto conforme se haga mallor. Les ruego que tengan en cuenta que a mi marido y a mi no nos disjustaria si enviaran información sobre la familia o la historia de Cora. Les estaríamos de echo agradecidos, ya que pensamos que cualquier verdad aportaria consuelo a nuestra niña.

Que Dios las bendiga,
Naomi Kaufmann
Apartado de correos 1782
McPherson, Kansas

Cora se quedó mirando la firma. Seguramente la había escrito, imaginaba Cora, sentada a la mesa de la cocina con su pluma buena y su pequeño tintero de latón en forma de ratón, quizá después de que Cora se hubiese acostado. Nunca le había dicho a Cora que había escrito a las monjas. Probablemente no quería infundirle falsas esperanzas, y con razón, como se había visto. Si las hermanas le habían contestado, y Cora lo dudaba, había sido solo para decir que no había nada que decir. Padres desconocidos. Pero, a pesar del golpe, le complació saber que mamá Kaufmann lo había intentado, que su interés por Cora era mayor que cualquier clase de celos o temor. Cora tomó la carta y se acercó el fino papel a la boca y la nariz, deseando de algún modo inhalar a mamá Kaufmann. Cuando abrió los ojos, bajó la vista y vio la otra carta.

Estaba escrita en un grueso papel crema de buena calidad, sin líneas ni adornos. La letra era pulcra, y la caligrafía de trazos gruesos y finos alternos revelaba un uso diestro de la estilográfica.

1 de mayo de 1902

Queridas hermanas:

He sabido que una niña de ojos castaños, llamada Cora, nacida en la primavera de 1886 en la Misión Nocturna Florence, posiblemente fue puesta bajo sus cuidados en sus primeros años. Mantengo una estrecha relación con la madre natural de esa niña, que ahora desea saber algo de cómo le fue a la pequeña, pero debe insistir en la discreción, y por eso le escribo yo en su lugar. Deben ustedes saber que mi amiga no tiene intención de molestar a Cora ni de entrometerse en su vida de ninguna manera. Pero me dice que a menudo se pregunta qué ha sido de la niñita de la que tuvo que desprenderse, y cualquier información, sea buena o mala, le proporcionaría no poca paz.

He adjuntado un sobre con mi dirección por si se da la feliz circunstancia de que ustedes puedan y quieran enviar alguna noticia sobre Cora. Advertirán que el remitente en el sobre que les envío es la Fundación de Socorro Hibernia. Me disculpo por el engaño, y espero que no les moleste: mi única intención es ahorrarme cualquier pregunta que pudiera suscitar una carta de su bondadosa organización, obligándome a elegir entre mentir en persona a mis interrogadores y traicionar la confianza de mi amiga.

Con gratitud,
Señora Mary O'Dell
Maple Street, 10
Haverhill, Massachusetts

Cora leyó la carta de nuevo, y luego una vez más, arrugando el papel de tan fuerte como lo sostenía por los lados. No era solo el contenido lo que la emocionaba, lo que la asustaba. Cora nunca en la vida había visto una caligrafía de letra inclinada pero estrecha tan parecida a la suya. Esa Mary O'Dell, esa «amiga», dibujaba el bucle de la i griega igual que Cora. Trazaba la barra de la te a la misma altura y en el mismo ángulo. Era como si Cora hubiese escrito esa carta de su puño y letra.

Arriba, las niñas habían dejado de cantar; Cora oía la voz monótona del sacerdote, pero no distinguía sus palabras. Consultó el reloj. Cinco minutos. Tenía tiempo para copiar el nombre y la dirección en el cuaderno que llevaba en el bolso. Pero permaneció inmóvil por un momento y de pronto, con una satisfactoria emoción, sacó las dos cartas de la carpeta y se las metió en el bolso. Guardó la carpeta, con el alfiler de nuevo en su sitio, con su nombre asomando en la pestaña igual que antes, y cerró los cajones del archivo.

Retrocedió para asegurarse de que la habitación quedaba exactamente igual que la había encontrado; eso era lo mínimo que podía hacer por el alemán. Pero no se sintió culpable por el robo. Dudaba que las hermanas abrieran algún día su expediente, y lo que se había llevado le pertenecía a ella.

Cuando la vio, el alemán se puso en pie y se reunió con ella en la curva baja de la escalera.

—¿Ha encontrado lo que necesitaba? —preguntó en un susurro, inclinándose hacia ella. Olía a cacahuetes salados.

—¡Sí! —respondió ella en voz baja. Sintió el descabellado impulso de abrazarlo, de arriesgarse a mancharse el vestido de grasa. Tal era su éxtasis. Se llevó la mano enguantada al cuello—. ¡Tengo una dirección! ¡Un nombre y una dirección! ¡Muchísimas gracias!

El hombre frunció el ceño y miró su reloj.

—Salgamos —dijo.

Cora entendió que estaba sacándola del edificio, obligándola a cruzar la puerta lo antes posible. Eso mismo deseaba ella. Ya fuera, casi bajó corriendo por la escalinata, sus pies tan ligeros y ágiles como los de una niña. Estuvo a punto de chocar con una mujer robusta sin sombrero que pasaba por allí. A pesar de la disculpa de Cora, la mujer le lanzó una mirada de advertencia.

—¿Se encuentra usted bien? —El alemán bajaba aún por los peldaños, poniéndose la gorra.

—¡Sí! —Cora respiró el aire impregnado por aquel olor dulce a galleta y sonrió—. ¡Pero gracias! ¡Muchas gracias!

—Se la ve muy... —Volvió a arrugar la frente y agitó las manos—. Emocionada. Tal vez debería sentarse.

—Estoy bien —aseguró Cora. Pasó un camión con un petardeo, y levantó la voz—. ¡De hecho, estoy encantada! No puedo expresarlo con palabras.

Y no podía. No podía explicarle lo que eso significaba para ella, lo que él había posibilitado. Mandaría una carta por correo al día siguiente. Seguramente llegaría a Haverhill, Massachusetts, en solo un par de días. El alemán parecía alegrarse por ella; los ojos le brillaban detrás de las gafas.

—Ha sido usted muy amable, y ni siquiera me conoce. Me gustaría agradecérselo de algún modo.

—No me vendría mal una bebida fría —dijo él.

A Cora se le heló la sonrisa en los labios. ¿Lo decía en broma? No lo entendía. ¿Estaba burlándose de ella por la tontería que había cometido la semana anterior? Pero parecía hablar en serio. Y esperaba.

—¿Ahora mismo? —preguntó ella. Tenía que ser en ese momento. Desde luego no iba a concertar una cita, quedar en verse más tarde. No estaba dispuesta a volver a aquel lugar—. ¿No está trabajando?

—Siempre estoy trabajando. Vivo aquí mismo, en el piso de arriba. —Señaló a través de la verja la segunda planta del edificio anexo al otro lado del solar. Una escalera metálica conducía a una puerta—. Puedo salir en cuanto acabe la misa. Mientras todo funcione, puedo tomarme los descansos que quiera.

—Ah —dijo Cora. Echó una ojeada alrededor, a la gente que pasaba junto a ellos por la acera, los coches que circulaban por la calle. Un ordenanza extranjero le proponía que lo invitara a tomar algo, y ella no llevaba su alianza. Pero si alguien alrededor sentía algún interés en ella, no lo exteriorizaba en absoluto.

–Hay una farmacia con un puesto de bebidas a la vuelta de la esquina –dijo él.

Ella asintió, sin dar a entender que aceptaba el plan, solo para indicar que lo había oído. Pero no sabía qué hacer. En realidad, sí deseaba celebrarlo, y él era la única persona con quien podía hacerlo, y ciertamente se merecía una muestra de gratitud. En todo caso, no tenía ninguna intención respecto a ella: lo había dejado claro la semana anterior. Cora mencionaría que estaba casada, lo encajaría en la conversación. No había nada de malo en tomar algo en público en pleno día. Y en todo caso daba igual, ya que allí no la vería ningún conocido.

La farmacia tenía una bandera norteamericana y otra italiana en el escaparate, así como anuncios de bragueros, Mentholatum y bebidas frías. Dentro, el aire olía a ajo y a hamamélide de Virginia, y Cora y el alemán eran los únicos clientes. La luz era tenue, al menos en comparación con el resplandor del sol en la acera, pero los estantes, detrás de los mostradores, presentaban productos que le resultaban familiares: polvo de talco y extracto de hígado de bacalao, crecepelo Ayer, puros, dentífrico Mag-Lac e hilo para encaje. Podría haber sido una farmacia de Wichita, salvo por un letrero, colgado de la caja registradora, donde se leía en gruesas letras rojas la palabra *BENVENUTI!*, que, pensó Cora, debía de ser un aviso de algún tipo.

Una mujer con forma de manzana y pelo oscuro saludó con un gesto al alemán desde detrás del mostrador.

–Ah, hola. ¿Qué desea hoy? –Sacaba bolsas de agua caliente de una caja de cartón y las colgaba de estaquillas en la pared. Llevaba un vestido negro de cuello alto y las mangas le llegaban a las muñecas.

Cora se volvió hacia el alemán.

–Lo que a usted le apetezca me parece bien. –Estaba aún en plena efervescencia, flotando. La señora Mary O'Dell. Le escribiría a la mañana siguiente.

–Tomaré una naranjada. Gracias. –El alemán se quitó las gafas y frotó las lentes con la manga doblada de su camisa blanca.

—Yo tomaré lo mismo —dijo Cora a la mujer. No sabía si debía hablar despacio, si la mujer sabía realmente inglés. Levantó dos dedos—. Dos, por favor. Dos.

La mujer puso las botellas frías en el mostrador. Cora dejó una moneda de veinticinco centavos junto a ellas, y cuando alzó la vista vio que el alemán la observaba. Él desvió la mirada.

La mujer deslizó el cambio por encima del mostrador con unas manos pequeñas y arrugadas, salpicadas de manchas violáceas.

—*Scusi* —dijo amablemente, moviendo los dedos—. *È solo l'uva*.

Cora sonrió como si entendiera, le dio las gracias y siguió al alemán, que llevaba las dos botellas a una de las tres mesas vacías al fondo de la tienda. Las moscas zumbaban alrededor, pero él accionó una palanca de un ventilador oscilante y orientó la uniforme corriente de aire hacia una de las mesas. Echó atrás una silla con el respaldo de alambre para ella antes de ocupar él la suya.

—Gracias —susurró Cora.

—Y gracias a usted. —Él levantó la botella como para brindar.

—¿Sabe usted qué ha dicho esa mujer? —musitó Cora.

—¿Cómo? —Él se inclinó para oírla por encima del ruido del ventilador.

Cora lanzó una rápida mirada a la mujer del mostrador.

—¿Qué ha dicho de sus manos? ¿La mancha? —A Cora le preocupaba que fuera una especie de sarpullido. Su bebida seguía en la mesa. No la tocaría hasta que lo supiera.

—No sé italiano. —Bebió un sorbo de su naranjada—. Pero creo que ha estado haciendo vino.

Cora lo miró. Él tenía una veta dorada en un ojo, desde el blanco hasta la pupila, como un rayo de sol oblicuo.

—¿Lo dice en serio?

Él asintió.

Cora lanzó un vistazo a la mujer, que seguía colgando bolsas de agua caliente. Tenía al menos sesenta años. Un crucifijo dorado pendía de su cuello.

—Eso es espantoso —dijo Cora—. Podrían detenerla.

—Es espantoso. Sí.

—Me refiero a que es espantoso lo que hace —aclaró Cora—. ¿Quiere decir que lo vende? ¿Como un traficante de bebidas alcohólicas?

Él sonrió.

—Probablemente es para su familia. Los italianos beben vino como si fuera leche.

Cora volvió a mirar a la mujer.

—¿Y si se presentara aquí un agente de la Prohibición y le viera las manos?

Él tomó un sorbo de su bebida.

—La pillarían con las manos en la masa, *ja?*

Cora se esforzó por no sonreír.

—No tiene gracia. Me preocupa de verdad.

—Pues en ese caso escriba a su senador. —El alemán levantó su refresco—. Dígale que revoque la ley Volstead.

Cora puso los ojos en blanco.

—Ah, usted es de ese bando.

—¿Y usted no?

—Exacto. —Cora se irguió en el asiento y se quitó los guantes. Estaba sedienta, y el cristal de la botella parecía muy frío, empañado y rezumando humedad en la mesa. Un resto de uva no le haría daño.

Él la observó con los ojos entornados.

—¿La metería usted en la cárcel? ¿A esa mujer?

La naranjada era dulce y burbujeante. Retuvo un sorbo en la boca antes de tragar.

—Si realmente vende veneno que arruina vidas y familias, sí. Sí la metería en la cárcel.

—Mmm...

Parecía que él no acababa de creerla. Bueno. Ella se mantuvo firme en su opinión. Y había educado a hombres más simples que él. Tomó otro sorbo y dejó la botella.

—Dígame que este no es un país mejor desde que nos deshicimos de la bebida. —Ella levantó un poco la voz. No estaría de más que la mujer italiana la oyese—. ¿Sabe que aquí en Nueva York han tenido que cerrar plantas enteras de hospitales? ¿Plantas que antes se reservaban a personas con la sangre envenenada? Creo que eso se puede considerar un avance.

—Pero ahora hay más gente que muere a tiros en la calle.

Ella se encogió de hombros.

—Delincuentes, es posible.

—No. No siempre. Y creo que ahora muere más gente por beber ginebra casera. —Ladeó la botella hacia su pecho, hacia la mancha de grasa en el mono—. Yo antes servía la mejor cerveza del estado. Parecía oro en el vaso. Era sana y pura y buena. Nadie enfermó nunca con eso.

Ella lo miró con el ceño fruncido.

—¿Usted trabajaba en una taberna?

Él dejó la botella en la mesa.

—Era el dueño de una cervecería. En Queens. Era un buen establecimiento, sin tiroteos, sin gánsteres. —Cruzó los brazos—. La gente venía con sus hijos, con sus bebés. ¿Qué puede tener eso de malo? Nadie se emborrachaba. Mi mujer traía al bebé y comía allí.

—Ah —dijo Cora. No se había figurado que hubiera una esposa, y un bebé, y ahora se sentía aún más abochornada por su comportamiento de la semana anterior y su estúpida preocupación por invitarlo a una bebida. Intentó imaginar a toda una familia viviendo en el reducido espacio sobre el cobertizo del orfanato. Eso justificaba su resentimiento, pues, si había sido antes dueño de su propio negocio, pero todo cambio, incluso los buenos, perjudicaba a alguien. Y al margen de lo que pensara aquel hombre, una cervecería no parecía un buen sitio para un niño.

Él alzó la mano.

—No tiene importancia. No es eso lo que quería decirle. —Estaba sentado tan cerca del ventilador que una gota de sudor se deslizó horizontalmente a través de su frente ancha empujada por la brisa—. Quiero hablar de su expediente. Sé que no es asunto mío. Pero la he dejado entrar y ahora me siento responsable.

—¿Responsable? —Cora se llevó la botella a los labios.

—Ja.

—¿Por mí?

—Ja.

Cora casi se echa a reír.

—Pues eso es muy amable por su parte. —Empezó a reclinarse en la silla, imitando la postura de él, pero el corsé no se lo permitió—. Le aseguro que no me pasará nada. Soy una mujer adulta.

—Ya lo veo.

Cora alzó la vista. El alemán mantenía una expresión neutra. Ella no supo decir si sus palabras escondían una insinuación. Él acababa de hablarle de su mujer y su hijo. Pero ella había oído hablar de cómo eran los hombres europeos.

Él se inclinó hacia delante, acodándose en la mesa.

—Es solo que no quiero... Las monjas tienen sus razones para mantener en secreto los expedientes. Hace años que trabajo en el hogar y he visto a la gente que lleva allí a sus hijos, y a la que viene de visita.

—Por favor. —Cora levantó la mano—. La hermana ya me soltó ese sermón. Sé que mi madre podría haber sido una borracha o... una mujer de... mala fama. Todo eso ya lo sé, gracias. —Sostenía el bolso contra su costado, con su nuevo contenido maravilloso—. Pero me da igual. Tengo una dirección. Vine en busca de respuestas, y quizá ahora las encuentre. Eso es lo único que me importa.

—Eso está bien. —Bajó las cejas detrás de la montura plateada. No parecía querer nada más de Cora, pero ahora a ella le apetecía hablar, comunicar esas palabras a otra persona, a ese desconocido, su inesperado confidente.

—De modo que me da igual si es una borracha o... o cualquier otra cosa. Pero verá, también puede ser una persona decente. Recuerdo a los padres que venían de visita. Algunos sencillamente eran pobres. Algunos simplemente estaban enfermos. No todos eran malas personas.

—Eso espero. —Él asintió, mirando la mesa—. Ahora mi propia hija está allí.

Cora ladeó la cabeza.

—¿Su hija? Es... —No sabía cómo preguntarlo. Si era hija de él, no era huérfana.

—Mi mujer murió. La gripe.

—Cuánto lo siento —dijo Cora. Sabía que la gripe había tenido especial incidencia en Nueva York. En Kansas, solo en 1918, habían muerto más de diez mil personas, incluidos la hermana de Alan y el marido de esta en Lawrence. En el funeral, todos excepto el pastor llevaban una mascarilla de papel, y Alan, incluso en medio de su dolor, le había levantado la voz a Howard por quitársela después del oficio. En el camino de vuelta a casa, ni siquiera se habían atrevido a tomar el tranvía, y Cora, aterrorizada, no había dejado a los niños ir al colegio durante meses.

—Me alegro de que usted sobreviviera —dijo—. Por el bien de su hija. —No se le ocurría qué más añadir—. ¿Usted... usted llegó a enfermar?

—Yo no estaba con ella. —Se frotó el asomo de barba rubia en el mentón—. Estuve ausente durante la mayor parte de la guerra y un tiempo después. Pasé esa época en Georgia. En Fort Oglethorpe. Recluido.

—¿Recluido? —Cora arrugó la frente—. ¿Quiere decir encarcelado?

—*Ja,* era lo mismo. Solo que cuando uno va a la cárcel, pasa antes por un juicio.

Ella se apartó un poco de él.

—¿Y qué hizo?

—Fue por lo que no hice. —Él sostuvo su mirada—. No me arrodillé a petición de una muchedumbre. No quise besar la bandera, no por esa gente. De manera que me consideraron un espía. Tenían allí dentro a unos cuatro mil de nosotros, todos espías. Solo que no sabíamos que éramos espías hasta que nos lo dijeron.

Cora guardó silencio. Aquel hombre podía estar mintiéndole. Quizá en realidad sí había sido espía. O tal vez había mandado dinero en secreto a Alemania, tal como hacían algunos inmigrantes, según había oído. Quizá se merecía que lo mandaran a Georgia. Pero tal vez no. En Wichita, al principio de la guerra, un extranjero que vendía palomitas de maíz en un carrito en Douglas Avenue estuvo a punto de morir a manos de una turbamulta. Alan estaba allí, paseando por la calle, y dijo que fue el momento más aterrador de su vida, ver a tantas personas

196

gritar a aquel hombre que suplicaba de rodillas, explicando que había extraviado su certificado de guerra y que no había colgado la bandera del carrito porque estaba rota y aún no había podido remendarla. Finalmente llegó la Policía y se lo llevó a un lugar seguro. Más tarde Alan y ella se enteraron de que aquel hombre ni siquiera era alemán, sino judío polaco.

—¿Su mujer murió mientras usted estaba allí?

—*Ja*. Y yo no me enteré. Nos entregaban el correo solo a veces. La carta no me llegó. —Se encogió de hombros—. No podría haber hecho nada. Estaba todo rodeado de alambradas. —Señaló el techo bajo de la farmacia, moviendo el dedo en un lento semicírculo—. Había hombres en torres con ametralladoras. Cuando me soltaron, regresé, y fue entonces cuando tuve noticia de la muerte de Andrea. Los vecinos me dijeron que la niña estaba en una casa de caridad. Tardé tres meses en encontrarla, y supe que la habían traído aquí. —Levantó la botella y volvió a dejarla—. Pero entonces no podía sacarla. Mi negocio había desaparecido. No tenía dinero. No podía trabajar y cuidar de ella a la vez. Les dije a las hermanas que se me daba bien arreglar cosas, y ellas se apiadaron de mí y me contrataron. Así que ahora al menos la veo todos los días. Y sé que está a salvo. —Se frotó el mentón—. Tiene casi seis años.

Cora bajó la mirada.

—Debe de estar furioso —comentó en voz baja—. Porque lo alejaran de aquí.

Él suspiró, hinchando las mejillas.

—No. Como usted ha dicho, tengo suerte de estar vivo. Podría volverme loco pensando en cómo habrían sido las cosas si no me hubieran mandado a Georgia. —Se encogió de hombros—. Quizá tuve suerte. La gripe llegó también a Oglethorpe. Sacaban cadáveres todas las noches. Pero creo que fue aún peor en Queens, en nuestra calle, en nuestro edificio. Si no me hubieran recluido, yo habría estado con ella, pero quizá también habría enfermado y muerto. ¿Y qué habría sido entonces de nuestra hija? Ahora sería huérfana de padre y madre, no solo de madre. —Miró a Cora a los ojos—. Podría haberse ido ya en un tren.

197

Cora permaneció en silencio. Costaba creer que aún salieran de allí trenes, que otras niñas partieran todavía, quizá en ese mismo momento, rumbo al oeste, hacia la nada, hacia su suerte o su desgracia.

—Es cierto —dijo ella por fin—. Es difícil saber qué podría haber pasado.

—Debería pensar en eso. —Él se inclinó al frente sobre los codos, y la mesa crujió—. ¿Y ahora qué va a hacer? ¿Escribirá a esa persona?

—Sí —contestó Cora—. Es alguien que conoce, o conoció a mi... madre. Escribió desde Haverhill, Massachusetts. Es posible que aún viva en esa dirección.

De pronto se sintió insensible, hablando así de su buena fortuna. Pero él la miraba con atención. Con mucha atención.

—¿Ha oído hablar alguna vez de la Misión Nocturna Florence? —preguntó.

Él negó con la cabeza.

—¿En Bleecker Street?

—Eso está en el Village. No lejos de aquí.

—Según el expediente, yo llegué de allí. Podría acercarme, solo para verlo. —No, pensó Cora; no solo podía, sino que iría a Bleecker Street al día siguiente, en cuanto dejara a Louise en clase.

—Claro que sí. Ha hecho un largo viaje desde Kansas.

Cora sonrió. Él tenía buena memoria. Posó la mirada en sus manos. Necesitaban crema, pensó. Tenía callos en las yemas de los pulgares.

—Creo que las hermanas hicieron mal en no dejarle ver el expediente —comentó—. Por eso se lo he permitido yo. Pero debe saber que no es que sean mujeres malvadas y locas, esas monjas. Tienen sus razones. —Levantó las manos—. Mantenga los ojos abiertos. A eso me refiero.

Cora asintió, mirándolo tímidamente. Era agradable que alguien mostrara tanta preocupación por ella. Se había sentido un poco baja de ánimo, quizá, pasando tanto tiempo sola con Louise. Y había creído que la gente en Nueva York sería muy fría y muy dura. Pero ahora había hecho un amigo. Un ordenanza alemán, exrecluso, a quien nunca volvería a ver, pero un amigo así y todo.

—Gracias —dijo Cora con toda sinceridad—. Gracias por el tiempo que me ha dedicado.

Él asintió, recorriendo su rostro con la mirada de un modo que ella recordaría durante mucho tiempo.

—Ha sido un placer.

Cora se puso en pie rápidamente, diciendo que debía darse prisa y tomar el metro; pronto la joven que estaba a su cargo saldría de clase. Tenía que irse corriendo. Cuando se disponía a salir de la tienda, apretó el paso y mantuvo la cabeza gacha, temiendo haberse sonrojado. Pero la mujer detrás del mostrador solo le dijo que por favor volviera otro día, acompañando sus palabras de un pequeño gesto con la mano manchada de uva.

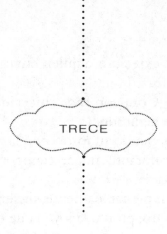

TRECE

—Detesto el cine. —Louise, sentada bajo el cuadro del gato siamés, se abanicaba con una sección del periódico—. De verdad. Me da igual la película. Me niego a ir en redondo.

Cora, irritada, apartó la vista de la cartelera. A esa hora tan temprana del día, el calor y la humedad la dejaban al límite de su paciencia.

—¿Cómo es posible que detestes el cine, Louise? Adoras el teatro. En el cine hay que leer, pero esa es la única diferencia.

—Blasfema. —Louise cerró los ojos sin dejar de abanicarse—. Por favor, no vuelva a decir eso en mi presencia.

Cora arrugó la frente. Después de una única semana de clases de dicción con Floyd Smithers, por el precio de un batido diario, la manera de hablar de Louise ya había cambiado. La diferencia era sutil: de hecho, no daba la impresión de que imitara un acento británico. Pero tampoco parecía ya ella misma, ni una persona de Wichita. Las vocales eran más redondas, las consonantes más claras. Había logrado su objetivo en cuestión de días: no tenía el menor acento.

—No es en absoluto lo mismo —prosiguió, ahora con los ojos abiertos, fijando en Cora una mirada compasiva—. Las películas se fabrican y empaquetan para las masas, y se sirven frías. Wichita ve lo que ve Los Ángeles, y Manhattan ve lo que ve Toledo. Es todo lo mismo porque está todo muerto. —Dejó el periódico y agitó la mano por encima de la mesa entre las dos—. El teatro es como la danza. Está vivo y es efímero. Solo hay una noche entre el bailarín y el público, y todos respiran el mismo aire. —Suspiró, como cayendo en la cuenta de lo inútil que era explicarle nada de eso a Cora—. Además —añadió—, puede ver todas las películas que quiera en Wichita, pero cuando vuelva allí no podrá ir a Broadway.

Cora venía observando desde hacía un tiempo que Louise siempre decía «cuando vuelva a Wichita», no «cuando volvamos a Wichita», y Cora sospechaba que Louise no solo albergaba la esperanza de que le ofrecieran una de las plazas permanentes en Denishawn, sino que contaba con ello. A Cora le preocupaba su posible reacción si eso no ocurría, cómo sobrellevaría (y cómo lo haría la propia Cora) el largo viaje de vuelta a casa. No era que Louise nunca padeciera momentos de inseguridad. Siempre se criticaba a sí misma en el camino de regreso al apartamento, afirmando que sus saltos habían sido torpes o que aún tenía las piernas demasiado gordas para una bailarina. Al mismo tiempo, parecía tan empeñada en alcanzar el éxito que Cora dudaba de que tuviese un plan alternativo, o siquiera la capacidad de aceptar una forma de vida distinta si las cosas no salían a su gusto. Parte de ella pensaba que debía prevenir a Louise, advertirle que la vida no siempre se ajustaba a los deseos de uno, aunque fuera solo para prepararla ante la posibilidad del desengaño. Pero en esencia sabía que esa conversación no acabaría bien, y consiguió morderse la lengua.

A la vez, Cora se prevenía a sí misma respecto a las falsas ilusiones mientras esperaba una carta de Haverhill, atenta a la llegada del cartero desde la ventana como un halcón observando desde un árbol. Una carta era su única esperanza. Ya había ido a Greenwich Village y paseado por sus curvilíneas calles hasta encontrar el 29 de Bleecker Street, un sencillo edificio de tres plantas que parecía dividido en varios apartamentos. Cora le preguntó al dueño de la tienda de alimentación de la esquina si sabía cómo llegar a la Misión Nocturna Florence, y aunque el hombre nunca había oído ese nombre, tradujo la pregunta al italiano para un anciano sentado junto a un barril de manzanas, quien por lo visto, en su respuesta al tendero, le pidió que le explicara a Cora que la Misión Nocturna Florence había estado en la acera de enfrente hacía treinta años, pero ya no.

Y el anciano, arrugado y desdentado, la miró de arriba abajo. De modo que la Misión Nocturna Florence había desaparecido: ese vínculo era un callejón sin salida. Procuró no angustiarse demasiado por la carta. Aunque Mary O'Dell siguiera viva y conservara la misma dirección de Haverhill, aunque todavía deseara establecer contacto, podían pasar varios días hasta que Cora recibiera la respuesta. Pero probablemente no mucho más. Había dejado claro en su carta que permanecería en Nueva York solo unas semanas más. Recibiría noticias de Haverhill pronto, o no lo haría nunca. Era consciente de que entre esas dos posibilidades la segunda era la más probable. Si ese era el caso, lo soportaría. Ella no era como Louise, que desconocía la decepción, que necesitaba que todo saliera conforme a sus deseos. Si no recibía respuesta, si Mary O'Dell había muerto o era inaccesible por alguna otra razón, Cora encontraría la manera de dar gracias por haber descubierto al menos que su madre, quienquiera que fuese, había deseado saber de ella. Eso quizá tendría que bastar.

Intentó distraerse haciendo turismo el resto de la semana. Mientras Louise asistía a sus clases, visitó la tumba de Grant. Pasó todo un día en el Museo de Historia Natural y en varios museos de arte. Dio un paseo en un autobús sin techo, y se apuntó a una visita guiada por Central Park, donde vio pastar un auténtico rebaño de ovejas, indiferentes al paisaje urbano que se alzaba detrás de ellas.

Y durante todo ese tiempo le pesó la soledad. La intensidad de esa sensación la pilló desprevenida. Había pasado muchas horas sola en Wichita, los días en que Alan estaba en el bufete y los niños en la escuela. Siempre le había gustado disponer de tiempo para ella, leer, pensar, arreglar la casa. Pero entremedias tenía a sus amigas y su trabajo de voluntaria, o alguna que otra agradable conversación con Della o alguna vecina. Esta era otra clase de soledad, implacable y profunda. Avanzaba por las concurridas aceras siendo una desconocida para todo el mundo, sin la menor oportunidad de tropezarse con alguien que pudiera reconocerla y llamarla. Esa era la sensación que experimentaba un forastero, pensó, sin tener a nadie que supiera quién era o de dónde procedía. Era como si se hubiera convertido en una persona no solo desconocida, sino incognoscible, y le molestaba pensar que su autocontrol era tan endeble que para sentirse mínimamente ella misma necesitaba recordarse sin cesar la existencia de aquellos que la conocían en su ciudad.

El alemán era extranjero, por supuesto, y sin embargo se le veía cómodo.

El viernes pagó diez centavos para subir en un ascensor exprés, tan rápido como una atracción de feria, al último piso del edificio Woolworth, para contemplar la ciudad desde el punto más alto, a una altura de unas sesenta plantas. Resultaba desde luego impresionante estar allí arriba, a una altura nunca imaginada, rodeada de ventanas, mirando abajo los coronamientos ahusados y piramidales de edificios regios que eran como mínimo el doble de altos que el más elevado de Wichita. Veía los grandes puentes y la estatua de la Libertad, tan lejos que parecían pequeños, y los brazos envolventes de agua azul alrededor, y en el horizonte parecía verse hasta la curva misma de la tierra. Pero incluso entonces, aun en su asombro, no pudo por menos que pensar que desde aquella altura y aquel silencio, detrás del cristal de la cabina de observación, el aspecto y los sonidos de la ciudad le resultaban tan ajenos como los sentía. Y después de pasar tanto tiempo a solas consigo misma se preguntó si, en caso de estar en Wichita, mirando de algún modo desde semejante altura esas otras calles más tranquilas y los prados alrededor, todo aquello que tan bien conocía, espacios llenos de personas a quienes identificaría y a quienes quería, la distancia le resultaría igualmente adecuada.

Compró unas postales con imágenes en color sepia de atracciones turísticas. Escribió a Alan y a los chicos y a Viola diciendo que la ciudad era aún más grande de lo que imaginaba, y que era mucho lo que había que ver en tan poco tiempo. Eso era cierto. Por otro lado, la sola idea de pasar una semana más en semejante soledad, sin hablar con nadie durante horas y horas salvo para decir «Gracias» y «disculpe» y «un billete, por favor», le infundía un opresivo temor.

Aún no había recibido respuesta de Massachusetts, pese a que ya habían pasado días suficientes como para que una respuesta fuera posible. Todas las tardes, cuando regresaban de la clase de danza, Cora echaba un vistazo al pequeño buzón cerrado con llave en la planta baja del edificio. Louise recibió una carta de Theo, pero nada, advirtió Cora, de su padre o su madre. Cora, por su parte, recibió una muy amable de Alan, diciendo que se la echaba de menos, pero Wichita en julio era Wichita en julio, y que ella no se perdía gran cosa. Le contó que había ido en coche a Winfield a visitar a los chicos, y podía comunicarle que seguían con buena salud, si bien se los veía a los dos un poco defraudados con la vida en una granja y esperaban con ilusión el comienzo de sus estudios, actividad más sedentaria, en otoño. Le mandaban recuerdos a través de él, escribió, y esperaban que ella comprendiese que no le escribieran porque trabajaban de sol a sol, y el sueño los vencía en cuanto paraban. «Por lo visto, conocen a la joven que tienes a tu cargo —añadió—. Dijeron que Louise B. era un auténtico "bombón", y que todo el mundo la conocía. Pero dudaban que ella los conociera a ellos, ya que todos los chicos del colegio parecían aburrirla. ¿Te lo puedes creer? ¿Que una descarada alumna de primero no preste la menor atención a nuestros maravillosos chicos? Estoy seguro de que ese trabajo te viene a medida, como dicen. Te mando un abrazo afectuoso.»

Y el dinero, claro. Le había enviado por giro postal a través de Western Union una cantidad considerable, y le dijo que debía ir a buscarlo de inmediato. Esperaba que se comprara algo bonito, añadía, algo de lo que pudiera presumir al volver a casa.

Cora pensó que debería haberse entusiasmado. Había pasado por delante de los grandes almacenes de Broadway y había visto muchas cosas preciosas en los escaparates: vestidos de tarde de crep de China y sombreros con lazos de tafetán o elegantes plumas. Había momentos en Wichita en que el solo roce de una seda nueva o un zapato bonito la había reconfortado realmente, y además estaba la satisfacción de poder —con la ayuda de un buen corsé– abrocharse el botón de un talle estrecho. Pero ahora la idea de comprar ropa, incluso la ropa cara de Nueva York, no hacía más que deprimirla. Le irritaba la forma en que él había expresado la sugerencia. No sabía muy bien si eran las palabras «presumir» o «casa» las que le producían tal hastío, hastío del que ni siquiera la apartaban el tafetán ni la seda. Nunca sabía cuándo un regalo era solo un regalo, hecho con sincero afecto, o solo parte de la farsa.

En todo caso, tenía una idea mejor.


-Ha vuelto –dijo el alemán. Parecía alegrarse de verla, y sorprenderse. Pero, impidiéndole el paso, le echó un vistazo al reloj–. La misa casi ha terminado –susurró–. Las hermanas bajarán enseguida.

Ella asintió. Había calculado bien el tiempo.

—Ya lo sé –dijo–. Hoy vengo con una misión distinta.

Él esperó, mirándola con semblante complacido. Por un momento, Cora se olvidó de lo que había planeado decir.

—La radio –prosiguió–. Me preguntaba si ha podido arreglarla. –Mantuvo una expresión seria.

—No. Estaba... *kaput*. ¿Por qué lo dice?

—Verá, he pensado que tenía usted razón, que estaría bien que las niñas tuvieran una. Y casualmente me ha llegado un dinero extra. He pensado que podía comprar una radio para ellas.

Él ladeó la cabeza.

—Son caras.

Ella asintió.

—He pasado por una tienda que las vendía, a unas manzanas de aquí. Tenían una con un receptor de una sola lámpara que parecía buena. –Señaló hacia atrás sin precisar–. Pero no se los veía muy dispuestos a entregarla a domicilio.

Él enarcó las cejas y se rio.

—No me extraña.

Cora se sintió aliviada. En realidad, no había preguntado por la entrega a domicilio.

—Bien, pues si usted cree que a las niñas les gustaría tener una radio, iría gustosamente a comprarla ahora. Pero pesa mucho, claro. Esperaba que pudiera usted acompañarme y ayudarme a traerla.

Él la miró con atención, igual que el otro día. Ella se concentró en la verdad, que era que realmente deseaba comprar una radio para las niñas. Eso era parte de la verdad.

—Me llamo Joseph Schmidt —dijo él, y le tendió la mano.

Ella sonrió, y en su nerviosismo le estrechó la mano como un hombre, manteniéndola en posición vertical y apretando con fuerza.

—Yo me llamo Cora. —No era necesario dar el apellido.

Aun después de aflojar la mano, él se la retuvo un poco más de lo necesario, y ella notó el pulgar encallecido en la palma.

—Cora —repitió él, pronunciando el nombre con atención, como si aprendiera una palabra nueva de algo conocido—. Voy a por la gorra.


Llevó un cochecito de bebé para transportar la radio. Un modelo T Chelsea, lo llamó, porque casi todo el mundo en el barrio usaba uno para acarrear sus cosas de aquí para allá. Su cochecito tenía un parasol verde roto y una rueda oscilante, pero la radio cabía dentro a la perfección. Los dos se rieron lo suyo mientras él lo empujaba por la calle, sonriendo ambos a los viandantes como orgullosos padres recientes.

—Tiene los mismos ojos que usted —comentó ella, sintiéndose audaz, y cuando él soltó una carcajada, ella sintió un vahído, pero de un modo agradable, como si respirara de otra manera, aspirando más oxígeno que de costumbre.

Él, empujando el carrito, salvaba grietas en la acera y dejaba atrás corrillos de italianas de charla, o quizá griegas, y pandillas de niños, sin apresurarse para que Cora, con sus zapatos de tacón, no se rezagara, y durante todo el tiempo a ella le rondó por la cabeza la vertiginosa idea de que durante esas breves vacaciones no era Cora Kaufmann, ni Cora Carlisle, ni siquiera Cora X. Era solo Cora en el barrio donde antes vivía y donde, ahora, nadie la conocía. Podía actuar como se le antojara sin la menor consecuencia y sin que nadie en casa se enterase siquiera, siempre y cuando no causara daño a nadie o acabara detenida.

—¿Qué es ese olor dulce? —preguntó ella, sujetándose el sombrero para que no se lo llevara la brisa. Le gustaba caminar con un hombre de su estatura, sin tener que levantar siempre la mirada—. Por aquí siempre huele a repostería.

—Es Galleta Nacional. —La miró, luego apartó la vista y enseguida volvió a mirarla—. ¿Nabisco? ¿Ha comido las Fig Newtons? Se hacen aquí.

Cora se echó a reír. ¿Cuántos paquetes de Fig Newtons había comprado a lo largo de los años? Las compraba para los chicos y Alan, y para servirlas a los invitados en las meriendas, y ella misma había comido no pocas, sin saber ni remotamente que se hacían a un paso del Hogar para Niñas Sin Amigos de Nueva York. Su calle en Kansas, con sus jardines amplios y árboles frondosos, parecía un mundo aparte de aquel barrio atestado, aquella Babel, sin posible coincidencia entre ambos, y sin embargo durante años, sin ella saberlo, unas simples galletas habían estado pasando de uno a otro mundo.

—¿Qué lleva ahí dentro? —Un niño mojado y descalzo apartó a Cora de un empujón para mirar qué contenía el cochecito—. Eso es una radio. ¿Funciona?

Cora, al volverse, vio a otros niños, todos con el pelo húmedo y aspecto sucio, unos con zapatos, otros sin ellos, apiñándose a sus espaldas e intentando ver el interior del cochecito. Resultaba desconcertante tenerles miedo. El mayor contaba como mucho doce años, pero eran seis, y luego siete, y otros varios se desplegaban en torno a ellos, rodeando el cochecito por los lados, alargando las manos con rapidez. En la acera, los otros adultos seguían caminando como si no pasara nada anormal.

—¡Largo! —Joseph se encorvó y colocó el brazo por encima del cochecito—. ¡Ya sé lo que os proponéis!

Los niños retrocedieron, pero solo unos pasos, como si esperaran otra oportunidad de arremeter. Cora no sabía qué hacer. Los chiquillos estaban muy sucios y apestaban, pero tenían unos rostros tiernos, de criaturas, y piernas flaquísimas, y uno de ellos le recordó a Howard de pequeño, con las mejillas sonrosadas como una manzana y ojos que semejaban brillar con luz propia. Estaba pensando en lo triste que era que un niño parecido a Howard pudiera estar tan raquítico y tan sucio cuando sintió un tirón en el bolso. Se volvió rápidamente y descubrió a un niño aún menor, de cinco años como mucho, sonriéndole a la vez que seguía tirando. Ella agarró el bolso con fuerza y le dijo que se marchara.

—De acuerdo, de acuerdo, aquí tenéis. —Joseph sacó el puño cerrado del bolsillo—. Centavos, ¿verdad? Y una de cinco para quien la atrape. —Se apartó del cochecito y echó a rodar un puñado de calderilla por la acera. Los niños, entre alaridos, persiguieron las monedas.

—Apriete el paso.

Tomó a Cora del brazo, manteniendo la otra mano en la barra del cochecito. Doblaron una esquina a toda prisa, acompañados de los chirridos de una de las ruedas. Ya a media calle le soltó el brazo, pero ella sentía aún el contacto residual de su mano, la presión de sus dedos a través de la manga.

—Le han sacado unas cuantas monedas —dijo ella—. ¿Tiene que hacer eso muy a menudo?

Él se encogió de hombros.

—Tal vez consigan algo para comer. Pero probablemente se comprarán caramelos.

Cora miró su bolso. Ahora que habían comprado la radio, no llevaba mucho dinero. Pero lamentaba que no se le hubiera ocurrido a ella agarrar un puñado de monedas y lanzarlas.

—¿Por qué llevaban todos la ropa mojada?

Él la miró de una manera extraña, como si le hubiese planteado una pregunta con trampa.

—Nadan —contestó—. El río está ahí mismo. Saltan de los muelles y van de aquí para allá, de calle en calle.

—Bueno, eso está bien, así al menos se refrescan.

Él hizo una mueca.

—El agua es inmunda. Tienen que nadar a braza para apartar la basura. —Representó la escena con gestos para Cora, empujando con una mano y tapándose la nariz y la boca con la otra—. Sin embargo todos se meten, para refrescarse. Excepto nuestras niñas. Las monjas no las dejan nadar en el río. Las llevan a los baños públicos una vez por semana, y eso es todo.

Cora guardó silencio. Un baño por semana, con semejante calor. Y ellas eran las afortunadas. Cora siempre supo que lo era, incluso de niña. Las monjas proporcionaban cobijo permanente y comida de sobra —nada muy apetitoso, pero sí saludable—, y eso no era poca cosa.

—¿Cómo se llama su hija?

—Greta.

—¿Va a la escuela? Ahora es obligatorio por ley, ¿no?

—Las monjas les dan clases en el hogar. No quieren que las niñas vayan a la escuela pública. Además, tienen que acomodarse al horario de la lavandería. —Se detuvo para bajar de la acera con el cochecito—. Pero he estado ahorrando, para un apartamento. Tal vez el año que viene, y podré ir a trabajar mientras ella está en el colegio público. Ahora mismo no hace más que tender ropa en la azotea. Pero pronto la pondrán en la lavandería si no nos vamos. Sé que las hermanas necesitan lavar ropa para mantener el hogar con ese dinero. Pero no quiero que Greta trabaje tanto, no siendo tan pequeña.

Cora recordó haber visto las manos de las niñas mayores, las quemaduras del agua hirviendo. Ella, bajo los guantes, tenía las manos suaves y sin cicatrices.

—¿De qué trabajará?

—De lo que sea. Ya hago cosas por el barrio, arreglando esto y aquello. La gente me conoce. —Apartó una mano de la barra del cochecito y se señaló la boca—. Pero el acento me lo pone difícil. —Sonrió con resignación. Soy un teutón.

—¿Por qué no vuelve? —Cora bajó la voz, tanto que apenas se oyó a sí misma por encima del chirrido de la rueda y el ruido del tráfico en la calle. En realidad solo lo preguntaba por saberlo, por curiosidad, no a modo de sugerencia descortés.

—¿A Alemania? No. Allí la cosa está mal, con la inflación, y las reparaciones. Allí tendríamos más problemas. Y no es solo eso. Vivo en Estados Unidos desde los diecinueve años. Y antes mi mayor deseo era venir aquí. —Dirigió la mirada hacia la calle, hacia los coches atronadores—. Me gusta este país, lo que representa. Estaba pensando en alistarme cuando me mandaron a Oglethorpe.

Cora estuvo a punto de señalar que si hubiese hecho esas declaraciones al principio de la guerra, a quienquiera que exigiese una respuesta, y hubiese accedido a arrodillarse para besar la bandera, quizá ya de buen comienzo no lo habrían mandado a Oglethorpe. Pero naturalmente había una diferencia entre amar un país, amar genuinamente aquello que representaba, y permitir que alguien lo obligara a uno a arrodillarse y demostrarlo.

—Ah, mire —dijo él, aflojando el paso—. Es nuestro sitio del otro día.

Cora alzó la vista. Se hallaban delante de la farmacia donde habían tomado la naranjada. Cora vio dentro a la anciana italiana, detrás del mostrador.

—Como usted les ha hecho un regalo caro a las niñas, lo menos que puedo hacer es invitarla a una naranjada. —La miró a los ojos—. ¿Tiene tiempo?

Cora vaciló. No era más que otro refresco. Pero él era pobre, y ahorraba cuanto podía, y a Cora no le gustaba la idea de que gastara siquiera cinco centavos en ella. Así y todo, probablemente para él era una cuestión de orgullo, y la miraba con profundo afecto, como si fueran ya grandes amigos. No quería separarse de él todavía.

Cora permaneció callada mientras esperaban en el mostrador, a pesar de que la mujer italiana, con las manos ya sin manchas, la reconoció y sonrió, y señaló el cochecito e hizo una broma sobre su radio *bambino*. Joseph le explicó que era Cora quien había comprado la radio para las niñas del orfanato, y la mujer asintió, aunque no quedó claro si lo entendió. Cora lo observó mientras hablaba. Se había quitado la gorra al entrar, y ella se fijó en que su cara tenía una estructura ósea firme y bien definida: en realidad, no le hacía ninguna falta una mata de pelo. Joseph pagó a la mujer italiana y sonrió a Cora, una sonrisa abierta y sincera. Ella lo siguió, sintiendo curiosidad por su difunta esposa, si era muy joven, si era guapa.

210

—Cuénteme su vida en Kansas —dijo él. Se sentó en la silla contigua, con un codo en la mesa, el otro en el respaldo—. Ya lo sabe todo de mí, y yo apenas sé nada de usted.

Ella bajó la mirada, fingiéndose agobiada por el esfuerzo de desabrocharse los guantes. No deseaba contestar. Habría preferido seguir oyendo hablar de él, o del orfanato, o del barrio, sintiéndose en todo momento un poco embriagada por su atención, la veta dorada en su ojo, el timbre grave de su voz. Pero el descanso se había terminado. Él había preguntado. Y ella no era capaz de mentir activamente, de eliminar a su familia, ni siquiera de palabra.

—Estoy casada —dijo—. Tenemos dos hijos, gemelos. Se marcharán a la universidad en otoño.

Él bajó las cejas detrás de la montura plateada. No parecía enfadado, pero Cora adivinó qué pensaba, qué opiniones estaba formándose de ella en ese momento. No estaba en situación de acusarla de ocultar información. Ella solo se había mostrado cordial, podía aducir, y esa era la primera vez que él le había preguntado por su vida. Pero ella era muy consciente de cómo la miraba. Ahora la veía como una mujer deshonesta y desconsiderada, una mujer casada sin alianza. Era muy injusto. Él no sabía lo que esa tarde había significado para ella, esas pocas horas sin ser ella misma, ese rato en el que había salido de su vida. Quizá podía ser sincera. Nunca le había hablado a nadie de Alan. No podía arriesgarse a eso, ni siquiera con la amiga más cercana. Pero Joseph Schmidt tenía un semblante benévolo, y nunca volvería a verlo. No conocía su apellido, ni siquiera de qué ciudad había llegado. No podía perjudicar a Alan en modo alguno. Y qué alivio sería para ella pronunciar las palabras en voz alta, que hubiera otra persona en el mundo que la conociera de verdad.

Así pues, allí mismo, sentados a la pequeña mesa, ahogada su voz por el zumbido del ventilador, le contó su vida, la verdad, con toda la claridad posible. La italiana leía una revista junto al mostrador, y Joseph permaneció inmóvil y callado mientras escuchaba. Cora le habló de Howard y Earle y de lo mucho que los quería, y le dijo que ni siquiera ellos lo sabían. Le explicó que aunque Alan y ella hablaban y se comportaban como si no pasara nada entre ellos, como si ella en realidad no supiese que él seguía viéndose con Raymond en su despacho después del trabajo, como si no supiese que se hacían regalos: un reloj con las iniciales R. W. grabadas y una frase en latín que ella no entendió, libros de poesía con versos subrayados. «Soy aquel que pena de amor.»

Joseph no dijo nada. Ella no sabía qué pensaba, pero continuó hablando. No paró ni siquiera para tomar un sorbo de naranjada. Era como si necesitara hablar para respirar. Le contó lo joven que era cuando se casó, y lo sola que estaba, y se cuidó de aclarar que en realidad aquello no era tan espantoso como parecía, que Alan no era mala persona, que era bueno en muchos sentidos, y sin duda un padre excelente.

—Pero no es un marido para usted.

Ella negó con la cabeza. Él torció los labios. Por un momento, Cora pensó que iba a escupir.

—Yo tenía un primo así, allá en Alemania —dijo—. Era un buen hombre, buena persona.

Cora arrugó la frente, y esperó.

—Lo apalearon. No supimos quién lo hizo, pero sí por qué. —Se frotó la mejilla—. Puede que su marido haga bien en mantenerlo en secreto.

Ella apoyó la cara en las manos. Alan. No soportaba la idea de que sufriera algún daño. Estaba tan atrapada como siempre. No había cambiado nada por contárselo a Joseph Schmidt.

—¿Y ahora qué va a hacer? —preguntó él.

Ella alzó la vista.

—¿Qué quiere decir?

—Sus hijos ya son mayores. Se quedó por ellos, ha dicho. Ahora ya son mayores. ¿No es así?

—Bueno, no quiero el divorcio.

Él enarcó las cejas.

—No quiero. —Intentó aclararlo—. No quiero divorciarme. —Negó con la cabeza. No quería divorciarse. Claro que no.

—¿Por qué no?

Estuvo a punto de soltar una carcajada.

—¿Cómo iba a explicarlo? ¿Qué le iba a contar a la gente? ¿Qué iba a decirles a mis hijos?

—Que quiere ser feliz.

—Eso no basta.

—¿No? —Él se inclinó hacia ella, solo un poco. Ella se echó atrás y desvió la mirada. La mujer italiana había ido a barrer la parte delantera de la tienda.

—Qué desperdicio —dijo él.

Ella alzó la vista. Se miraron sin pestañear, sin más sonidos que el del ventilador y el roce de la escoba de la mujer italiana. Cora no podía moverse, o no lo hizo. Alan la había mirado en otro tiempo con esa misma esperanza y esa bondad, pero nunca así, nunca así. Una alegría desbocada brotó en ella, solo por un instante, pero él de algún modo la vio, o lo supo, porque sin pronunciar palabra tendió la mano por debajo del ala de su sombrero y le apartó un rizo suelto, colocándoselo detrás de la oreja. Ella no se movió, ni siquiera cuando notó deslizarse sus dedos ásperos por detrás de la oreja a lo largo del nacimiento del pelo húmedo.

Cora oía su propia respiración, su pulso justo debajo de los dedos de él, el tictac de su reloj junto al cuello.

—¿Qué hora es? —preguntó.

Él bajó la mano y consultó el reloj.

—Las tres menos veinte.

—Tengo que irme.

Empujó la silla hacia atrás y las patas chirriaron contra el suelo. Tomó el bolso y los guantes. Se los pondría fuera. Él la agarró de la mano.

—No se vaya —dijo—. Todavía no.

—Debo irme, de verdad —insistió ella con más firmeza—. Tengo que irme ya mismo. Me había olvidado. Me había olvidado del todo. Ya llego tarde. —Era cierto. No podía retrasarse, darle a Louise esa ventaja.

—Cora.

Ella negó con la cabeza. Necesitaba marcharse. Pero seguía ruborizada y sonriente, incluso al retirar la mano. Le dio vueltas la cabeza. Que la miraran así, que la sujetaran así, era embriagador; no era ella misma.

213

—Volveré —dijo, una promesa tanto para ella como para él.

Pero cuando estuvo de nuevo en la calle, caminando apresuradamente en dirección al metro bajo el intenso sol, sintió la cabeza más despejada.

Mientras caminaba a toda prisa por Broadway, vio a Louise dirigirse hacia ella. Incluso en la acera atestada, y pese a lo menuda que era, era fácil distinguirla, su rostro radiante, el cabello negro recogido detrás de las orejas. Un hombre le silbó, pero ella pasó junto a él como si no lo oyera, con la mirada fija al frente. También pasó de largo junto a Cora. Cuando Cora la llamó por su nombre, Louise se volvió con expresión a la vez molesta y sorprendida.

—Ah, hola. —Louise no sonrió—. Como llegaba tarde, he echado a andar.

—Lo siento. —Cora tragó saliva e intentó recobrar el aliento—. Pero tendrías que haberme esperado. ¿Y si no te hubiese visto? —Cora de hecho había echado a correr en la última manzana, temiendo que Louise aprovechara su demora como excusa para emprender alguna aventura en solitario. Pero, como era lógico, después de tantas horas de clase de danza estaba sudorosa y agotada. Louise no se habría ido a ninguna parte hasta después de tomar un baño y echarse una siesta.

—¿Qué le pasa? —Miró a Cora con el ceño fruncido—. La noto rara. Tiene las mejillas rojas.

—Ah. —Cora se llevó la muñeca a la frente caliente—. Bueno, sabía que era tarde. He venido a toda prisa con este calor. ¿Vamos a casa, pues? —Tenía su lado emocionante ser ella quien tuviese que andarse con evasivas y maniobras de distracción.

Louise empezó a andar otra vez, pero le lanzó una mirada a Cora.

—Espero que no vaya a pillar algo.

Por un momento, a Cora le conmovió advertir su preocupación por ella. Pero a renglón seguido Louise dijo que debían tomar la precaución de usar vasos distintos, por si acaso. No podía permitirse enfermar mientras estaba allí, no antes de la selección para la compañía. Cora le aseguró que no estaba enferma, solo cansada. Pero después de eso, mientras caminaban, guardó silencio. Louise contó que Ted Shawn había ejecutado su Danza de la Lanza Japonesa, lo hermosa que era, con qué perfección mostraba su destreza y su excelente forma. Cora asintió, escuchando solo a medias, aturdida por el calor. No, pensó. No volvería a ver a Joseph Schmidt, ni al día siguiente ni nunca. Pensó en el protagonista de *La edad de la inocencia,* que por un breve momento se había olvidado de sí mismo al desabrochar el guante de la condesa, pero había entendido que no podía tener nada más. Así debían ser las cosas.

Y nada más decidir eso, al parecer, recibió su recompensa. Cuando Louise y ella llegaron al edificio, en el buzón esperaba un sobre de color amarillo claro dirigido a Cora con matasellos de Haverhill, Massachusetts.

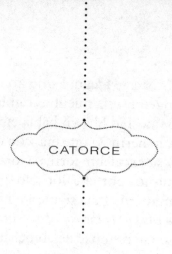

CATORCE

De camino a la Gran Estación Central, Cora se detuvo para comprar un ramo de rosas amarillas, cosa que no había planeado hacer hasta que las vio, alegres y hermosas, en un puesto de una esquina. Aun así, llegó a la estación veinte minutos antes de tiempo, y enseguida encontró el gran reloj encima del mostrador de información. De modo que no tenía nada que hacer más que esperar allí de pie, pasándose las rosas de un brazo al otro y mirando el techo. La primera vez que estuvo en la Gran Estación Central, cuando Louise y ella acababan de llegar a la ciudad, entre los agobios y la prisa no se fijó siquiera en que el azul del techo era el fondo de un mapa celeste, con las constelaciones en trazos dorados. Pero ese día tuvo tiempo para maravillarse, admirando tanto el techo como las relucientes arañas de luces y las galerías situadas por encima del vestíbulo principal, y el abrillantado suelo de mármol que se extendía interminablemente, y la sensación de frescor dentro del edificio pese al calor del día, y al sinfín de personas que pululaban apresuradamente en el interior.

Pero sobre todo miraba el reloj. Ya faltaba poco. Muy poco.

Al acercarse las doce del mediodía, empezó a prestar mayor atención a los viajeros que se acercaban al mostrador desde todas las direcciones. Mary O'Dell decía en su carta que llevaría un sombrero de ala corta gris con abalorios blancos por delante. Cora no había tenido tiempo para contestar con más preguntas, ni para decir qué se pondría ella. Así que observó a la multitud en busca de un sombrero gris, y cada vez que oía acercarse rápidamente unos tacones se volvía, para acabar viendo a una mujer que pasaba de largo ante ella o corría a abrazar a otra persona.

216

Pero no había motivos para preocuparse. Todavía no. Faltaban unos minutos para las doce. Esa mañana se había despertado antes del amanecer, excitada ya cuando aún no había tomado siquiera un sorbo de té, y le había supuesto un verdadero esfuerzo no mostrar impaciencia con la lenta rutina matinal de Louise, su costumbre de entretenerse en la cama hasta el último momento posible. Cora había contado literalmente los minutos hasta dejar a la muchacha en Denishawn. Ahora estaba libre y allí, a la hora acordada, en el lugar exacto donde debía estar. Había hecho lo posible por ofrecer un aspecto presentable. Llevaba su vestido de seda bueno, sus perlas y un bonito sombrero con una cinta azul lavanda.

Se alisó el vestido, pese a que no necesitaba hacerlo, y procuró no mirar una y otra vez el reloj. Al fin y al cabo, había muchas otras distracciones. Obviamente, Mary O'Dell no era la primera persona que sugería el reloj como lugar de encuentro. Por lo visto, a ambos lados del mostrador de información tenían lugar felices reuniones. Un anciano con un bastón se agachó para abrazar a una niña con coletas que corrió hacia él. Dos mujeres adultas se tomaron de las manos y brincaron como colegialas. Un hombre con un traje blanco pasó a zancadas ante Cora en dirección a una mujer joven con un vestido sin mangas. Cuando llegó ante ella, no hablaron. El hombre se inclinó para besar a la mujer, dejando su bolsa de tela en el suelo para apoyar ambas manos en la parte baja de su espalda y atraerla hacia sí. La mujer puso sus manos desnudas en los hombros de él. Tenía las uñas pintadas de rojo.

Solo cuando los dos la miraron, Cora se dio cuenta de que los observaba.

Se llevó la mano al cuello y se volvió hacia el mostrador, donde un hombre con turbante preguntaba por un tren a Chicago en un inglés entrecortado y cuidadoso. Agarraba de la mano a un niño en pantalón corto que contemplaba el techo boquiabierto; probablemente también él lo veía por primera vez. Dio un tirón a la chaqueta de su padre y dijo algo en otro idioma, y como el padre no bajó la vista, el niño, quizá percibiendo que Cora lo observaba, la miró y se acercó más a su padre. Mantuvo la mirada fija en ella, y Cora trató de imaginar qué veía el niño en su cara, lo extraña que debía de parecerle si acababa de llegar a Estados Unidos y no solo a la Gran Estación Central. Le dirigió una sonrisa, esperando transmitirle aliento, y luego apartó la vista para no asustarlo.

Ese día le encantaba la ciudad, le encantaba la sensación de enjambre del lugar donde se encontraba, le encantaba el cartel de llegadas de los trenes de Albany, Cleveland y Detroit, así como de poblaciones más pequeñas de las que no había oído hablar. Le encantaba el niño allí de pie junto a su padre con turbante, y le encantaba el hombre con el puro de olor penetrante y maletín que cruzaba el vestíbulo a todo correr como si nunca más fuera a salir otro tren, y le encantaban los dos ancianos de grandes patillas y sombreros negros con el mismo aspecto de ciertos judíos de Wichita, riéndose con ganas por algo. Incluso le encantaban el hombre y la joven que poco antes se habían besado y en ese momento salían a Lexington Avenue, ambos muy arrimados, él deslizando la mano desde la cintura hasta la curva de la cadera a la vista de todo el mundo.

Cora acercó la nariz a las rosas e inhaló. Ese día no envidiaría el reencuentro de nadie.

La querría. Lo sabía ya. Querría a Mary O'Dell al margen de la clase de persona que resultara ser. Incluso si no era su madre, incluso si realmente era solo una amiga preocupada y la semejanza de la caligrafía era una extraña coincidencia, Cora la querría igual por ser una amiga tan atenta o tan buena persona en general como para tomar un tren desde Massachusetts con el único fin de reconfortar a una desconocida. La querría por el mero hecho de haber conocido a su madre, que quizá estuviera ya muerta, hallada demasiado tarde. Quienquiera que se apeara del tren le contaría cosas que ella ignoraba. Solo por eso ya le estaría agradecida.

Recorrió el vestíbulo con la vista en busca de una mujer de cabello oscuro y rizado como el suyo. Fue entonces cuando vio a una mujer mayor con un sombrero de ala corta gris dirigirse hacia el mostrador. Cora siempre lo recordaría: la sorpresa al ver su boca, su boca exacta, en la cara de otra persona. Esa mujer era más robusta, y mayor, pero tenía los mismos labios carnosos, los mismos dientes superiores un poco prominentes, y conservaba aún firme la angulosa mandíbula. Se puso de puntillas con sus prácticos zapatos grises de tacón para examinar al gentío. Cora avanzó hacia ella sin sentirse los pies.

—¿Mary? —El nombre salió de su boca con tono agudo, extraño—. ¿Mary O'Dell?

La mujer miró a Cora, pero no habló. Tenía el pelo rubio rojizo, y aunque lo llevaba casi todo recogido bajo el sombrero, Cora vio que su textura no se parecía en nada a la de su propio cabello, ni a la del pelo de la mujer que ella recordaba, la mujer del chal. De hecho, nada en la mujer que tenía ante sí se parecía a nada que ella recordara o imaginara. Esa mujer tenía un aspecto elegante: llevaba un vestido de hilo gris fruncido en la cadera, con flores bordadas en la pechera. Una corta sarta de perlas, pequeñas y delicadas, rodeaban su cuello arrugado.

—¿Cora? —Eran de la misma estatura. Tenía los ojos grises y más grandes que los de Cora.

Cora asintió. Estaban rodeadas de gente, que permanecía inmóvil, esperaba, caminaba, dirigía la mirada al reloj. Pero en realidad era como si estuvieran solas en aquel espacio enorme, examinándose mutuamente.

—Tú eres mi madre —dijo Cora, sin acusarla, pero sin el menor tono de interrogación. Le bastó con mirar su boca y su mentón, incluso su nariz—. Tú. Tú no eres una amiga. Tú eres mi madre.

La mujer se apartó de Cora, visiblemente nerviosa.

Cora cabeceó. No. No estaba enfadada. Y de pronto fue como si la niña que llevaba dentro irrumpiera, demasiado excitada, demasiado emocionada para contenerse, y demasiado impaciente para los malentendidos. Cora extendió los brazos y dio un paso al frente, y de pronto percibió el olor desconocido de la mujer unido al de las rosas que sostenía aún en la mano. El cuerpo que tenía entre sus brazos permaneció rígido e inmóvil contra el suyo. Pero la mujer no la apartó. Le devolvió el abrazo, la estrechó, tal como Cora había imaginado en sus más descabelladas esperanzas. Pero aquello era real. Sin soltarla, alzó la vista hacia el techo azul con su zodíaco resplandeciente, los ojos empañados, la nariz mocosa.

Se apartaron. Cora se dio cuenta de que se le había caído el sombrero. Se agachó a recogerlo. Las dos se rieron, y de pronto callaron, mirándose fijamente.

–Bien. –Mary O'Dell tendió la mano enguantada para tocarle la mejilla a Cora–. No tiene sentido negarlo, ¿verdad? No cuando eres mi viva imagen. –Tenía un dejo irlandés, un acento agradable, pensó Cora, delicado. La voz que debería haber conocido.

–Son para ti. –Cora le ofreció las rosas y seguía hablando con voz aguda y tensa, pese a que había conseguido aclararse los ojos con un parpadeo. Volvió a ponerse el sombrero, sintiéndose una tonta–. No sé por dónde empezar.

Mary O'Dell aceptó el ramo y movió la cabeza en un solemne gesto de asentimiento, como si coincidiera en que efectivamente ese era el problema: por dónde empezar.

Solo podía quedarse una hora, anunció. Lo sentía, pero tenía que tomar el tren de la una y cuarto con destino a Boston para llegar a casa a tiempo. No explicó a tiempo de qué, y Cora decidió que era mejor no insistir en conocer los detalles. Al menos no de momento. Cora se dijo también que no debía sentirse defraudada. Esa mujer, su madre, había pasado toda la mañana en un tren, y tardaría toda la tarde en llegar a casa. Una hora ya estaba bien para empezar.

El restaurante, en la planta de abajo, era tan bullicioso y concurrido como el gran vestíbulo, pero sin su luz y su belleza. Después de hacer cola, pidieron té con hielo, que se llevaron a la única mesa libre que encontraron. Quedaban aún las migas del ocupante anterior, así que se sentaron en ángulo y sostuvieron sus vasos de té sobre la falda, dejando las rosas en una silla vacía al otro lado de la mesa. Mantenían las dos la misma postura, con la espalda recta, los pies encogidos bajo la silla, los tobillos cruzados.

La mujer señaló la alianza de Cora con la barbilla.

–Estás casada –dijo con aprobación.

–¡Sí! –Cora se sintió agitada, demasiado despierta. Dejó el té en la mesa–. Desde hace casi veinte años. Él es maravilloso.

Abogado. Tenemos dos hijos ya mayores. —Abrió el bolso y sacó una fotografía de Howard y Earle, tomada en un estudio la tarde de su graduación, con birrete y toga, los dos muy serios, incluso Howard. Deslizó la fotografía por encima de la mesa y vio aparecer una sonrisa en la boca de su madre, tan parecida a la suya. Cuántas veces había fantaseado con ese preciso momento, la primera vez que pudiera mostrar la existencia de sus hermosos hijos a su propia madre, quien, como Cora veía ahora, tenía la misma inclinación que Howard en la ceja derecha. Los chicos. Les contaría la verdad en cuanto llegara a casa, ahora que existía una buena razón. Se adelantó mentalmente a los acontecimientos: ¿podría haber una visita? ¿En Navidad, quizá, cuando Howard y Earle volvieran de la universidad? O mejor en Acción de Gracias. Era tanto el tiempo que habían perdido...

En la mesa contigua, un hombre que leía un diario se llevó la mano al bolsillo del traje, sacó una petaca plateada y la destapó sin apartar la vista del periódico ni una sola vez.

—Dios mío. —Mary O'Dell apartó la mirada de la fotografía—. Cielo santo. Son unos muchachos maravillosos. No te imaginas cómo me reconforta esto, ver que te ha ido tan bien. —Hablaba con voz tensa, quebradiza. Con el dorso de la mano desnuda, apartó las migas de parte de la mesa antes de dejar la foto—. No sabes lo mucho que me he preocupado por ti, la de veces que me he preguntado qué habría sido de ti. Ni siquiera sabía si habías... sobrevivido, si conservabas el mismo nombre. No sabía si estabas sufriendo en algún sitio. No sabía nada.

—He estado perfectamente —explicó Cora, sonriendo—. Me cuidaron bien. Me adoptó una buena gente. —Eso en realidad no era verdad. No legalmente. Pero sí era verdad que los Kaufmann habían sido buenos con ella, y eso era lo que deseaba transmitir.

—Gracias. Gracias por decírmelo. —Asintió como si aún intentara confirmarlo para su tranquilidad, oscilando su sombrero de ala corta—. Creo que en realidad siempre supe que estabas bien. De pronto me asustaba, pero no me cabía duda de que si hubieras sufrido, me habría enterado. —Dejó escapar una breve risa, llevándose el meñique a la comisura del ojo–. Pero nunca imaginé que estarías en Kansas, en una granja con caballos y vacas. Siempre pensé que te habías quedado aquí, en Nueva York.

–Yo siempre pensé que tú vivías aquí. Nunca habría dicho que estabas en Massachusetts.

No podía apartar la mirada de aquella boca, aquellos labios tan familiares. Tenía la extraña sensación de que no solo veía a su madre sino también, salvo por el color de pelo distinto, una visión profética de cómo sería ella en menos de veinte años.

Cora señaló la mano de Mary con la cabeza.

–Tú también estás casada.

Asintiendo, Mary mantuvo en alto la alianza. El diamante era tan grande como el de Cora.

–¿No con mi padre? –preguntó Cora. Aquello era una falta de tacto. Pero no tenían mucho tiempo.

Mary O'Dell dirigió una mirada hacia el hombre de la petaca, y luego hacia la mesa situada al otro lado, donde dos chicas con raquetas de tenis metidas en fundas de cuero examinaban un mapa desplegado con expresión ceñuda.

–No. –Habló tan bajo que Cora tuvo que aguzar el oído en medio del parloteo circundante–. Conocí a mi marido cuando yo tenía veintiún años. A ti te tuve a los diecisiete.

Cora asintió, manteniendo un semblante intencionadamente neutro. Sabía que era muy probable recibir esa respuesta.

–¿Y mi padre?

–Un chico en un baile. –Se reacomodó el sombrero gris–. Eso suena mal, peor de lo que fue. Quiero decir que nos conocimos allí. Estuvimos juntos durante un tiempo. Yo trabajaba en Boston, de criada. Los jueves organizaban grandes bailes. Era el día que libraba el servicio, ya sabes, nuestra única noche disponible. Nos conocíamos desde hacía un mes, quizá. –Bajó la mirada y luego miró a Cora con timidez–. Oyendo esto, probablemente pensarás que soy de clase baja.

Cora negó con la cabeza. No era tan grave, la historia. No en comparación con aquello para lo que la había preparado la hermana Delores: la prostitución, una violación. Pero, en sus fantasías, sus padres se habían querido, y durante mucho más de un mes.

—En fin, fue simple ignorancia. —Mary O'Dell hablaba ahora tan bajo que Cora tenía que inclinarse un poco para oírla—. Yo había ido al colegio en Irlanda, y los libros no se me daban mal. Pero no sabía nada de chicos o bebés. Mi madre solo me había dicho que fuera a misa y no me levantara la falda. —Esbozó una media sonrisa, tal como hacía Howard tan a menudo—. O sea, nada. Tuve la primera regla en el barco cuando venía hacia aquí. Estaba sola, y no se lo dije a nadie porque pensé que me moría. ¿Te das cuenta de lo poco que sabía? Ni siquiera sabía que aquello era normal. Estaba segura de que era un castigo por mis pensamientos impuros. No tenía idea de nada.

—Me hago cargo —dijo Cora.

—En cuanto a tu padre, ignoro si él sabía mucho más que yo. —Torció el gesto—. Solo tenía quince años.

—¿Era irlandés? ¿También él era irlandés?

Mary pareció ofenderse.

—Claro.

—¿Dónde está ahora?

—No lo sé. Más tarde supe que se fue al oeste. Se marchó en cuanto le dije que estaba embarazada. Solo sé lo que me contaron sus amigos, que no fue mucho.

Quince, pensó Cora. La edad de Louise. Tres años menos que sus propios hijos. Ahora ese hombre debía de ser ya una persona distinta. Se miró las manos pálidas, entrelazadas en el regazo. Siempre le había disgustado tener los nudillos tan grandes. Los de Mary O'Dell eran pequeños y femeninos.

—¿Cómo se llamaba?

—¿Por qué lo preguntas?

—Porque quiero conocer el nombre de mi padre. Podría haber sido el mío.

Con una mueca burlona, Mary O'Dell desvió la mirada.

—Ese nunca habría sido tu nombre. Por cómo recibió la noticia, puedes estar segura.

—Aun así, quiero saberlo.

—Bueno. Se llamaba Jack Murphy. —Dirigió a Cora una mirada mortecina—. No miento, a Dios pongo por testigo. Pero si quieres buscar en el gran oeste a un Jack Murphy llegado de Irlanda vía Boston, mejor será que te lo tomes con calma. Tendrás mucha gente a la que interrogar.

Cora pestañeó. Así que no había más que decir. Nunca conocería a su padre. Aun cuando lo encontrara, a ese hombre con un apellido corriente y una historia corriente, posiblemente no quería que lo encontraran. En cuanto se enteró de que nacería un bebé, huyó sin querer saber nada. La hermana Delores tenía razón a medias.

—Tienes su mismo pelo —dijo su madre, como haciendo una concesión—. No pretendo que lo odies. Yo lo odié entonces, pero ahora ya no. Solo era joven y estaba asustado. Recuerdo que venía de una familia numerosa, pobre. No quería más de lo mismo, supongo. —Se encogió de hombros con actitud realista. Pero Cora advirtió que, cuando se llevó el té a los labios, le temblaba la mano.

—Lo siento —contestó Cora—. Debió de ser una experiencia terrible para ti.

—Bueno, yo lo sentí por ti. Fuiste tú quien más me preocupó. —Miró a Cora, pero enseguida apartó la vista—. En todo caso, no habría podido cuidar de ti yo sola, sin un marido. No tenía otra opción.

—Lo sé —dijo Cora. Y así era. Tenía la comprensión ya a punto y en espera, bien a su alcance. Tendió el brazo por encima de la mesa para tocar el dorso de la pequeña mano de Mary O'Dell, más áspera de lo que habría imaginado—. No te culpo. No te culpo en absoluto.

Mary O'Dell no movió la mano, no reaccionó a su gesto. Vacilante, Cora volvió a dejar la mano en el regazo.

—Pues yo sí me culpé a mí misma. Bien lo sabe Dios. —De nuevo echó un vistazo a las mesas circundantes—. Me horrorizó dejarte allí.

—¿Dejarme dónde?

—En la misión. La Misión Nocturna Florence. La gente que estaba al frente era buena, y sabía que encontrarían un lugar para ti. Las demás mujeres eran de clase baja, verdaderas mujeres de la calle. —Se llevó la mano a las perlas—. Y algunas seguían ejerciendo su oficio, por cierto. Iban allí solo para guarecerse del frío. Yo era la única que esperaba un bebé, y quizá la única con un pasado decente que había cometido un solo error. Pero no conocía ningún otro sitio donde ir. No habría podido quedarme en Boston. Mis primos vivían allí, mis tías, mi tío. Habría sido una humillación para todos. Me habrían enviado de vuelta a Irlanda, y habría sido una Magdalena sin lugar a dudas. Así que conté que había encontrado un buen empleo en una casa de Nueva York, y vine y me escondí en la misión hasta que tú naciste. Luego volví a Boston sin ti, y dije que me habían robado a punta de navaja lo que había ganado. —Otra vez asomó a sus labios aquella media sonrisa—. Todo el mundo se compadeció de mí.

Cora esperó.

—¿Y después qué?

—Después nada. Seguí con mi vida. Nunca se lo conté a nadie. Fue como si no hubiese sucedido. —Levantó el mentón—. Aquello no me perjudicó, no me hizo daño de ninguna manera. Me casé con un buen hombre, y nos ha ido bien en la vida. Dos de nuestros hijos se dedican a la política. —Cuadró los hombros—. Nuestra hija acaba de casarse con un chico de muy buena familia.

—Así que tengo... —Cora apenas fue capaz de pronunciar las palabras—. ¿Tengo hermanos? ¿Y una hermana? ¿En Haverhill?

Mary vaciló.

—Hermanastros. Son hermanastros.

—Aun así, yo...

—No saben nada de ti. Ya te lo he dicho. Nadie lo sabe.

Cora bajó la mirada. Lo entendía, claro que lo entendía. Imaginó el escándalo que se produciría si una de las venerables damas de Wichita, una de las mujeres del club, de pronto reconocía a un hijo nacido fuera del matrimonio. Igual daría que ese hijo tuviera ahora treinta y seis años, o que la propia mujer fuera ahora abuela. Una transgresión era una transgresión. Cora sería el agente de la humillación de toda la familia, y como tal probablemente despertaría resentimientos.

—No vas a hablarles de mí.

—No. —La respuesta, breve pero firme, no incluía el menor matiz, no admitía discusión—. Y como no te conozco, ni sé cuáles son tus intenciones, te lo dejaré ya muy claro. –Su acento era ahora más marcado, ya sin rastro de delicadeza–. Te aseguro que mis hijos no tienen más interés que yo en que te conviertas en motivo de vergüenza para nosotros. Estamos muy unidos. Si causas problemas, lo descubrirás por ti misma.

Cora apartó la mirada. Era una advertencia astuta e inflexible, lo cual no era de extrañar: Mary O'Dell, su madre, era una mujer astuta e inflexible. Con toda seguridad lo era ya cuando contaba diecisiete años y estaba embarazada, cuando Cora se convirtió en un peligro para su supervivencia por primera vez. No cabía esperar que sucumbiera ahora a los sentimientos. Cora no la conocía, y probablemente no se le permitiría hacerlo, pero al menos había descubierto eso sobre su madre: era una mujer que, siendo aún muy joven, había escapado de un fuego, que sabía lo que hacía falta para sobrevivir. ¿Cuántas personas, a los diecisiete años, habrían sido capaces de mantener un secreto como ese? Pero ella lo había hecho. Había tenido su bebé, y luego volvió a Massachusetts y, mirando a todo el mundo a los ojos, actuó como si solo hubiera perdido la paga, como si una vida no hubiese surgido de ella. Y ahora creía que Cora quería ir a Massachusetts y arruinar su familia legítima, su matrimonio, su dignidad, todo aquello que la había llevado a sufrir y mentir y abandonar a su bebé, hacía ya tantos años. No sabía que esa actitud amenazadora era innecesaria, que Cora entendía sobradamente todos sus temores.

–No te causaré problemas. –Cora habló con una serenidad sorprendente. Recuperó la foto de los chicos y se la guardó en el bolso.

Mary O'Dell mantuvo la mirada fija en el punto donde antes estaba el retrato.

–Lo siento –susurró–. Ojalá las cosas pudieran ser distintas.

–Lo entiendo. No iré a Haverhill a menos que reciba una invitación. –Intentó reírse, entristecida–. Y no parece que vaya a recibirla.

–Se dice Hay-ver-ill. Para que lo sepas. La segunda hache no se aspira.

Cora podría haberla abofeteado. Haberle tirado el té a la cara. Con esa prontitud asomaba la ira, la indignación. Pese a su decepción, se había esforzado, y mucho, por mostrar cortesía y amabilidad. Comprendía la delicada situación, la causa por la que esa mujer debía mantenerla a distancia. Lo comprendía. Pero no, ella no sabía que se decía Hay-verill, y no Haver-hill. ¿Cómo iba a saberlo, cómo iba a conocer esa peculiar pronunciación del pueblo donde vivía su amplia familia, ese pueblo donde sus hermanos se habían criado juntos, ese pueblo del que Cora no había oído hablar hasta hacía dos semanas? No. No sabía nada de esa hache muda.

Pero calló. Sería inútil exteriorizar su rabia, tratar de herir a esa mujer que en realidad no había tenido otra elección. Sería inútil. El hombre de la petaca, soñoliento, tenía la mirada fija en la mesa.

—¿Por qué escribiste al orfanato? —preguntó Cora—. ¿Por qué has venido hoy?

La mujer se volvió para que Cora no le viera la cara, sino solo la copa del sombrero gris, adornada con abalorios.

—Ya te lo he dicho. Necesitaba ver quién eras, en qué te habías convertido. Eso me ha atormentado durante mucho tiempo. —Aún hablaba en voz baja, trémula—. Iba a decirte que solo era una amiga de tu madre, una persona que la conoció. Una estupidez. No sé en qué estaba pensando. —Volvió a mirar a Cora y le sonrió con esa boca tan familiar—. Pero me alegro de haber venido. No sabes el alivio, la felicidad que siento de verte, y saber que estás bien, que no te criaste en las calles, que has salido tan correcta y formal.

Cora asintió. «Correcta y formal.» Como si eso fuera lo mismo que «bien».

—Hoy me has hecho un verdadero regalo —continuó. Alargó el brazo por encima de la mesa y le acarició la mejilla a Cora con la mano ahuecada—. Es verdad que si alguna vez vinieras a Haverhill serías una espina en mi costado. Pero debes saber una cosa: si ahora nos separamos, y no volvemos a vernos nunca más, serás una rosa en mi corazón.

Cora apenas pudo disimular su repugnancia. Era como si respirara un olor fétido, y sin embargo procuró no alterar la expresión. ¿Una rosa en el corazón? Patético. Vaya una idiotez. Esa mujer —esa mujer astuta y pragmática— había recurrido a la mala poesía, a esa estupidez, a modo de consuelo. ¿De verdad había pensado en esos términos, flores y espinas, cuando yacía en su cama por la noche, tramando el encuentro entre ambas, elaborando la estrategia que le permitiera conseguir lo que quería sin perder lo que era más importante para ella? Cora veía en sus ojos el sufrimiento, la angustia real. Pero ¿una rosa en el corazón? ¿Eso era realmente lo único que tenía que ofrecer a las dos?

Así y todo, cuando llegó la hora, Cora la acompañó hasta el tren. No tenía tiempo para enojarse: esos últimos minutos eran lo único que le quedaba. Mary O'Dell no le había pedido su dirección de Kansas. Ni siquiera fingió que habría otra reunión. Era tan definitivo como la muerte, ese adiós que se acercaba. Pese a la desdicha que sentía, Cora aguantó hasta el final.

Más tarde se alegraría de esos últimos minutos, y de su incapacidad para prescindir de ellos. Porque fue solo cuando estaban en el andén subterráneo y mal iluminado, mientras los otros pasajeros subían ya a bordo, cuando Cora tuvo tiempo para reflexionar sobre lo que ya sabía, y qué relación tenía con lo que acababa de descubrir.

—Mary. —Parecía el único nombre que Cora podía emplear. Esa mujer que estaba junto a ella no era «madre». Pero «señora O'Dell» habría sido demasiado cruel—. ¿Qué edad tenía yo cuando te marchaste?

Mary, sin volverse hacia Cora, con los ojos vidriados, mantuvo la mirada fija en el tren. De perfil, o quizá en ese momento, Cora pensó que de pronto aparentaba más edad, más desgaste, que la piel pálida le formaba bolsas bajo los ojos.

—Tenías seis meses, exactamente seis. Dijeron que debía quedarme para darte el pecho durante al menos ese tiempo.

Seis meses. Exactamente. Así que se había marchado el primer día que se lo permitieron. No tenía sentido alargar las cosas. Pero Cora pensó en los gemelos a los seis meses, su olor a leche, cómo agarraban con sus manitas. Pese a lo enferma que había estado después del parto, se habría amputado los dos brazos antes que aceptar separarse de sus hijos, y también ella contaba diecisiete años. Pero la comparación no era justa, claro está. Por entonces Mary O'Dell no tenía marido, no tenía un solícito Alan, sino solo la entereza necesaria para salvarse. Y era absurdo enfadarse, precisamente en ese momento, cuando había poco tiempo y más preguntas que hacer.

—Pero yo no fui al orfanato hasta los tres años —dijo Cora—. Según el expediente, llegué directamente de la Misión Nocturna Florence, de modo que debí de pasar allí tres años. Sin ti.

Mary miró a Cora con una mueca de pesar.

—Lo siento —respondió—. Les pedí que te llevaran a un hogar, un hogar católico de inmediato. No quería dejarte allí, con aquellas... la clase de mujeres que admitían. —Encorvó los hombros—. Temía que una de ellas te llevara. No me apreciaban mucho, eso saltaba a la vista, pero todas querían tenerte en brazos, e ibas de mano en mano continuamente. Eso me ponía nerviosa. Eran mujeres de la calle, hazte idea. O al menos chicas muy inmorales. Algunas padecían enfermedades, o estaban destrozadas por la bebida. Probablemente no podían tener hijos propios.

Cora apartó la vista. Qué poca compasión. Pero tenía que preguntarlo. Era ahora o nunca.

—¿Recuerdas a una mujer de cabello largo y oscuro? ¿Que solía llevar chal? ¿Que no hablaba inglés?

—Uf. Podría describírselas así a casi todas. Iban de aquí para allá con el pelo suelto, los tobillos a la vista. Y yo era la única que tenía un abrigo como Dios manda. —Lo dijo como si fuera un logro—. Pero no recuerdo ningún chal en particular, ni a ninguna mujer en concreto. —Miró a Cora con expresión ceñuda—. ¿Por qué lo preguntas?

—Por nada —contestó Cora. Nunca había pensado que la mujer del chal pudiera ser un recuerdo real... y aun así carecer de toda trascendencia. Tal vez la mujer que recordaba no la había tenido en brazos más que una vez. O quizá solo era una de las muchas mujeres de la misión que la había sostenido en brazos, a los siete meses, a los ocho, a los dos años. En cualquier caso, no quedaba nadie a quien buscar. Y Mary O'Dell debía volver a Massachusetts sin la espina en su costado, únicamente con la rosa en el corazón. Menos mal, pensó Cora, porque Mary había olvidado el ramo de auténticas rosas amarillas en la silla del restaurante. Cora había reparado en ellas cuando se alejaban de la mesa y había estado a punto de decir algo, pero pensó que quizá las había dejado allí adrede. Al fin y al cabo, era probable que en Haverhill nadie supiese siquiera que esa respetable matriarca hubiese viajado aquel día a Nueva York. Además, volver a casa junto al señor O'Dell con un ramo de rosas habría exigido una mentira más elaborada.

Era mejor así, decidió Cora mientras el tren empezaba a emitir chasquidos y chisporroteos, preparándose para iniciar la marcha. El ramo era caro, pero quizá algún desconocido afortunado lo encontrara y le complaciese.

—Tengo que irme —declaró Mary O'Dell, volviéndose hacia Cora. No se advirtió la menor incertidumbre en su voz. Pero en sus ojos grises asomaba tal desesperación que Cora sintió de nuevo el deseo de dar un paso al frente y abrazarla. Esta vez lo hizo más despacio, con mayor cuidado, sin un gesto infantil ni impulsivo. De nuevo notó los hombros de Mary O'Dell, estrechos como los suyos, rígidos entre sus brazos, pero respondió al abrazo de Cora y no la soltó hasta que el revisor del tren la llamó por la ventanilla para que subiera; entonces retrocedió, con la mirada fija en Cora, el sombrero gris un poco ladeado.

—Ha sido un placer conocerte —dijo Cora sin pensar. Así de arraigada estaba su insulsa cortesía.

Pero daba igual lo que dijera, o si era o no verdad. El tren suspiró de nuevo, ahora en serio, y Mary O'Dell se volvió para marcharse. No miró atrás, ni una sola vez. Pero Cora, reacia a renunciar siquiera a un último vistazo, la vio recogerse la falda del vestido y subir al tren como una dama.

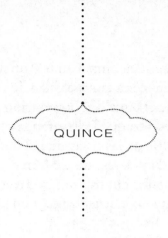

QUINCE

Apesar del calor, y del hecho de que otros estudiantes de danza ya salían por la puerta, Cora esperó fuera hasta las tres en punto antes de entrar a buscar a Louise. Solo quería disponer de unos minutos más para recomponerse antes de lo que prometía ser una larga velada protegiéndose las recientes heridas, todavía abiertas y sangrantes, de la sal de las provocaciones de Louise. La única manera de hacerlo, decidió, era fingir, incluso ante sí misma, que no estaba en absoluto herida. Sería disciplinada en sus pensamientos, y no se permitiría pensar en Haverhill, Massachusetts, ni en espinas en el costado, ni en que sentía el corazón físicamente hinchado de dolor. Al menos no empezaba un fin de semana, con dos días enteros a cargo de Louise por delante. A la mañana siguiente la acompañaría de nuevo a la clase de danza y después regresaría al apartamento vacío, donde, durante cinco benditas horas, podría entregarse a su pena en privado.

No deseaba estar sola. Si acaso, hubiese querido hablar con Joseph Schmidt, sentados en la farmacia tomando una naranjada. Tal vez porque ya le había contado muchas cosas. Tal vez. Daba igual.

Por suerte, la Louise que esperaba esa tarde, la Louise hosca de después de la clase de danza, no sería difícil de sobrellevar. Louise solía estar demasiado cansada para provocarla conscientemente en el regreso a pie bajo el calor de la tarde. Si hablaba, no era para conversar con Cora, sino solo para informarla sobre diversos temas: la elegancia de Ted Shawn, la estupidez de los otros bailarines o lo impaciente que estaba por llegar a casa y darse un baño; nada que exigiese o siquiera esperase una respuesta u opinión por parte de su acompañante. Aquel día, para Cora eso sería lo mejor. Agradecería tanto el silencio como la distracción que le proporcionase el tema de conversación elegido por Louise. Simplemente no deseaba que le llevaran la contraria, no cuando aún recordaba el olor de las rosas de la Gran Estación Central y la espalda arrugada del vestido de Mary O'Dell al subirse al tren, no cuando se sentía tan patética, todavía enarcando las cejas y tragando saliva para no echarse a llorar en la esquina de la calle Setenta y Dos con Broadway.

Solo esperaba que la clase de danza de ese día hubiera sido especialmente intensa, y el calor extremo.

Pero cuando por fin entró y empezó a bajar hacia el sótano, Louise la llamó desde el pie de la escalera, y a continuación echó a correr para recibirla a medio camino. Le brillaban los ojos, sonreía de oreja a oreja, y aunque aún vestía el equipo de danza, se la veía más eufórica que agotada.

—¡Me han elegido! —Aferró a Cora por el codo con una mano caliente y húmeda—. ¡Para la compañía, Cora! ¡Me han elegido! La señorita Ruth ha vuelto, y han tomado la decisión. Está esperándola en el estudio para hablar con usted. Solo han elegido a una alumna para unirse a ellos. —Se señaló el pecho de su traje de lana empapado—. A mí.

—¡Vaya, Louise! —Cora entrelazó las manos—. ¡Cuánto me alegro por ti! —Era verdad. Por un momento, toda su decepción quedó olvidada. Cora sabía lo mucho que Louise deseaba una plaza, lo mucho que había trabajado para conseguirlo. Era un placer ver cómo un sueño se hacía realidad, aunque fuera un sueño ajeno.

—¿No es el no va más? ¿No lo es? Tengo que mandarle un telegrama a mi madre ahora mismo. Podemos hacerlo de camino a casa.

Una chica alta y delgada, de rostro estrecho, reluciente a causa del sudor, salió por la puerta del estudio. Al pasar junto a ellas en la escalera, lanzó una mirada hostil a Louise. Esta respondió con un gesto y una sonrisa.

—¿Quién lo habría pensado? —dijo en voz alta en dirección a la nuca de aquella chica—. ¡Precisamente a mí, tan bajita e insignificante! ¡La única elegida! —Cuando la otra chica desapareció en lo alto de la escalera, Louise, radiante, se volvió hacia Cora–. Quieren que empiece de inmediato. Me voy con la compañía a Filadelfia y actuaré allí mañana por la noche.

–¿Filadelfia? –Cora se apoyó en la barandilla de la escalera–. ¿Mañana? No lo entiendo.

–Sabía que no me creería. Ya se lo he dicho a ellos. La señorita Ruth se lo explicará. –Agarró a Cora por el codo, sin mucha delicadeza, y tiró de ella–. Venga y pregúnteselo usted misma. La está esperando.

Abajo en el estudio, Ruth St. Denis se hallaba de pie junto al piano en una postura perfecta, su cabello blanco recogido en un moño bajo, los pies descalzos casi del todo ocultos por el dobladillo de una falda larga y negra. Le confirmó a Cora que lo que le había contado Louise era, en efecto, cierto. Louise debía ir a clase a la mañana siguiente con una bolsa de viaje para pasar la noche fuera. La compañía, que ahora incluía a Louise, partiría con destino a Filadelfia inmediatamente después de la clase. Tenía previsto que la actuación terminara tarde, y se quedarían a pasar la noche en un hotel de Filadelfia, pero saldrían temprano al otro día y volverían a tiempo para la clase de la mañana siguiente.

–No tiene por qué preocuparse –le dijo a Cora. Una pulsera de jade se deslizó hasta su codo cuando, como quitándole importancia, levantó la mano–. Yo también viajaré, y me responsabilizaré personalmente de Louise. –Se volvió hacia la muchacha–. Ella y yo compartiremos habitación.

Louise, aparentemente contraria aún a las sonrisas forzadas, consiguió mantener una expresión neutra.

–Y si lo de Filadelfia va bien –prosiguió St. Denis con la mirada fija en Louise–, todo el viaje, es decir, si Louise demuestra que es capaz tanto de adherirse al código moral de Denishawn como de cumplir sus exigencias estéticas, podría entrar en la compañía. –Se volvió otra vez hacia Cora–. Como miembro, podría instalarse en la pensión que usamos ya a finales de la semana que viene. Tenemos plantas independientes para los hombres y las mujeres, y nuestra propia acompañante, claro.

Louise miró a Cora con expresión amable.

—Así que ya puede volver a casa —dijo—. Podría marcharse mañana si quisiera. Seguro que no habría ningún problema.

Sin esperar la respuesta de Cora, se volvió y regresó al vestuario. Cora, estoica, la observó alejarse. Era evidente que, pese a que la formidable St. Denis acababa de erigirse en sustituta de Cora, Louise consideraba una buena noticia la prematura marcha de esta, quizá comparable al viaje a Filadelfia y la invitación a incorporarse a la compañía. Pues así era, pensó Cora. Se trataba de una buena noticia. Desde luego, ella no tenía motivos para quedarse más tiempo, ni el menor deseo. Ya había cumplido su objetivo en esa visita a Nueva York, en igual medida que Louise. Había viajado allí con preguntas y ya tenía las respuestas, por desalentadoras que fueran. Tal vez la pena que sentía ahora se aliviara cuando regresara a Wichita, y al final se alegrara de haber ido a Nueva York, dando gracias por haber podido al menos hablar con su madre, aunque solo fuera una vez, y por haber conocido el nombre de su padre. Y podía llevarse a casa el recuerdo de los espectáculos de Broadway y los viajes en metro y el edificio de sesenta plantas. Y podía llevarse a casa el recuerdo de Joseph Schmidt, del paseo por la calle con la radio en el cochecito de bebé, de su sensación de despreocupación y libertad, y también del contacto de los dedos de Joseph en su nuca, de su mirada en la de ella. Recordaría el deseo, sentido e inspirado. ¿Le perjudicarían en algo esos recuerdos? No lo sabía. Lo averiguaría cuando regresara.

Para cenar, Louise insistió en que se sentaran ante la barra de la cafetería de enfrente para que ella pudiera darle a Floyd Smithers la buena noticia y recibir una última clase de dicción. Cora accedió, en parte porque Louise merecía una celebración, en parte porque no se sentía con ánimos para discutir, pero sobre todo porque no le apetecía conversar, y menos con Louise, y supuso que Floyd sería una buena distracción. En eso no se equivocó. Durante media hora larga, Cora mordisqueó un sándwich de queso gratinado mientras Louise comía helado de vainilla con chocolate fundido y de vez en cuando sonreía ante el último y desesperado esfuerzo de Floyd por impresionarla. El muchacho se empleó a fondo. A sus otros clientes no les concedió más que la mínima atención indispensable, pero coronó el helado de Louise con una nueva capa de nata batida cada vez que ella lo pidió. También le dio una cereza al marrasquino de más, que ella chupó como si fuera una piruleta, asomando el pequeño tallo entre sus labios, hasta que le quedaron de un color rojo vivo, como si los llevara pintados. Cora no intervino ni siquiera entonces. Louise pronto sería problema de Ruth St. Denis, y quizá esta podría atajar la falta de decoro de la muchacha. Cora pronto se desentendería, y estaba más que dispuesta a pasar el relevo.

Solo cuando Floyd empezó a hablarle en susurros a Louise por encima de la barra, en voz tan baja que Cora no lo oía, esta se aclaró la garganta y anunció que se marchaban.

—¿Por qué? ¿Por qué tenemos que irnos? —Louise arrancó la cereza del tallo y la masticó como si fuera chicle—. Si usted quiere irse, me parece muy bien. Yo subiré enseguida.

—Tú vendrás conmigo ahora —dijo Cora, y el dolor que sentía en el pecho asomó a su voz, tornándola aguda y quebradiza—. Porque ya basta, Louise. En serio. Ya basta. —Se levantó y esperó. La expresión de su rostro debió de transmitir algo, ya que Louise, sin más protestas, se limpió la boca con una servilleta y le dio las buenas noches a Floyd.

Más tarde, ya en la cama, mientras intentaba leer las últimas páginas de *La edad de la inocencia,* Louise le preguntó por qué estaba tan molesta.

—Ha estado de morros toda la noche.

Estaba junto a la cama en camisón, que era de seda de color rosa claro, sin mangas, y apenas le llegaba a las rodillas. Parecía parte del ajuar de una novia, y Cora no concebía por qué o cómo lo había conseguido. Siguió leyendo, o intentando hacerlo, pero percibía la presencia de la muchacha a su lado, observándola. Para ser una persona a quien le gustaba taparse la cara con un libro tan a menudo, desde luego no parecía tener el menor inconveniente en interrumpir la lectura de otro.

—¿Qué pasa? ¿Debo temer algo? Da la impresión de que tiene ganas de pegarle una bofetada a alguien.

—No me pasa nada. —Cora alzó la vista y forzó una sonrisa. Pero le dolía la mandíbula, y cayó en la cuenta de que había mantenido los dientes apretados. Aun así, no estaba enfadada. No lo estaba. Solo sentía tristeza, una profunda decepción, cansancio después de aquel día lamentable.

—Según mi madre, las arrugas salen por poner caras como esa. O sea, no a usted en particular, a todo el mundo. No diga luego que no se lo he advertido.

Se puso los zapatos de tacón, cruzó el dormitorio hacia el cuarto de baño acompañada de un taconeo y cerró la puerta. Cora volvió a fijar la mirada en su libro. Si Louise quería ver cómo le quedaba el camisón con zapatos de tacón, estaba en su derecho, siempre y cuando permaneciera en el cuarto de baño. No le apetecía iniciar una discusión. Solo quería que la dejara tranquila, leer su libro en paz. Pero incluso el libro le causaba malestar. Louise tenía razón sobre el héroe, que no era un héroe en absoluto: ni siquiera ahora que era viejo, ahora que la esposa a quien no había amado llevaba mucho tiempo muerta, ni siquiera así podía hacer acopio de fuerzas para mirar a los ojos a su verdadero amor, también ya vieja. Cora leyó con los ojos entornados. Un final espantoso para un libro. Sin embargo absorbió cada palabra, a pesar del dolor en la mandíbula, a pesar de que la vista se le empañaba. Cuando terminó de leer la última frase, cerró el libro y cruzó los brazos, con la mirada fija en la pared de color verde guisante. Un final terrible para un libro. Un hombre necio, un desperdicio. Notó su propio ceño fruncido, las arrugas que se formaban en su cara. Posiblemente Louise y su madre tenían razón: estaba forjándose ella misma un rostro avejentado. Y ahora Cora sabía exactamente cómo envejecería, cuál sería su aspecto al cabo de veinte años, quizá menos. Se parecería a Mary O'Dell.

Louise abrió la puerta del baño. Se quedó en el umbral, inmóvil y en silencio, aguardando obviamente a que Cora alzara la vista. Cora así lo hizo, irritada, pero entonces Louise desvió la mirada, quedando prendido en su boca un mechón de pelo negro. Se balanceaba calzada aún con los zapatos de tacón, y el dobladillo del camisón se movía en torno a sus rodillas.

—¿Se ha enterado del tiroteo de anoche?

Cora negó con la cabeza, pese a que Louise miraba aún en otra dirección. Louise volvió a posar la vista en ella, esperando.

—No —contestó Cora—. No sé nada.

—Ah, bueno. Seguramente saldrá mañana en los periódicos. Una chica lo ha comentado en clase. Fue a solo una manzana de donde ella vive. —Se sujetó al marco de la puerta y se descalzó—. Ha contado que a un agente de la Prohibición le llegó un soplo sobre un alambique, y cuando la Policía entró a comprobarlo, alguien empezó a disparar. Mataron a un muchacho en la escalera. Esa chica de mi clase ha dicho que había sangre y quizá sesos por toda la entrada.

Cora entrecerró los ojos, y el pensamiento se le fue directamente a Howard y Earle, como siempre sucedía cuando oía hablar de un chico, cualquier chico, herido o muerto.

—Es horrible —comentó.

—Sí. —Louise se acercó a la cama, con un zapato en cada mano—. Ha dicho que su barrio da miedo desde que empezó la Prohibición. Ha dicho que antes esas cosas no pasaban. Era un sitio seguro.

Cora asintió, de nuevo recelosa. Sin duda, Louise tenía una intención oculta. Buscaba pelea.

—Eso no lo tengo tan claro —musitó Cora. Se deslizó entre las sábanas hacia los pies de la cama y apoyó la cabeza en la almohada—. Es una lástima que ese chico decidiera mezclarse con el tráfico de alcohol y los alambiques.

—No es el caso. —Louise dejó caer los zapatos a su lado de la cama—. No tenía nada que ver con el alambique. Solo vivía en el edificio con su familia, y casualmente estaba en el portal. La chica de mi clase ha dicho que lo conocía de toda la vida, y que era un buen chico.

Cora, callada, escuchó el ventilador en rotación. No se dejaría arrastrar a una discusión. Esa noche no se sentía con ánimos para eso.

Louise dejó escapar un suspiro a la vez que se tendía en la cama, exhalando un olor a dentífrico y polvos de talco. Por la noche hacía tanto calor que se tapaban solo con la sábana, dejando la fina colcha de algodón plegada a los pies de la cama.

—Es una estupidez —comentó Louise, subiendo la sábana—. La gente sigue bebiendo. Y siempre beberá. La gente quiere beber. Y no hay más que hablar. —Miró de soslayo el cuello del camisón de Cora—. ¿Se duerme cómoda con eso? O sea, con ese encaje en el cuello. No puede ser cómodo. ¿Y qué opina su marido?

Cora no contestó. Alargó el brazo hacia la lámpara. No mordería el anzuelo, ni por el camisón, ni por la Prohibición, ni por nada. Solo quería dormirse, no sentir nada, dejar que ese largo día llegara a su fin.

Y se durmió casi en el acto. Pero empezó a soñar, y a la mañana siguiente recordaría un sueño, y seguiría recordándolo durante mucho tiempo: iba aún en camisón —notaba el encaje en el cuello, la suavidad del algodón en las piernas—, pero volvía a estar sentada a la mesa del comedor en Wichita. Estaban allí con ella Alan y Raymond Walker, los dos trajeados, bebiendo té. La trataban con amabilidad, manteniendo una agradable conversación, pero Alan tenía una mano debajo de la mesa, y Raymond Walker también, y ella sabía, por la expresión de sus rostros, que en ese momento se desarrollaba algo ilícito que ella no veía. No miró debajo de la mesa porque no era necesario. Lo adivinaba por las sonrisas y las muecas pícaras de ellos. Y estaba furiosa, furiosa por aquello. Pero entonces se llevó la taza a los labios, y era cerveza, que en su sueño tenía un sabor dulce, como el té con miel. «Como oro líquido», dijo Alan, levantando la taza en ademán de brindar, brindar, al parecer, por ella. Oyó sirenas fuera, cada vez más cerca, quizá sirenas reales de Nueva York en las calles oscuras que formaban parte del sueño, pero tenía sed, mucha sed, de manera que dejó de estar furiosa y de preocuparse por las sirenas y bebió un largo trago de su taza, y la dulzura de la cerveza era tan perfecta, tan fresca y prodigiosa, que echó atrás la cabeza para apurar la taza. Alan sonrió y dijo que no le pasaría nada. Tendrían que permanecer ocultos, pero no eran malas personas. Eran solo personas que querían una copa.

Nunca supo qué la despertó. Después comprendió que la habitación llevaba horas en silencio, sin el menor movimiento aparte del ventilador en rotación. Pero por alguna razón, quizá debido al calor, quizá a causa del petardeo de un coche, recobró la conciencia en la oscuridad, aún con los ojos cerrados. Permaneció inmóvil durante un rato, recordando el extraño sueño y el dulzor imaginado de la cerveza. No era más que un sueño, no un recuerdo. Por la calle pasó un coche, seguido de otro con el motor más ruidoso, y abrió los ojos. La fina cortina resplandecía, iluminada por una farola de luz anaranjada, y volvió la cabeza en dirección contraria, con cuidado para no molestar a Louise. En las últimas semanas se había acostumbrado a compartir la cama con otro cuerpo, a permanecer confinada en un lado, sin extender los brazos y las piernas como hacía en su amplia cama de Wichita. De modo que aguzó la vista en la penumbra para localizar la cabeza de Louise, para calcular de cuánto espacio disponía.

Solo vio la tela blanca de la almohada.

Se incorporó, para cerciorarse, y recorrió la sábana con la mano.

—¿Louise?

El ventilador giraba. Alargó el brazo para encender la lámpara, protegiéndose los ojos del resplandor con la mano. El cuarto de baño estaba a oscuras. Apartó la sábana y se levantó de la cama.

—¿Louise? ¿Estás ahí? Contesta.

Miró en el cuarto de baño, solo para asegurarse, y se dirigió rápidamente a la cocina. En la sala de estar encendió la lámpara baja. El gato siamés del cuadro la miró.

Volvió a toda prisa al dormitorio y agarró bruscamente el reloj de la mesilla de noche. Las tres y veinte. Se recogió el largo camisón, apoyó una rodilla en la cama y miró por encima del borde del lado opuesto, allí donde Louise había dejado los zapatos hacía apenas unas horas. No estaban. Claro que no estaban. Louise los había dejado allí a propósito, audazmente, justo delante de ella. ¿A qué hora había sido eso? ¿A las diez? Hacía más de cinco horas, y no había forma de saber cuándo se había marchado. Cora se acercó a la ventana y, descorriendo la cortina, miró hacia la calle. Incluso a esa hora de la madrugada había gente, hombres y mujeres paseándose por la acera, parando taxis, formando corrillos en las esquinas. Vio unas cuantas ventanas iluminadas en el edificio de enfrente, pero la cafetería estaba cerrada, su letrero eléctrico apagado, sus cristaleras oscurecidas. Desde la acera, un hombre sin chaqueta la saludó con la mano mientras sus dos amigos reían, como si, a pesar de todas las chicas de rodillas desnudas que rondaban por la calle, fuese Cora la que daba el espectáculo para ellos, luciendo su remilgado camisón con la cinta en el cuello, el cabello suelto hasta los hombros. Se apartó de su vista, con el corazón acelerado, y cruzó los brazos ante el pecho.

No sabía qué hacer. ¿Despertar a los vecinos? Las pocas personas que había visto en el rellano y la escalera ni siquiera saludaban. ¿Debía bajar a la calle y empezar a gritar? ¿Preguntar a un desconocido cómo localizar a la Policía? Para que hicieran ¿qué? ¿Tomar nota de la denuncia? Se rozó con los dedos el cuello de encaje, la piel de la garganta. No. No había razones para alarmarse realmente. Louise estaba bien. Debía de haber salido para divertirse, pero volvería pronto, y cuando lo hiciera Cora le echaría un buen rapapolvo, un rapapolvo tremendo, diciéndole lo mucho que la había asustado y lo estúpida que había sido saliendo sola en la ciudad de Nueva York en plena noche. ¿Acaso no sabía que bastaba con que Cora le dijese una palabra al respecto a Ruth St. Denis, solo una, y Louise podía olvidarse de Filadelfia y de la incorporación a la compañía?

Cora apagó la lámpara para poder asomarse de nuevo por la ventana sin ser vista. Esa chiquilla estúpida, pensó mientras, preocupada, recorría la calle con la mirada. Quizá sí debía decírselo a St. Denis. A Louise le estaría bien empleado tener que volver a Kansas, perderlo todo por su comportamiento infantil. Pero a la vez que lo pensaba, sabía que si Louise volvía, no le diría nada a Ruth St. Denis. Louise necesitaba un escarmiento, sí, pero Cora no quería que lo perdiera todo, no cuando estaba tan cerca, cuando había sido la única alumna elegida.

Cuando por fin los vio, no sabía cuánto tiempo había pasado: dos siluetas moviéndose de una manera extraña por la acera, la más alta casi recta, medio sosteniendo, medio arrastrando a la otra; la de menor estatura, inclinada, llevaba un vestido sin mangas de color claro. Cora apretó la frente contra la ventana, ahuecó las manos en torno a los ojos y vio el cabello negro y corto. Tomó la llave y, descalza, corrió escalera abajo, agarrando la estrecha barandilla y deslizando la mano por ella alternativamente. Oía su propia respiración cuando llegó al primer descansillo, e hinchaba las aletas de la nariz como un toro rabioso. Llegó al pie de la escalera, atravesó el suelo sucio del vestíbulo e intentó abrir la puerta de la calle, tomando conciencia en ese momento de que por la noche echaban el cerrojo. Lo descorrió y dio tal empujón a la puerta que esta batió contra la pared exterior.

—Ah. Hola.

Ante ella, en la escalinata cubierta, Floyd Smithers, con la pajarita colgando del cuello, permanecía muy quieto, haciendo lo posible para sostener a Louise, que se desplomaba contra él como una muñeca de trapo. Vestía aún el camisón, con los zapatos de tacón. Levantando la cabeza, miró a Cora entre los párpados medio cerrados.

—Joder —dijo—. Con ella no. Por favor. Llévame a cualquier otro sitio. Con ella no. Ahora no. —Miró a Cora con expresión ceñuda—. Ese camisón es horrible, por cierto. Se parece a la pastorcita del cuento.

Floyd cruzó una mirada con Cora. Se le veía alarmado, y totalmente sobrio.

—Solo quería traerla a casa —dijo.

Por un momento, Cora ni siquiera pudo hablar. Sintiendo en la palma de la mano la llave afilada de la puerta, deseó arañar aquella agraciada cara de universitario. Él era el culpable de eso, aún más que Louise. Ahora Cora sabía de qué habían hablado en susurros por encima de la barra durante la cena. Floyd lo había tramado todo, llevarse a una niña de quince años sola y emborracharla hasta que no se tuviera en pie, para poder... ¿qué? La noche aún era cálida y bochornosa, pero Cora sintió un escalofrío de auténtico miedo.

—Eres repugnante —dijo entre dientes—. Debería llamar a la Policía.

Floyd cabeceó.

—Yo no quería... —Louise empezó a caer hacia un lado, y él separó las piernas para no perder el equilibrio.

—Adivino tus intenciones. —Cora se situó junto a Louise, bajo el brazo desnudo y flácido de la muchacha—. A partir de aquí ya me ocupo yo, gracias. Pero descuida, pronto recibirás noticias mías. Y de las autoridades. Es una niña, quince años. Tú eso ya lo sabías.

Floyd se desprendió de Louise y se apartó. La muchacha apoyó todo su peso en Cora y ambas se tambalearon hacia atrás, casi cayendo contra la pared. Louise, para ser tan menuda, pesaba una barbaridad, su cuerpo denso como una esponja empapada, y costaba sujetarla a causa de lo resbaladizo que era el camisón de seda. Cora, tras enderezarse y rodear la cintura de Louise con el brazo libre, avanzó con cuidado hacia la escalera. Louise balanceó la cabeza y susurró algo indescifrable. Su aliento despedía un olor agrio a leche y piña.

—Floyd. —Cora apartó la cabeza, respirando entrecortadamente. No sabía si él aún estaba allí—. ¿Floyd?

—Sí.

Cerró los ojos.

—Hay que subir tres pisos. Necesito tu ayuda.

Al cabo de un momento, él estaba junto a ella. Puso un brazo bajo las rodillas de Louise y otro bajo sus hombros. Sin el menor comentario, se encaminó hacia la escalera. En cuanto empezó a subir, Louise comenzó a patalear y a golpearle la espalda, protestando entre dientes. En el segundo rellano se le cayó un zapato, pero Cora, que iba detrás, no lo recogió. No quiso. Tal vez el zapato siguiera allí por la mañana. O quizá no. Cora pensó que Louise merecía perderlo.

Ante la puerta, Floyd esperó, sin resuello, mientras Cora introducía la llave en la cerradura. Louise, un tanto reanimada tras el ascenso por la escalera, exhalaba audiblemente, pero lo hacía a propósito, en broma, lanzando su aliento acre a piña en dirección a la mejilla de Cora.

—¿Le gusta, Cora? —preguntó con los ojos medio cerrados, arrastrando la voz—. Es ginebra, eso es. Debería probarla alguna vez. Quizá así no sería tan pelmaza, no estaría tan tensa.

Cora abrió la puerta y se dirigió a la habitación a través de la cocina.

—Déjala en la cama —indicó, tirando de la cadenilla para encender la luz del dormitorio.

Floyd obedeció, sin mucha delicadeza, y luego se apartó, todavía sin aliento y con el rostro enrojecido. Cora observó que ya no se le veía arrepentido. De hecho, parecía haber adoptado el papel de víctima. Cora esperaba que no se sintiera en absoluto absuelto solo por haber subido a Louise por la escalera. Era lo mínimo que podía hacer.

—No ha pasado nada —aseguró—. Nada. Yo solo pretendía traerla a casa.

Cora lo miró fijamente, buscando algún indicio de auténtica sinceridad. Deseaba creerlo. Lo deseaba con desesperación. Pero en ese momento él era capaz de decir cualquier cosa con tal de librarse del peligro. El enrojecimiento en la piel quizá le diera un aspecto más joven, casi infantil. Tal vez no mentía. Pero ahí estaba el problema: era imposible saberlo.

Cora lo fulminó con la mirada.

—¿Por qué sigues aquí?

Él levantó las manos, se volvió y abandonó la habitación a zancadas. Cerró de un portazo al salir. Louise se echó a reír otra vez, tendida de costado, con las piernas encogidas y las rodillas desnudas bajo el mentón. Pero de pronto se interrumpió y contrajo las finas cejas negras. Se llevó la mano al vientre y afloró en su rostro una expresión sombría, casi de miedo.

—Huy, huy, huy. Creo que voy a vomitar.

Cora frunció el ceño. Eso, supuso, era lo más cerca del arrepentimiento que podía llegar a estar la muchacha. No sintió la menor lástima por ella.

—Pues ve al cuarto de baño, por Dios. Y no pienses que voy a cargar yo contigo. Si no puedes andar, ve a rastras.

Para su sorpresa, eso fue lo que hizo Louise. Rodó sobre la cama y, boca abajo, alargó los brazos hacia el suelo. Mientras intentaba deslizar el resto del cuerpo hacia el suelo, perdió apoyo y cayó de frente, lo que hizo que se le levantara el camisón en torno a los muslos. Pero se recuperó. Con un lánguido gemido, fue a gatas como un bebé hacia el cuarto de baño a oscuras. Para alivio de Cora, llevaba ropa interior.

Cora la siguió hasta el baño y tiró de la cadenita para encender la luz. Dos relucientes cucarachas se escabulleron por el desagüe del lavabo, y Louise se tapó los ojos con la sangría del codo. Estaba tendida de costado junto al inodoro. Cora, con un ligero mareo y una sensación de enclaustramiento entre las paredes rojas del cuarto de baño, se apoyó en el borde del lavabo. Quería volver a la cama, dormirse otra vez, pero si deseaba respuestas, respuestas sinceras, debía obtenerlas en ese momento.

—¿Dónde has conseguido la bebida? ¿De dónde la ha sacado Floyd?

Louise sonrió, sus ojos aún ocultos detrás del brazo pálido.

—No lo sé. Yo solo lo he seguido. —Todo asomo de su nueva dicción había desaparecido—. Era un sitio pequeñísimo, Cora. Era como entrar en una cabina de teléfono, pero, llamando a la pared de una manera determinada, abren una puerta y se accede a un salón. ¿Verdad que es un buen truco?

—Un garito clandestino, entonces.

—Hay que ver con qué dominio habla del tema. Qué mundana. Me impresiona.

A Cora le entraron ganas de asestarle una patada. Tan furiosa estaba que de buena gana la habría agarrado y le habría dado una fuerte sacudida a fin de quitarle la borrachera lo suficiente como para que comprendiese la gravedad de la situación, así como el hecho de que su habitual beligerancia no sería tolerada en absoluto. Había andado por ahí con un chico, sin acompañante, y se había emborrachado. Cora tendría que telefonear a sus padres. ¿Y qué les diría? ¿Que su hija quizá había sido violada? ¿Querrían que Cora la llevara a un médico? Quizá Floyd no mentía. Quizá no la había tocado, y un médico podía garantizarles que no había habido violación. Cora juraría que no diría nada. Eso haría. Pero Louise debía poner fin a sus sonrisitas de suficiencia, dejar de comportarse como si todo aquello tuviese mucha gracia.

Louise se incorporó con la mano en la boca. Cora, que tenía poca experiencia con borrachos pero había atendido a su marido y sus hijos en incontables gripes, colocó la cabeza de Louise sobre el inodoro justo antes de que arrojara un chorro de líquido claro que olía más a bilis que a piña. Se vio obligada a apartar la cabeza para no vomitar ella misma, pero mantuvo las manos en los hombros estrechos de la muchacha. A cada nuevo espasmo, Cora le daba una palmada en la espalda.

—Es mejor echarlo —dijo—. Tú sigue. Sácalo todo.

Esperó hasta que Louise echó atrás la cabeza ante el inodoro, ya sin nada en el estómago. Tenía la nariz y las mejillas enrojecidas y los ojos opacos, como ciegos. Retrocedió a rastras hasta topar con la bañera, y allí se quedó sentada, con las piernas desnudas extendidas y abiertas, un tirante del camisón caído. Cora tiró de la cadena y se sentó también ella en el suelo, apoyando la espalda en la pared.

—Es asombroso —susurró Louise—. Me siento mucho mejor.

Cora cabeceó. Había hecho mal en darle palmadas en los hombros, ofrecerle consuelo y auxilio. Louise no sentía el menor remordimiento, ni había aprendido nada.

—Louise, esta es una situación muy grave. Tengo que hacerte unas preguntas y tú debes contestarme con sinceridad. ¿Se ha aprovechado de ti?

Louise fijó sus ojos oscuros en los de Cora, e incluso en ese momento, por increíble que pareciera, todavía con un hilo de baba en la barbilla, asomó a su mirada la condescendencia, la autosuficiencia. Esbozó una sonrisita burlona, pero negó con la cabeza.

—¿Louise? ¿Entiendes qué te pregunto? ¿Estás segura? ¿No se ha aprovechado de ti? ¿Entiendes qué te pregunto? ¿No te has puesto... en una situación comprometida, Louise? Eso te pregunto.

Louise levantó las manos como si hiciera un juramento.

—No me ha puesto en una situación comprometida. Sigo sin compromiso alguno.

Cora cerró los ojos.

—Gracias a Dios.

Louise se echó a reír otra vez, bajando la mano para enjugarse la mejilla.

245

—Es a mí a quien debe dar las gracias, ¿no le parece? Floyd no es mi tipo. Creo que yo le vengo un poco grande. —Guardó silencio por un momento y deslizó la lengua por debajo del labio inferior—. Otros hombres tenían más dinero para las copas.

—Ay, Louise. —Cora sacudió la cabeza.

—Ay, Cora. —Louise la imitó—. No se preocupe tanto por mi virginidad, por la posibilidad de que la pierda aquí en Nueva York. Le diré que ni siquiera me la traje en la maleta, para su información. Se quedó allí en Kansas, en algún sitio. —Estiró los brazos pálidos hacia arriba, arqueando la espalda, apartándola de la bañera—. Lamento decírselo ahora, cuando tan apasionadamente ha intentado cumplir con su deber. Ha sido un detalle adorable, de verdad. —Cruzó los brazos e hizo un mohín—. Pobre Cora. Pobre Cora, la muy tonta, con la misión de proteger mi virginidad. Era un encargo inútil, me temo. La perdí hace mucho.

Cora observó el rostro de la muchacha, sus ojos soñolientos. Quizá mintiera, sin más intención que turbarla. Pero Louise, si acaso, parecía menos cauta que de costumbre, menos dispuesta a actuar conforme a una estrategia. Por efecto de la bebida se comportaba con descuido, pero era sincera.

—Se la ve sorprendida. —Se tiró de un mechón de pelo negro para llevárselo a la boca, pero no le llegaba—. Supongo que ustedes las señoras de Wichita en realidad no saben gran cosa de mis paseos en coche a la iglesia.

Cora negó con la cabeza. No entendía el comentario. Louise puso los ojos en blanco.

—¿Eddie Vincent? —dijo.

Cora tardó un momento en reconocer el nombre.

—¿El señor Vincent? Era tu profesor de catequesis, Louise. Dijiste que te llevaba a la iglesia.

—Sí. Y hacía otras muchas cosas.

Cora tragó saliva, advirtiendo la expresión burlona de la muchacha, el desenfado en su voz. Como si no la avergonzara aquella insinuación. Era horripilante lo que parecía dar a entender.

—¿Qué estás diciendo? ¿No irás a decir que...? Louise, sé clara.

—Estoy diciendo que tuvimos una aventura, pedazo de tonta. —Se levantó el dobladillo del camisón y luego lo dejó caer otra vez sobre las rodillas–. Me regaló esto tan bonito. ¿Verdad que es una monada? Me sacó fotografías con esto puesto, realmente hermosas. Tiene buen ojo. Podría haber sido artista, pero su mujer se quedó embarazada.

Cora percibía la dureza de las baldosas debajo de ella, el aire caliente y sofocante del cuarto de baño.

–Louise, Edward Vincent es un hombre respetado en Wichita. Esa es una acusación grave.

–Yo no lo acuso de nada. –Se examinó el dorso de la mano–. Solo le digo que tuvimos una aventura. Fui su amante.

Cora buscó algún indicio de temor o pesar en los ojos de la muchacha, la mínima señal que pudiera inducir a pensar que mentía, o al menos que exageraba. Pero no la había. Se la veía muy segura de sí misma, incluso orgullosa.

–Ay, Louise. –Cora sintió náuseas–. Si eso es verdad, si eso tan horrible que me cuentas es verdad, no fue una aventura. No fuiste su amante. Edward Vincent es mayor que yo. Es profesor de catequesis. Tengo que decírselo a tu madre.

Louise bostezó y un trino de soprano escapó del fondo de su garganta.

–Bah, creo que ya está enterada. Sabía que me fotografiaba, que yo posaba para él. Pensó que quizá yo podría utilizar esos retratos para mi carrera. No entramos en detalles. –Dirigió a Cora una mirada de reproche–. No creo que quiera hablar con usted de eso. Probablemente no vería con buenos ojos que se tome usted semejantes... confianzas.

Cora se llevó la mano a la garganta. Era como si el vómito agrio y la ginebra hubieran llegado de algún modo a su propio estómago. Edward Vincent, repeinado y con sus sonrisas de suficiencia en la iglesia, sentado siempre en uno de los primeros bancos con su mujer. ¿Y Myra? ¿Qué clase de madre permitía a su hija posar para fotografías como esas? ¿Qué le pasaba a esa mujer?

–Louise –dijo en voz baja–, ¿estás segura de que tu madre conoce el alcance de lo sucedido? Me cuesta creer que una madre no hiciera nada si supiera que un hombre casado de mediana edad había puesto en un compromiso a su hija de catorce años.

—No me puso en un compromiso. ¿Por qué usa esa palabra una y otra vez, Cora? Follábamos, ¿lo entiende? —Desplegó una sonrisa feroz, y soltó una carcajada—. Me gusta follar. A usted quizá no, pero a mí sí.

Cora desvió la mirada. Si la muchacha se proponía escandalizarla con su vocabulario, con su despreocupada vulgaridad, lo había conseguido. Y era evidente que le divertía hacerse la mujercita moderna y liberada, dejando atónita y horrorizada a Cora, y a toda su generación. Pero cuando Cora se volvió y miró con severidad el rostro de la muchacha, vio, más que liberación, pura pose y fanfarronería, y debajo de eso una auténtica incertidumbre.

—No, Louise. No. Si lo que dices es verdad, Edward Vincent se aprovechó de ti. Tú eras una niña. Todavía lo eres.

—No sabe de lo que habla. He dicho que me lo pasaba bien, y así era. Me gustaba follar con él, Cora. Usted es tan vieja y está tan muerta que no lo entiende.

Cora se succionó los labios, tanto que le dolieron. Incluso borracha y frágil, sabía el punto exacto donde atacar y cómo hacerlo. Pero eso no importaba. En ese momento no.

—El pastor debe saberlo.

—¡No! No. No meta en un lío a Eddie. Dios mío.

—Todavía es profesor de catequesis.

—¿Y qué?

—¿Qué será de las demás chicas?

Louise dirigió al techo sus ojos oscuros.

—¿Qué pasa con ellas? Tampoco es que sea un obseso del sexo. Le gustaba yo en particular. No veo qué hay de malo en eso. Y si alguna otra chica lo consigue después, bravo por ella. Yo estoy en Nueva York. ¿A mí qué más me da?

Era convincente, pensó Cora. Tal vez no fuera solo fanfarronería. Quizá sencillamente era tan sofisticada, tan desenvuelta, y tenía una manera de pensar tan distinta de la de Cora, que no podían entenderse. Pero no podía rendirse sin más.

—Ese hombre cometió una atrocidad, Louise. Si lo que me cuentas es cierto, cometió una atrocidad. Abusó de su posición. ¿Y eso cuándo ocurrió? ¿El año pasado? ¿Cuando tenías trece años? ¿Catorce?

–Por Dios, no se dispare. Si tanto le interesa, debe saber que ni siquiera fue el primero. –Volvió a reírse, frotándose la nariz–. ¿Qué? ¿Qué le parece eso, Cora? Ahora sí la he descolocado de verdad. Me pusieron en un compromiso incluso antes de que nos trasladáramos a Wichita. ¿Qué le parece? Mucho antes de lo de Eddie. ¿Qué me dice de eso?

Otra cucaracha salió correteando de detrás del inodoro en dirección a una grieta en la pared opuesta. Cora la observó con mirada de estupefacción. Quizá era una pesadilla, tanta desdicha en plena noche, no más real que beber cerveza en tazas de té con Alan y Raymond Walker. Pero la cucaracha parecía real, y debajo de ella notaba lisas y duras las baldosas del suelo. La pintura roja de las paredes resultaba tan chillona como de día. Y a Louise aún le resbalaba baba auténtica por el mentón.

–¿De qué estás hablando, Louise? Hace años que tu familia vive en Wichita.

–Solo cuatro.

–¿Estás diciéndome que tuviste otra aventura a los once años?

Louise la miró con un semblante tan inexpresivo que Cora lamentó el sarcasmo. Pero era incapaz de concebirlo. Sencillamente, era incapaz. Jamás en la vida había mantenido una conversación como esa.

–No fue una aventura –respondió Louise con voz apagada, los dedos de los pies apuntando hacia arriba a ambos lados del inodoro–. Pero nos llevábamos bien. Él era amable con todos los niños, pero conmigo más. Y fui yo quien decidió ir a su casa.

–¿A casa de quién? ¿De qué hablas?

–Del señor Flowers. Era nuestro vecino en Cherryvale. Era amable con todos los niños, amable con mis hermanos. June era demasiado pequeña para jugar con nosotros. Él dijo que tenía palomitas de maíz en su casa. Dejó caramelos en el porche. Así que yo me acerqué. Solo yo me acerqué. –Apretó los labios–. Es curioso, ¿no? Perdí la cereza en Cherryvale, «Valle de la Cereza». Y me desfloró el señor Flowers, el señor «Flores». Tiene gracia, ¿no?

Cora se tapó los ojos con las manos. Todo en su interior deseaba creer que Louise jugaba con ella, que se inventaba esa historia espantosa para distraerla del problema inmediato. Pero aquella era una Louise distinta, una Louise borracha, desmoronada contra la bañera, sin el menor *glamour,* con el cabello remetido detrás de las orejas, la nariz todavía roja en la punta. Y además era como si el propio cuerpo de Cora, con la respiración acelerada y superficial, sí la creyese. Pese a que ni siquiera llevaba el corsé, no podía aspirar aire suficiente.

—¿Cuando eras una niña? —La voz le salió en un susurro—. ¿Tenías once años, Louise?

—No. Ocurrió un par de años antes de trasladarnos. —Ceñuda, mantuvo la mirada fija en las baldosas del suelo—. Volví a casa y se lo conté a mi madre, y ella se enfureció... se enfureció conmigo.

Cora clavó los ojos en ella. Nueve, pues. Nueve años.

—Dijo que yo debía de haberlo provocado. Aunque en realidad, en mi memoria, solo recuerdo que quería las palomitas.

Un hombre adulto, pensó Cora. Un hombre adulto que atrajo a una niña con palomitas de maíz. ¿Para qué? ¿Con qué clase de anhelo? Nunca habría imaginado una cosa así. Nunca había oído nada semejante.

—¿Avisó tu madre a la Policía? ¿Se lo contó a tu padre?

La pregunta pareció sorprender a Louise, como si no se lo hubiese planteado antes.

—Es posible que se lo contara a mi padre. Pero me dijo que no lo comentara con nadie más, porque la gente hablaría mal de mí. Y que no volviera allí nunca. Y que pensara más detenidamente en mi manera de comportarme.

—Eras una niña.

Ella cabeceó, contrayendo las cejas negras, como si Cora la molestara con comentarios tontos.

—Eso daba igual. Ya por entonces yo tenía algo, algo que él vio. Eso quiso decir mi madre.

Cora, conteniendo un gemido, recordó su primer día en la ciudad. ¿Qué le había dicho a Louise? ¿Qué idiotez le había dicho sobre el escote de la blusa? «¿Es que quieres que te violen?» Y cosas peores. Se inclinó e intentó tocar la rodilla de la muchacha. Louise la apartó, poniéndola fuera de su alcance.

—Louise, tu madre se equivocó. Tú eras una niña, una niña inocente. —¿Y acaso no lo era todavía? Cora sintió el profundo deseo de tender los brazos, de consolarla, de acariciarle el pelo negro.

—Cuando entré, quizá, pero no cuando salí. —Miró a Cora con frialdad—. No juzgue con severidad a mi madre. Ella tenía razón. La gente habría hablado mal de mí. —Entornó los ojos—. Usted habría hablado mal de mí. Habría sido la primera. Porque mi caramelo había sido desenvuelto, ¿no?

Cora, reconociendo sus propias palabras, lo recibió como una bofetada. Levantó las palmas.

—Olvídate de lo que dije del caramelo. Por favor. Eso no tiene nada que ver con lo que me has contado. Por favor, olvídate de que lo dije.

—No me olvidaré de nada.

Se miraron, y entonces Cora, por primera vez, tuvo la penosa experiencia de verse a sí misma, de verse realmente, tal como Louise la veía. Una vieja confusa e hipócrita. Una tonta con una misión inútil, ciertamente. Había sido una tonta todo el verano, una infeliz que soltaba máximas estúpidas e hirientes sobre los caramelos y la virtud, que decía mentiras a una niña lastimada. ¿Y acaso no eran mentiras? ¿No lo sabía ella ya? ¿Por lo que había sido a los diecisiete años el verdadero valor de su propia virginidad, su propia ignorancia? ¿Por qué se había empeñado en enseñar a esa muchacha a engañarse acerca del valor de la virginidad tanto como se había engañado ella? ¿Por qué? ¿Qué interés tenía?

Louise se dio la vuelta y utilizó el borde de la bañera para apoyarse y ponerse de rodillas. Tenía manchas rojas en la parte de atrás de las piernas, las marcas de las baldosas.

—Quiero lavarme los dientes —masculló mientras se ponía en pie.

Cora asintió. Pensó en tender la mano, pedirle tácitamente a Louise que la ayudara a levantarse, pero estaba casi segura de que se negaría. Alargó el brazo hacia el borde del lavabo y se puso en pie, sintiéndose más dolorida y vieja de lo que era.

—¿Podría disponer de un poco de intimidad? —preguntó Louise, ahora sin mirarla—. Tengo que hacer pipí.

251

Cora, entumecida, volvió al dormitorio. «Inocente cuando entré, no cuando salí.» La cortina seguía descorrida en la ventana ante la cual, apenas quince o veinte minutos antes, había permanecido atenta y furiosa. Fue a correr la cortina y vio que las farolas seguían encendidas, pese a que el tráfico en la calle y las aceras había disminuido. ¿Serían las cuatro? ¿Más tarde? Se acostó en su lado de la cama y se subió la sábana hasta la barbilla. Esperaría para asegurarse de que Louise volvía a la cama y al menos dormía un poco. Pero entendía que la muchacha deseara cierta intimidad, o al menos la ilusión de intimidad, aunque solo fuera durante los contados días que aún tuvieran que compartir esa habitación. De modo que Cora se volvió hacia la pared y cerró los ojos, si bien sabía que no lograría conciliar el sueño.

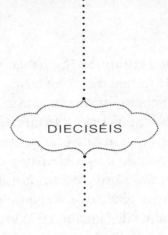

## DIECISÉIS

El dueño de la tienda de alimentación de la esquina, un ruso de nariz aguileña, le dijo que ella era su primera clienta de la mañana y prosiguió con un parloteo cordial hasta que reparó en la mirada vacía y agotada de Cora. Sin sentirse obligada a prolongar la conversación, compró el *New York Times,* una barra de pan, mermelada de fresa, mantequilla, una lata de té negro y seis naranjas. Ya en la calle, el aire era agradable, casi fresco, dado que era muy temprano y el sol apenas empezaba a iluminar el cielo.

La entrada del edificio seguía igual que siempre, sin la menor señal del drama ocurrido apenas unas horas antes. Al subir por la escalera vio el zapato de Louise, el tacón encajado entre los balaustres cerca del segundo rellano.

Tras entrar sigilosamente en el apartamento, dejó el zapato en el suelo y la compra en el escritorio. Puso agua a hervir para el té, se descalzó y fue a la habitación. Louise dormía de costado, con los brazos y las piernas encogidos. Tenía casi toda la cara tapada con las manos, pero a cada exhalación emitía un suave silbido. Cora, quedándose tranquila, salió en silencio de la habitación.

El periódico incluía un artículo sobre el muchacho muerto en el portal. Ocurrió tal y como lo había descrito Louise: una redada de la Policía tras tener noticia de la existencia de un alambique, los traficantes de alcohol armados, el chico que salía por el portal de la casa justo en el peor momento. Aparecían unas declaraciones del jefe de la Policía, quien lamentaba que una persona inocente, un niño de trece años, hubiera perdido la vida a manos de violentos criminales. Se había detenido y acusado a los sospechosos de homicidio voluntario, así como de la elaboración ilegal de alcohol, ya que se habían encontrado y destruido varios barriles de ginebra. La madre de la víctima, en otra declaración, afirmaba que su hijo era, en efecto, un buen chico que jamás se había metido en problemas, y se incluía una imagen del portal mientras lo fregaba un hombre con expresión lúgubre, identificado en el pie de foto como el tío de la víctima.

Cora apoyó la palma de la mano en la imagen, primero con suavidad, luego presionando, como si intentara borrarla.

Necesitaba algo para mantenerse ocupada, algo silencioso que hacer mientras Louise dormía, así que leyó el diario entero, de cabo a rabo. En casa leía el periódico con regularidad, y desde su llegada a Nueva York leía el *Times*. Pero esa mañana en particular le llamó la atención la mezcolanza de historias frívolas junto con otras perturbadoras. Babe Ruth había anotado tres carreras en un día por segunda vez. En Rochester, una enfermera de veintiún años se había suicidado saltando de una ventana porque, según sus compañeras de apartamento, no sabía cómo decirle a su novio que no podía casarse: uno de sus padres era medio negro. Una estrella de cine se había divorciado en Las Vegas. En Alemania, el ministro de Asuntos Exteriores, judío, había sufrido un atentado frente a su casa, y un grupo radical pero comprometido amenazaba con matar a otros judíos que detentaban cargos importantes. Brooklyn planeaba crear dos mil plazas de aparcamiento en Coney Island. Los armenios estaban pasándolo mal, se morían de hambre. El presidente Harding manifestaba su firme intención de poner fin a la crisis del carbón. Los obreros del sector textil habían ido a la huelga. Se había producido otro linchamiento en Georgia, esta vez de un muchacho de quince años. En un tono más alegre, anunciaban que las faldas por encima de la rodilla empezaban a estar pasadas de moda y se habían bajado otra vez los dobladillos, por lo que en todo el país, padres, clérigos y educadores dejaban escapar un suspiro de alivio colectivo, ya que la moralidad volvía a estar en boga.

Cora se reclinó en la silla y contempló las paredes de color amarillo pálido de la sala de estar, ahora iluminadas por el sol, y el cuadro del gato siamés. Tenía la mandíbula apretada y los puños cerrados. Era inútil fingir que seguía solo triste o decepcionada. Dos veces tuvo que levantarse y pasearse por la sala.

A las nueve menos cuarto entró en el dormitorio y descorrió lentamente la cortina, encogiéndose al oír el chirrido de los ganchos en el riel. Louise se volvió de espaldas a la ventana y se tapó la cabeza con la sábana.

—¿Louise? —Cora se acercó a la cama por el lado de Louise—. Ya es la hora. Si quieres ir a clase, tienes que levantarte ya. Debes salir de la cama y vestirte. Y hacer la maleta para ir a Filadelfia.

No se oyó nada. Pero Louise contrajo sus cejas negras.

—El té y el desayuno están en la sala. —Esperó—. ¿Louise? Si quieres dormir, duerme. Decídelo tú misma. Pero si llegas tarde a la clase, no irás a Filadelfia. Y tal vez no entres en la compañía.

La sábana bajó unos centímetros. Louise miró a Cora con visible aturdimiento, los ojos llorosos, enrojecidos. Pero ahora estaba despierta, era capaz de tomar una decisión. Satisfecha, Cora entró en la cocina. Sirvió dos vasos del té frío que había preparado antes. Metió cuatro rebanadas de pan en el horno y empezó a pelar una naranja. Al cabo de un rato, oyó a Louise moverse en el cuarto de baño, abrir el grifo, escupir. Cora llevó los platos y los vasos a la sala y los puso en la mesa. Dobló el periódico y lo guardó. No quería distracciones en ese momento.

Sola en la mesa, Cora se comió su naranja, aunque tenía un nudo de pavor en la garganta y le costaba masticar y tragar. Quizá no debía decir nada. Podía fingir que la conversación de la noche anterior no se había producido, y ninguna de las dos volvería a mencionar a Edward Vincent ni al señor Flowers. En cierto modo, esa parecía la mejor solución. Ella era solo una acompañante. Tal vez no le correspondía entrometerse en un asunto tan íntimo y horrendo. Así y todo, dudaba que fuera capaz de fingir que no sabía nada, al menos ahora, cuando tenía ya plantada en la cabeza la imagen de Louise, una niña, invitada a entrar en una casa ofreciéndole palomitas de maíz, o cuando pensaba en Edward Vincent dando clase de catequesis.

Louise salió de la cocina apretándose las sienes con las manos. Se había puesto un vestido de algodón holgado, y parecía haberse mojado la cara y peinado. Pero se movía por la sala con cuidado, como si fuese el puente de un barco balanceándose. A Cora, sentada ya a la mesa, no le pareció posible que una persona en ese estado pudiera practicar la danza con rigor en el plazo de una hora. Aun cuando fuese capaz de sobrellevarlo, no lo haría mínimamente bien.

—Tal vez deberías quedarte aquí y descansar —sugirió—. Puedo acercarme yo allí y decirle a la señorita Ruth que estás enferma. Quizá solo te pierdas Filadelfia.

Louise se desplomó en la silla de enfrente, con la mirada puesta en las tostadas y la naranja pelada.

—No es mentira. —Cora untó su tostada con mantequilla—. Estás enferma.

—¿Qué más le dirá? —Ahora Louise hablaba con voz áspera y grave.

—Nada. —Cora apretó demasiado el cuchillo y abrió un agujero en la tostada. Lo miró y, tras una rápida reflexión, abandonó toda simulación, dejando caer ruidosamente el cuchillo en el plato. Louise alzó la vista, sobresaltada.

—Louise, no tengo el menor interés en echar a perder tu oportunidad con Denishawn. Si deseas ir a Filadelfia, ve. —Cora alisó el borde del hule—. Quiero hablar de lo que me contaste anoche. —Confiaba en transmitir con el semblante toda su pesadumbre insomne, así como su indignación. Pero por si acaso se aclaró la garganta—. Lo siento. Siento mucho... lo que pasó. En Cherryvale, quiero decir.

Louise se limpió la boca con el dorso de la mano. Parecía abochornada. Cora no habría imaginado que eso fuera posible. Pero la expresión duró solo unos segundos y luego reapareció aquella mirada serena que tan bien conocía.

—No sé de qué me está hablando.

—Louise.

—De verdad que no.

—¿Flowers? ¿No se llamaba así?

—Dios mío. —Se apretó el pelo contra las sienes—. Tenía que haber mantenido la boca cerrada. —Ni siquiera hablaba con Cora, se limitaba a mascullar para sí—. Así aprenderé. Esa es la razón por la que no debería beber.

—Habría que decírselo a alguien, Louise. Podría seguir tendiendo anzuelos a niñas, a niñas pequeñas, para que vayan a su casa.

—No. —Levantó una mano, agitándola débilmente—. Por lo que yo sé, nunca fue otra niña. —Claro que no sabía nada, pensó Cora. Si hubiese habido más niñas, sus madres también les habrían dicho que callaran. Era imposible saberlo—. De todos modos se marchó de la ciudad. Se mudó antes que nosotros.

—¿Sabes adónde?

—Ni idea. Cora, ni siquiera estoy muy segura de que ese fuera su nombre. Quizá yo solo recordaba Flowers. Ahora que lo pienso, podría haber sido el señor Feathers, el señor «Plumas», no el señor Flowers. —Sonrió—. Quizá en lugar de desflorarme me desplumó.

—Esto no tiene gracia, Louise.

—¿Eso no me corresponde a mí decidirlo? —La sonrisa había desaparecido—. Por favor, déjelo, ¿de acuerdo? Es simplemente una cosa que pasó. Estoy bien. No quiero que monte alboroto por eso.

—No pretendo abochornarte, si es eso lo que estás pensando.

—Pero usted sí me abochornaría. —La miraba con dureza, sin pestañear—. Así que, en serio, hágase cargo: si saca a relucir lo de Eddie, o lo de Cherryvale, yo haré ver que no sé de qué está hablando. Mi madre actuará igual, téngalo en cuenta. Sencillamente quedará como una loca.

Cora contempló su tostada rota. Myra. Vaya una madre deplorable estaba hecha. Y Leonard, un padre preocupado y ciego. Louise era allí la verdadera huérfana. Cora había tenido a los Kaufmann.

Louise dejó el cuchillo en la mesa y lo hizo girar ociosamente como si fuera un dial.

—¿Lo que acaba de decir es verdad? ¿En serio no va a contarle a la señorita Ruth lo de anoche?

—En serio.

Louise fijó la mirada en su plato, en la tostada sin comer. Parecía demasiado confusa para sentir agradecimiento.

—Bien —dijo por fin—. Entonces iré a clase. Ahora haré la maleta. —Empujó el plato hacia Cora—. No puedo comerme esto. Lo siento.

—Deberías comer algo. Aunque solo sea la naranja. Pasarás cinco horas en clase. Y después saldrás de viaje.

—No lo retendría. —Echó atrás la silla y se levantó.

Cora alzó la mano. Louise la miró, con expresión aturdida. Se inclinó a un lado y se apoyó en el respaldo de la silla para no perder el equilibrio.

—¿Qué?

—Estoy preocupada por ti —dijo Cora.

—No tengo apetito.

—No es por eso, Louise. Estoy preocupada por ti.

Aunque su objetivo no era decir la última palabra, esa fue la única vez que lo consiguió. Louise se limitó a dejar escapar una risa grave antes de darse media vuelta y abandonar la sala.


Apenas hablaron en el camino a la clase. Louise andaba con sorprendente normalidad, incluso con tacones, con la bolsa de viaje balanceándose colgada de su hombro. Pero sí aceptó la propuesta de Cora de parar a comprar unas aspirinas, así como una manzana para llevarla en la bolsa. Para cuando bajaron al estudio por la escalera, daba la impresión de sentirse única y exclusivamente bajo los efectos de una buena noche de sueño. Al salir del vestuario, sonrió a Ted Shawn y saludó a St. Denis, dándole alegremente los buenos días. Así y todo, Cora se quedó allí un rato más, observando los ejercicios de calentamiento desde la silla metálica del rincón. Cualquier preocupación que pudiera albergar desapareció enseguida: Louise exhibía los movimientos elegantes y precisos de siempre, y cuando por fin lanzó una mirada hacia el reflejo de Cora en el gran espejo, lo hizo con irritación, o quizá con algo peor. Cora, al ver que su vigilancia no era bien recibida, se encaminó hacia la puerta.

El camino de regreso al apartamento se le hizo especialmente largo y caluroso. Nada más llegar llenó la bañera. No necesitaba lavarse el pelo, pero en cuanto se sumergió en el agua tibia, hundió la cabeza y sus rizos se desplegaron, ingrávidos, en torno a ella. Ya sola por fin, se permitió llorar. Llevándose la mano a la nuca, se acarició el vello con los dedos. Pronto volvería a casa; al cabo de unos días regresaría a su vida real. ¿Y qué había conseguido? Con Louise, nada. Y nada consigo misma. Había viajado hasta allí con la esperanza de que encontrar a su madre o su padre, o como mínimo saber algo de ellos, le proporcionara cierta satisfacción, o al menos le indicara el camino para ser más feliz. Siempre había supuesto que esa primera pérdida, no recordada, que tuvo lugar incluso antes de su viaje en tren, era la raíz de su desdicha. Pero tal vez no era muy distinta de cualquier otra persona criada con sus padres de verdad, con hermanos y hermanas y un apellido compartido. Quizá su orfandad no era más que una excusa. Porque ahora conocía el nombre de su madre y el de su padre, sabía todo lo que necesitaba saber, y no percibía ninguna diferencia.

Había envidiado mucho a Louise.

Tras salir de la bañera, con el pelo chorreando, corrió la cortina del dormitorio y encendió el ventilador eléctrico, no solo por el frescor sino también por el zumbido que ahogaría los sonidos que entraban por la ventana abierta, los motores revolucionados y el petardeo en la calle. Se tendió, refrescada por el agua, desnuda bajo la sábana, y se propuso firmemente serenarse. Necesitaba dormir, recuperar las horas de sueño que había perdido esa noche, e intentó pensar en su porche circundante de Wichita. En apenas una semana estaría sentada en el balancín del porche delantero con Alan, bebiendo limonada y contemplando el gran roble del jardín, y saludando a los vecinos que pasaban por delante a pie o en coche. Haría lo que siempre había hecho, y volvería a la vida que conocía. Pero incluso mientras intentaba recrear en su cabeza las imágenes de Wichita, incluso mientras procuraba creer que la corriente de aire del ventilador era la brisa fresca del otoño en su propio jardín delantero, mantuvo los ojos abiertos durante un rato, fijos en el techo bajo, con la expresión de una persona atónita.

Cuando por fin la venció el sueño, durmió mucho rato. Despertó con el pelo seco como una madeja de lana, casi todo aplastado entre la cabeza y la almohada. Y tenía hambre. Mucha hambre. Consultó el reloj con los ojos entornados, ahogó una exclamación y saltó de la cama. Estaba ya medio vestida cuando cayó en la cuenta de que no llegaba tarde a ningún sitio. Louise iba de camino a Filadelfia, bajo control hasta la tarde del día siguiente.

Se sentó en la cama, pasándose los dedos por el pelo enmarañado de la parte de atrás de la cabeza. Tenía esa noche para ella, para hacer lo que quisiera. Por de pronto, debía comer.


Media hora después estaba sentada a la barra de la cafetería, esperando a que Floyd Smithers se dignara a reconocer su presencia. Sabía que simplemente fingía no verla; aún no era la hora de la cena y en la barra solo había otros tres clientes, una pareja de ancianos y un hombre de negocios. Floyd iba de uno a otro, ofreciendo más café y ceniceros limpios. Cora esperaba, con paciencia, contemplando el menú, aunque para entonces estaba más que hambrienta; estaba tan famélica que no podía ni pensar.

—¿En qué puedo servirla? —preguntó él por fin, de pie ante ella. En su rostro no se advertía el menor asomo de sonrisa.

—Floyd. —Cora dejó el menú y se inclinó un poco sobre la barra.

Mirando por encima de ella, Floyd recorrió el restaurante con la vista.

—Oiga —susurró, mirándola de soslayo—. Por favor, no me cause problemas aquí. Lo siento, ¿de acuerdo? Créame, lo siento. Y sé que está enfadada. Lo sé.

Cora advirtió entonces lo cansado y ojeroso que estaba. También para él había sido una larga noche.

—No quiero causarte problemas —susurró ella—. Solo quiero decirte... —Miró por encima del hombro. Los dos ancianos se reían de algo, algo personal. Nadie escuchaba. A nadie le importaba—. Solo quiero decirte —probó de nuevo— que Louise me contó que tú no... que no pasó nada. —Sintió el calor en las mejillas—.

Estuve demasiado dura contigo. Un poco. O sea, sabías que Louise es joven. No deberías haber permitido que se escapara y se reuniera contigo de esa manera. —Ella sostuvo su mirada, fijándose en sus largas pestañas, el leve salpicón de pecas en la nariz—. Pero gracias por llevarla a casa.

Cora lo había sorprendido. Al mirarlo a la cara, eso fue lo único que vio, las arrugas en su frente joven mientras la observaba. Sonó la campanilla de la ventana de la cocina, y Floyd se volvió para recoger el pedido. Cora examinó de nuevo el menú, deteniéndose en una detallada descripción de algo llamado «megasándwich». Finas lonchas de rosbif. Queso emmental. Una mezcla especial de hierbas y especias. Pan recién hecho.

Floyd reapareció ante ella con una expresión menos tensa.

—Para que lo sepa —susurró—, yo no quería que la noche acabase así. —Golpeteó el borde de la barra con su bloc, expulsando el aire entre los dientes—. Pensé en llevarla a algún sitio de adultos. Ya me entiende, para impresionarla. En fin, hice el tonto, eso desde luego. En cuanto entró allí, empezó a tratarme como a un hermano pequeño. Se puso a hablar con otros hombres, algunos de ellos individuos de armas tomar, ya me entiende. Mucho mayores que yo, para su información, y luego no había manera de sacarla de allí. Se negaba a escucharme. Apoyé la mano en su brazo y casi me la arranca de un mordisco. No sabía qué hacer. —Parpadeó lentamente, agotado—. Nunca he visto a una chica beber así.

Cora deseó alargar el brazo y darle una palmada en la cabeza, tal como haría quizá con uno de sus propios hijos después de confiarle este algún mal de amores. Imaginó la escena en el bar clandestino, el cambio en Louise tan pronto como consiguió entrar, y el creciente pánico de Floyd al tomar conciencia del lío en que se había metido. Era mayor que Louise, pero no tendría más de diecinueve años, veinte a lo sumo. Un muchacho atractivo y decente. Louise, en sus propias palabras, le venía un poco grande. Y sin embargo Floyd había esperado allí, tal vez durante horas, para asegurarse de que ella volvía a casa.

—Yo solo quería conocerla. —Arrugó la frente, pasando un paño por la barra—. Y usted no iba a permitirlo. No iba a dejar que yo la invitara a salir. Lo sabía. Es la chica más guapa que he visto en la vida. Todos los días estaba aquí esperando a que ustedes entraran, pensando en ella a todas horas. No sabía qué otra cosa hacer.

Cora asintió. El chico tenía razón. Jamás le habría permitido que invitara a Louise a salir. De modo que él había buscado la única solución posible.

—Lo siento —dijo ella—. Lo siento por todo, por este lío. Y me alegro de que seas un buen chico. —Hizo una pausa tan larga como pudo—. Y me gustaría tomar el megasándwich, por favor.

El paño se detuvo.

—¿Cómo?

—Un megasándwich. —Señaló la descripción en el menú—. Y un vaso de leche, por favor.

Él la miró con extrañeza. A ella le dio igual. Había dicho que lo sentía, y lo sentía, pero ahora tenía tal hambre que de buena gana se habría acercado a la pareja de ancianos y se habría comido el panecillo con mantequilla del plato del hombre.

Se bebió la leche en cuanto llegó, notando cómo el frío le llenaba el estómago. De inmediato notó que el corsé la oprimía. Pero eso no era así. El corsé no oprimía. No se movía. Siempre permanecía igual. Era su vientre el que se agrandaba, se expandía con un simple vaso de leche. Dejó el vaso y cambió de posición en el taburete, intentando respirar hondo. Ni siquiera había comido aún. Tenía, al parecer, dos opciones: el hambre o, si tomaba una comida entera, una mayor reprimenda del corsé. El apremio desde el interior o la opresión desde el exterior. ¿Qué era peor? Sabía que estaba cansada del hambre. Eso era lo único que sabía.

Era última hora de la tarde cuando salió a la calle, con el peso del megasándwich —que le había parecido delicioso— en el estómago, sin respirar muy hondo para compensar la tirantez en la cintura. Pese a lo llena que se sentía, no estaba cansada, y dada la duración de su siesta sabía que no lo estaría durante un tiempo. Los edificios tapaban el sol, ya bajo, pero la acera y las paredes de ladrillo irradiaban calor. Podía volver al apartamento, pero ya había terminado su libro. No tendría nada que hacer. Podía comprar una revista, supuso. Pensó que se alegraría de la noche libre, la paz, pero en realidad una noche sin Louise era lo mismo que una noche con Louise, y no muy distinta de tantísimas noches en su vida: horas que sobrellevar, horas que llenar. ¿Cuánto hacía que se planteaba la vida en esos términos?

Decidió ir al cine. Sabía que casi cualquier película que viese la proyectarían en Wichita en unas pocas semanas, y que esa no sería una buena manera de aprovechar al máximo el poco tiempo que le quedaba en Nueva York. Pero solo quería mantenerse ocupada, sentarse en la oscuridad y el relativo frescor, mirando una pantalla tan grande y cercana que todo lo que se proyectara en ella abarcara la totalidad de su visión, otro mundo hecho realidad. Se acercó a un cine y eligió una serie de cortos de Buster Keaton, esperando reírse o al menos no pensar durante unas horas. Eso era lo que necesitaba. Algo ligero. Y tiempo para no hacer nada, para no pensar.

El cine no tenía una orquesta completa, sino solo un pianista y un oboísta tocando uno junto a otro a la derecha del escenario. Cuando empezó el primer rollo, los dos músicos miraron la pantalla con una sonrisa e interpretaron una música alegre, rápida. Keaton, en el papel de héroe, encontraba una cartera, se la devolvía al dueño y lo acusaban de intentar robarla. Intentaba comprar muebles de segunda mano y lo acusaban también de robarlos. El oboe gorjeaba. El piano lo acompañaba. Cora oyó reír a la gente alrededor, captando todos el chiste: hiciera lo que hiciese, Keaton estaba condenado a ser tomado por un delincuente. El pianista saltó a unos acordes más dramáticos cuando Keaton, encendiendo un cigarrillo, lanzaba accidentalmente la bomba de un anarquista en un desfile de policías. El oboe entró con una briosa melodía cuando el cuerpo entero de la Policía iniciaba la persecución. Cora permaneció quieta y en silencio. Entendía que la película era graciosa, sencilla, y que cualquier otra noche tal vez se habría reído.

Estaba tomándose las cosas demasiado en serio, permitiendo que su humor sombrío se filtrara en todo, incluso en aquello que era supuestamente ligero y gracioso.

Al final del corto, Keaton se las arreglaba para meter a todo el cuerpo de policía en la cárcel, encerrándolo y quedando él fuera, libre como merecía. Era un buen final, pensó Cora. Pero no acabaría así. Una chica guapa le dirigía una mirada de desaprobación, y a él le bastaba eso para abrir la puerta y soltar a sus perseguidores, confusos. La policía liberada metía a Keaton en la cárcel y lo dejaba allí encerrado para siempre.

La palabra «Fin» aparecía labrada en una lápida. La gente se rio, aplaudió y pidió más a gritos, mientras Cora, alegrándose de la oscuridad circundante, mantenía la mirada fija en la pantalla con expresión lúgubre.


Fue a pie y tardó más de dos horas en llegar. Podría haber tomado el metro, pero al principio, cuando inició la caminata, se dijo que solo daría un paseo. No era una idea tan descabellada. Aún quedaba mucha luz en el cielo, y para cuando cruzó la calle Cincuenta y Siete, el aire ya era lo bastante fresco como para que un mosquito zumbara cerca de su oído y a continuación le picara en la nuca. En ese momento tomó conciencia de que había caminado en una misma dirección, y que tenía un destino en mente. Andaba deprisa, manteniéndose al ritmo de los transeúntes en las aceras, los neoyorquinos con rumbo fijo. Dejó atrás manzana tras manzana, edificio tras edificio, travesía tras travesía en medio de los bocinazos y el rugido del tráfico, percibiendo la creciente oscuridad de la tarde veraniega, el aire tórrido, sin brisa, las ampollas que se formaban ya en sus talones, y sobre todo el empeño con que seguía adelante, la mandíbula por fin relajada, impulsada solo por una claridad tan nueva y nítida que se asemejaba a la alegría.


Apuntando a la ventana de la segunda planta, junto a la puerta que él había señalado, arrojó uno tras otro los guijarros por encima de la verja de hierro. No se le ocurrió otra cosa. Pero la ventana se encontraba a seis o siete metros de altura, y en la mayoría de sus lanzamientos ni siquiera alcanzó a dar en el anexo.

Sí atinó dos veces en la escalera metálica, y le preocupó el ruido que hacía, y si las monjas estarían dormidas. La calle se hallaba en silencio, salvo por algún que otro coche que pasaba, y las aceras casi desiertas. Cuando aparecía alguien, ella se volvía hacia la calle, escondiendo los guijarros tras la espalda. Saludaba con un parco gesto de cabeza a las mujeres y no prestaba la menor atención a los hombres, mirando repetidamente al otro extremo de la calle como si esperara un taxi. Pero a saber qué pensarían al verla: una mujer de mediana edad, sin anillo ni acompañante ni bolso, de pie en plena calle. Sintió un creciente nerviosismo. Pero daba igual lo que pensaran. Eso ahora lo entendía: no existía ningún motivo racional por el que preocuparse.

Las cortinas de la ventana estaban corridas, pero veía el resplandor de una lámpara. Esperó, atenta a cualquier movimiento.

Se quitó el guante derecho para apuntar mejor. Con el siguiente guijarro acertó en la puerta. Había una luz junto a ella, una única bombilla en una lámpara sujeta al marco. Insectos alados rondaban su resplandor, sin inmutarse por el guijarro. El siguiente lanzamiento tocó de refilón la vertiente del tejado. Era el corsé, que le limitaba el movimiento del brazo. Se acordó de cuando jugaba a las gracias en el establo con mamá Kaufmann, de cómo a veces parecía conseguir que el aro ascendiera como debía por pura fuerza de voluntad.

El siguiente guijarro dio en la puerta.

Él abrió. Cora contuvo la respiración. Se le ocurrió entonces que pese a su calvicie, y su corta estatura, en general nadie lo consideraría un hombre poco apuesto, y existía la posibilidad de que no estuviera solo, y de que ella acabara humillada. Él salió al pequeño descansillo y miró hacia el patio a oscuras, su rostro iluminado a medias por la bombilla. Cora sonrió, ya entonces, antes de que él la viera. Tenía un libro en una mano, los dedos entre las hojas, marcando el punto. Agitó la otra mano entre la nube de insectos. Ladeó la cabeza.

Ella saludó con la mano.

—¿Cora?

Él levantó un dedo, le pidió que esperara y desapareció tras la puerta. Poco después volvió a salir sin el libro. Bajó por la escalera al trote, acompañado del tintineo de las llaves, y saltó los últimos tres peldaños.

—Qué agradable sorpresa —dijo. De nuevo parecía alegrarse de verla. Ya buscaba la llave entre las demás.

Ella, apoyándose en la verja, se sujetó con ambas manos a los barrotes, que notó aún calientes a causa del sol.

—Yo solo... pasaba por aquí... —Se interrumpió. Eso era una mentira absurda. Casi había anochecido. ¿Qué iba a hacer ella allí? No. Esta vez no tenía excusa. No había radio que comprar, ni favor que pedir. La verdad era esta: había recorrido sesenta manzanas sin otra razón que el deseo de verlo. Daba igual si se marchaba al cabo de una semana. Era precisamente porque sabía que se marchaba por lo que no tenía tiempo para andarse con remilgos.

—Esta noche estoy libre —dijo con un balbuceo—. Me preguntaba si usted también lo estaría.

Eso bastó. Él asintió, y a continuación abrió la verja.

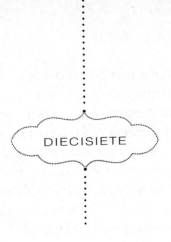

DIECISIETE

Él le preguntó por las señales en torno a la cintura, en los hombros.

—¿Esto es por lo que llevas puesto? —Sus dedos, ásperos en su piel, trazaron una curva desde justo debajo del pecho hasta el ombligo—. ¿Tanto aprieta? Debe de hacer daño.

Cora estaba avergonzada. Él no había apagado la lámpara de la mesilla. Era solo una lámpara de lectura, pero el tenue halo de luz llegaba a la cama. Pese a sus esfuerzos para relajarse, para concentrarse en lo que sentía y veía, había sido en todo momento muy consciente de que era visible para él, de que no estaba rodeada de oscuridad como con Alan. Y ahora, después de lo ocurrido, parecía que sus temores eran fundados: había algo extraño en su propio cuerpo desnudo, algo que antes ella no sabía que era extraño. ¿Tenían las otras mujeres marcas del corsé? Cora dedujo, solo por la reacción de él, que su esposa no tenía esas marcas. Las inmigrantes no siempre llevaban corsé, sobre todo si trabajaban. Pero ¿tenían marcas otras mujeres como ella? No había forma de saberlo. Incluso al dar a luz a los mellizos, una sábana la cubría hasta las rodillas. Nadie había visto su vientre desnudo desde que mamá Kaufmann dejó de bañarla.

—Una se acostumbra —dijo ella.

Él arrugó la frente y se recostó en la almohada. Pero mantuvo la mano cálida en la curva de la cadera de Cora, y la vergüenza de ella se acalló; luego se acalló un poco más y, por último, quedó en silencio. Esto, pensó. Eso, más que cualquier vergüenza o preocupación, sería lo que sentiría durante un tiempo, aquello que no olvidaría, a lo que no se acostumbraría nunca: la espinilla de él raspándole la corva, sin más que una pátina de sudor en medio. Ella yacía absolutamente inmóvil. La corva podía sudarle y escocerle o arderle, pero no pensaba apartarla, no mientras deseaba aún que su piel se embebiera de la sensación, para no derrocharla toda ahora, cuando casi era excesiva, y en menos de una semana no volvería a experimentarla nunca más.

Y pensar que él se había disculpado. Por acabar tan deprisa, había dicho. Esperaba que ella le diera otra oportunidad. Él había sonreído, así que ella había sonreído también, aunque en realidad no lo había entendido: nada le había parecido rápido en comparación con lo que recordaba de aquellas pocas noches a oscuras con Alan. Y Joseph había puesto sus manos en ella, su boca en ella, su mirada en ella. Cora estaba molesta consigo misma. En comparación, ella había sido una muñeca de trapo, demasiado tímida, demasiado insegura para hacer nada más que apoyar las manos en sus hombros, para mirarlo a los ojos, e incluso eso le había exigido un esfuerzo de voluntad.

También ella necesitaría otra oportunidad.

La habitación era austera y pequeña, y estaba ordenada. Desde la cama, alargando el brazo, Cora casi podía tocar un lavabo blanco y limpio con una bomba de agua. Al otro lado del lavabo había una minúscula heladera sobre lo que parecía una mesilla de noche. En las paredes sin pintar no colgaba nada más que un par de monos y dos camisas blancas, cada prenda en su propio clavo. Había convertido el armario en un retrete, explicó, sin bañera, solo un inodoro. Lo había construido él mismo, después de aprender fontanería ayudando a instalar los inodoros para las monjas y las niñas. El fontanero le agradeció la ayuda y le dijo dónde podría encontrar tuberías usadas y una taza.

—La primera vez cometí un error —dijo—. No puse aislante suficiente. No lo sabía. La tubería estaba fuera, y en enero se heló y reventó. Quedó inutilizada. De manera que lo repetí, esta vez bien.

En un primer momento, cuando Cora entró en el apartamento, sintiéndose como si estuviera a punto de saltar desde una gran altura, él le ofreció una de las dos sillas colocadas ante la pequeña mesa contigua a la ventana. Le ofreció también cacahuetes, disculpándose porque era lo único que tenía. Ella le aseguró que no le apetecía comer, que le bastaba con un vaso de agua. En un estante sobre el lavabo había dos vasos disparejos, dos platos y un solo cuchillo bien afilado. Su hija lo visitaba allí los domingos, explicó él. A los dos les gustaban los bocadillos. Él compraba queso y embutidos en la charcutería. Durante la semana las monjas le daban de comer, todo aquello que las niñas no se acababan. No estaba mal. Cereales para el desayuno. Cacahuetes. Pan. Recibían donaciones de la organización benéfica Hudson Guild. A veces fruta, verduras. Casi todos los tenderos del barrio eran católicos, generosos con las monjas.

Él le preguntó si había recibido carta de Massachusetts, si había averiguado algo más acerca de su madre. Ella le contó brevemente el encuentro en la Gran Estación Central, le habló de la familia en Haverhill a la que nunca conocería. Él le hizo preguntas, y dejó claro que estaba dispuesto a escuchar una versión completa, pero ella se interrumpía una y otra vez, distraída. Apenas el día anterior había sentido el intenso deseo de hablar con él sobre Mary O'Dell, de tener a alguien en quien confiar, y sin embargo ahora que estaba allí solo pensaba en la manera en que él la miraba, la oblicua veta dorada en su ojo derecho. Y en que estaba sola con él en una habitación pequeña. En la pared, por encima de la mesa, había un estante, una simple tabla larga sostenida con abrazaderas de metal atornilladas, y en él una hilera de libros con dos ladrillos en los extremos a modo de soportes. Mientras bebía el agua, examinó los lomos limpios, sin una mota de polvo. *Principios de telegrafía sin hilos. Oscilaciones eléctricas y ondas eléctricas. Gramática esencial del inglés. Ingeniería del automóvil, Vol. III. Las cartas de Roosevelt a sus hijos.* Algunos títulos estaban en alemán.

Cora le preguntó si echaba de menos Alemania o estar con personas que fueran como él. Sería más fácil, suponía, vivir en un lugar donde se hablara su propia lengua.

—A veces lo añoro —dijo depositando el vaso de agua en la mesa.

—¿Añora a su familia? ¿Tiene hermanos? ¿Sus padres viven? Él se rascó la nuca.

—No guardo tan buen recuerdo de eso. Mi hermano mayor era una persona difícil. Mi padre y él eran iguales. Mi madre murió. —Se encogió de hombros—. Mi única familia es Greta.

Cora asintió.

—Me alegro de que la tenga.

Él se echó a reír, tristemente.

—Yo también me alegro.

—Pero ¿siente alguna vez...? —Intentó precisar lo que quería saber—. ¿Alguna vez piensa que debería estar en Alemania? Usted nació allí. Entiendo que su familia fuera difícil. Pero son sus parientes, son de su sangre. Sé que su hija también lo es, pero el resto de su familia está allí.

Él negó con la cabeza.

Cora pensó que no había entendido su pregunta, que tenía un acento del Medio Oeste demasiado marcado o hablaba demasiado deprisa. Lo intentó de nuevo.

—Pero ha tenido usted muy mala suerte en este país. ¿No se ha preguntado nunca si todo ha sido un error? ¿Si no tenía que haberse quedado allí, con sus parientes? ¿Allí donde está su historia?

Él volvió a negar con la cabeza, esta vez con más firmeza.

—Alemania es el lugar donde nací —dijo—. Solo eso. Tengo que estar allí adonde voy.

No mucho después estaban en la estrecha cama, y ella lo ayudaba a desabrochar los botones de su blusa. Incluso entonces estaba atemorizada, sabiendo lo que debía decir, las palabras que debía pronunciar.

—No puedo quedarme embarazada. —Lo había dicho con un susurro, con los ojos cerrados. En realidad ese era el salto mayor, el más difícil, más aún que presentarse ante su puerta—. O sea, poder, puedo. Es posible, pero no debe suceder. Lo dijo el médico. Además, no quiero.

Abrió los ojos. Él apartó el rostro de ella, visiblemente alarmado, con las gafas ladeadas. Cora oyó la sirena grave de un barco.

—De acuerdo. Lo siento. —Se separó de ella, tendiéndose de cara al techo, con las manos detrás de la cabeza.

Ella se incorporó. Él la había entendido mal. No tenía tiempo para malentendidos.

—Lo que pretendo decir es que no quiero quedarme embarazada. Eso es lo que no quiero.

Él la miró, de nuevo sorprendido, y de pronto ella se sintió como si cayese, aterrorizada ante lo que él pudiera pensar. Por eso Margaret Sanger y todo lo que decía sobre el control de la natalidad se consideraba obsceno. Eso lo cambiaba todo, eso que Cora acababa de admitir tanto ante Joseph como ante sí misma: no había ido a su cama sumida en un trance. No había sido seducida en un momento de debilidad. No. Ella estaba allí acostada con él porque quería, y también lo bastante despierta como para detenerse a pensar más allá del momento presente y saber qué era lo que no quería.

Él podía pensar que estaba loca, que era poco femenina. Había apelativos para esas mujeres, para la clase de mujeres que decían las cosas que ella acababa de decir. Cruzó el brazo ante el pecho, con los botones desabrochados.

Pero en los ojos de él no se percibía desprecio, no la juzgaba. De hecho, se le veía tan avergonzado como ella.

—No tengo nada. —Levantó las manos como para demostrar que era verdad—. Lo siento. He estado solo.

Cora esperó. No podía decir nada más. Ya había dicho más de lo que creía que podía decir.

Él se aclaró la garganta.

—Puedo... ¿quieres que vaya a buscar algo?

Cora consiguió asentir. Él se echó a reír e, increíblemente, ella también.

—¿Esperarás aquí?

Ella volvió a asentir. ¿Qué se pensaba que haría? ¿Ir con él? No. Nadie se fijaría en él, comprara lo que comprara, dondequiera que lo comprara. A ella, en cambio, la tratarían de otra manera.

—Quince minutos. ¿De acuerdo?

Él se levantó, se remetió la camisa y ella comprendió que no le había pedido que lo acompañara. Solo le preguntaba si estaba dispuesta a esperar.

Cuando él se marchó, Cora se permitió mirar de cerca la fotografía del marco colocado encima de la heladera. Se había fijado en ella al entrar, pero había pensado que era mejor no hacer indagaciones al respecto ni, dadas las circunstancias, mirarla demasiado, y que quizá para él podía ser injusto. Joseph no sabía que ella se presentaría allí esa noche. Como había dicho, vivía solo en esa habitación. Ahora que él había salido, se acercó y vio que la fotografía era lo que sospechaba: Joseph con todo su pelo, vistiendo un buen traje, la mano apoyada en el hombro de una mujer sentada que sostenía en brazos un bebé con un vestido de bautizo. Era un retrato formal, y los dos adultos mantenían una expresión muy seria, pero el bebé, que desconocía las reglas, parecía captado en plena risa.

Cora sintió al instante la presión de las lágrimas. Greta. Un bebé feliz que no sabía lo que se avecinaba. La gripe. La muerte de su madre. La larga ausencia de su padre en Georgia. La soledad. Probablemente, el hambre. El Hogar para Niñas Sin Amigos de Nueva York, incluso después del regreso de su padre. Los años posteriores serían crueles para los tres. Cora no se atrevió a tocar el marco, pero se inclinó para examinar a Joseph de joven, su rostro sin arrugas, y también para mirar de cerca a la esposa y madre, rubia y tirando a robusta, incluso más hermosa de lo que Cora había imaginado. Pero no sintió celos, ningún resentimiento egoísta ni la necesidad de volver del revés el retrato. Experimentó pena por esa mujer desventurada de mirada seria. Si acaso, la juventud y belleza de la mujer muerta parecían una reprimenda, no porque Cora estuviera allí en ese momento, la primera mujer en esa pequeña habitación, sino porque hubiera tardado tanto en ir allí. Había vivido una parte demasiado larga de su vida en la estupidez, ateniéndose a reglas sin sentido, como si ella y él, como si cualquiera, tuviesen todo el tiempo del mundo.

Tenían que salir mucho antes del amanecer, porque las monjas madrugaban. Él la acompañaría a casa. Cora propuso que fueran a desayunar. Al verlo vacilar, ella sintió un repentino temor. ¿Era verdad, pues, lo que le habían dicho sobre los hombres? ¿Se cansaban pronto de lo que conseguían con facilidad? Estaba siendo presuntuosa e ingenua, quizá, dando por supuesto que él sentía su mismo apremio. Pero al cabo de pocos días ella se habría marchado.

—Estaría bien desayunar —dijo él, pero se le veía inquieto, y solo entonces Cora cayó en la cuenta de que probablemente la vacilación se debía al dinero. Claro. Qué tonta era. ¿Cómo podía ser tan insensible? Él vivía a base de cereales, cacahuetes, fruta donada. Desde que Cora había llegado a Nueva York, Louise y ella habían ido a restaurantes a diario sin pensar mucho en la cuenta. Ella tenía dinero de Leonard Brooks, de Alan. Podía pagar holgadamente el desayuno de los dos, pero sabía que proponerlo siquiera sería probablemente un error.

—Tengo pan y mermelada en mi apartamento —dijo ella—. Y naranjas.

Él la agarró de la mano en el metro. Cuando se apearon en su estación, las farolas aún estaban encendidas. Solo una tenue franja rosada teñía el horizonte por el este, y las calles estaban tan silenciosas que se oían los primeros trinos de los pájaros. Pasaron junto a un vendedor de periódicos con toda su carga y una mujer coja con un vestido chillón. Pero estuvieron casi todo el tiempo solos en la acera, que a esa hora parecía amplia y despejada, como si acabaran de tenderla para ellos.


Joseph se marchó antes del mediodía. Debía ir a ver si las monjas necesitaban algo, y tenía sus quehaceres diarios. Pero si se quedaba hasta tarde, podría adelantar trabajo y dispondría de la mañana siguiente para ir a verla. No, no, dijo él, acariciándole la mejilla, no estaría cansado.

Mañana, entonces, accedió Cora, deslizando los dedos por el vello claro de su antebrazo. Ya estaba pensando en la comida que le haría, o compraría preparada, algo sencillo para dar la impresión de que lo tenía a mano. Él podía llegar temprano, incluso a las diez y media, dijo ella. Louise estaría en clase.

Cuando él se fue, Cora se puso manos a la obra. Se dio un rápido baño, vació la bañera y volvió a llenarla para lavar las sábanas, poniendo una pastilla de jabón bajo el grifo hasta que hizo espuma. Escurrió las sábanas lo mejor que pudo antes de colgarlas del riel de la cortina en el dormitorio. Ordenó el resto del apartamento, lavó los platos y las tazas, ahuecó las almohadas para darles forma. Aun así, cuando llegó la hora de ir al estudio, estaba segura de que Louise se daría cuenta de todo solo con mirarla a la cara: aún le escocían las mejillas y el cuello por el roce del amago de barba, y pese a lo nerviosa que estaba, no dejaba de sonreír. Se sentía aturdida, alterada por el recuerdo. En Broadway, con el sol radiante sobre ella, chocó de frente con una farola.

—¡Cuidado! —dijo un hombre cuando ya era demasiado tarde, y dos niños trazaron un amplio arco en torno a ella, como si fuera peligrosa o estuviera borracha.

Para cuando Cora llegó al estudio, Louise ya iba vestida de calle y se la veía sorprendentemente alerta teniendo en cuenta que acababa de sobrellevar una clase de danza después de un viaje en autobús desde Pensilvania. Pero apenas miró a Cora, y parecía no guardar el menor recuerdo de la difícil madrugada anterior a su marcha.

—Dios mío, cuánto me alegro de haber vuelto —anunció mientras subían por la escalera hacia la calle—. O sea, Filadelfia está bien. Desde luego hay una diferencia respecto a Wichita. Una gran diferencia, qué duda cabe. El público estuvo magnífico, muy sofisticado. Se notaba que nos consideraba extraordinarios. Pero curiosamente sentí auténtica nostalgia por Nueva York, pese a ser solo una noche. Aquí me siento tan en casa… —Cuando salieron a la acera, respiró hondo y dejó vagar sus ojos oscuros por Broadway y las torres con ventanas que se alzaban alrededor—. ¿Verdad que es increíble? ¿Que sienta tanto apego por un lugar que todavía es nuevo para mí? Ni siquiera soy de aquí.

No pareció muy interesada en la respuesta de Cora, ya que no le dio tiempo para contestar. Mientras caminaban, habló de que Ted Shawn y ella habían formado buena pareja, y del maquillaje de color carne que se habían puesto los bailarines para que no pudiera decirse que iban medio desnudos, de que el maquillaje olía a hamamélide de Virginia y de lo absurda que le parecía la idea misma en su conjunto. Cora escuchaba a medias, reflexionando en silencio acerca de la pregunta de Louise sobre su apego por un lugar. Si eso era raro, la propia Cora pecaba de rareza, ya que en ese momento, aun después de todo lo ocurrido, aún deseaba regresar a Wichita. Sabía ya que recordaría esos días que le quedaban en compañía de Joseph durante el resto de su vida con anhelo, con auténtico dolor. Pero añoraba su casa. Añoraba las calles tranquilas que tan bien conocía, el cielo siempre a la vista. Añoraba oír su nombre en labios de amigos con quienes trataba desde hacía casi veinte años. Después de la pérdida de los Kaufmann, la ciudad la había adoptado y aceptado como una de los suyos. Allí no era una forastera, e incluso entonces eso significaba mucho para ella.

En cualquier caso, debía regresar. Eso desde luego. Sus hijos volverían de la universidad en las vacaciones, y debían encontrar la casa como siempre: con ella allí, preparándoles tortitas y preguntando por sus clases y sus juegos y sus planes. E incluso al margen de los chicos, no podía abandonar a Alan sin más. Él era su familia, en igual medida que lo eran sus hijos. Él le había mentido, sí, pero también había cuidado de ella, y había sido un buen padre. Si lo abandonaba ahora, se produciría un escándalo y después, quizá, surgirían sospechas. Él tendría que volver a casarse, y esperar que la nueva esposa fuera tan ingenua como Cora en otro tiempo, o tan leal como lo era ahora, porque le iba la vida en ello, la vida misma.

No estaban lejos del apartamento cuando cayó en la cuenta de que Louise la miraba con atención. Cora se llevó el guante a la mejilla, todavía irritada por el roce de la barba de Joseph. Se sintió taladrada por la mirada penetrante de aquellos ojos oscuros.

—¿Qué pasa? —preguntó Cora, desviando la vista.

—¿Cuánto hace que no me escucha? Dios mío, me temo que he estado hablando sola.

—Perdona, cariño. ¿Qué decías?

—Que la señorita Ruth ha dicho que puedo mudarme pasado mañana. He pensado que le gustaría saberlo.

—Gracias. —Cora afectó una sonrisa. El viernes. Su último día. A partir de ese momento no tendría ya ninguna razón para prolongar su estancia. Podía decirles a los Brooks que prefería marcharse a primera hora de la mañana siguiente. El sábado, pues. Tendría otras tres noches en Nueva York. Se imaginó en el tren, mirando por la ventana y viendo los mismos campos y pueblos y ríos por los que había pasado en el viaje al este con Louise, cruzando de nuevo los mismos puentes. Podía comprar un libro para el trayecto, algo ligero y entretenido. El domingo por la noche estaría ya en casa.

Louise guardó silencio cuando pasaron por delante de la cafetería. Cora la vio mirar de soslayo a través de la amplia vidriera hacia la barra situada al fondo. Parecía tener algún remordimiento, o al menos lamentar haber perdido a un amigo.

—Podrías ir a hablar con él —sugirió Cora con delicadeza—. Intentar arreglar un poco las cosas.

Louise siguió adelante.

—Me odia, imagino. —Se cambió la bolsa de hombro—. Y ya se lo he dicho: no es mi tipo.

Cora, sin dejar de mirar al frente, se aclaró la garganta.

—Pero le dejaste pensar que lo era, Louise. Le has hecho daño. Y aun así te acompañó a casa. Podrías darle las gracias. Y disculparte. O al menos despedirte.

Louise se detuvo. Cora también. Una anciana gruñó y las rodeó.

—¿Y a usted qué le importa?

Cora suspiró y espantó una mosca con la mano. Una pregunta absurda. Claro que le importaba. Le importaba Floyd, sí, pero sobre todo sabía que a Louise le vendría bien pensar en los sentimientos de otra persona, no solo en los suyos, y no temer la verdadera amabilidad y consideración. A lo largo de esas semanas de convivencia había visto que Louise necesitaba una madre, alguien que ocupara el lugar que Myra, por lo visto, había abandonado mucho tiempo antes. Así y todo, Cora veía ahora que durante su estancia en Nueva York había centrado sus preocupaciones en cuestiones erróneas: en cómo se vestía la chica, si salía sola, si podía ponerse colorete o no. Nada que

276

tuviera verdadera importancia, no en comparación con lo que Louise realmente necesitaba a modo de instrucción y ejemplo. Louise ya era capaz de mostrar amabilidad: fue ella, al fin y al cabo, no Cora, quien ofreció agua a aquellos hombres la primera noche en la ciudad. E incluso saltaba a la vista que no se alegraba de haber herido a Floyd, y aunque no lo quería, y probablemente no podía quererlo, al menos lo echaba un poco de menos, y quizá comprendía que le había hecho daño. Era una última oportunidad, pensó Cora. Ahora que estaban a punto de seguir cada una por su camino, ahora que entendía hasta qué punto Louise había sido lastimada en la vida, Cora lamentaba no haber dedicado más tiempo a lo esencial: cuándo dar las gracias y cuándo disculparse.

—Creo que te sientes mal. —Cora se ladeó el ala del sombrero. Era consciente de que la gente pasaba alrededor, como si ellas dos fueran rocas en un torrente de aguas rápidas—. Te lo veo en la cara. Sabes que deberías ir a hablar con él. Sabes que es lo correcto.

Louise miró la acera y se recogió el pelo detrás de las orejas. El mohín parecía sincero, no simple pose.

—¿Ahora? Estoy toda sudada después de la clase.

—Estás bien. Hueles bien. Tú ya lo sabes.

—¿Me deja ir sola?

—Durante una hora. —Cora se frotó la picadura de mosquito en la nuca con el borde del guante—. Vendrás al apartamento dentro de una hora. Y no irás a ninguna otra parte. ¿Me das tu palabra?

Louise la miró atónita.

—Tu palabra. Tu promesa. Estoy confiando en ti. ¿Una hora?

—Bien.

—¿Tu palabra? —Cora quería dejárselo bien claro—. ¿Me das tu palabra?

—Sí. Sí, de acuerdo. —Se la veía más aturullada que molesta—. Sí. Le doy mi palabra.

Cora asintió.

—Suerte, entonces. —Se volvió y siguió ella sola.

El apartamento no estaba más fresco que la abrasadora calle. Cora se dirigió al dormitorio, donde encendió el ventilador y de inmediato se quitó la blusa, la falda y el corsé. Empezó a ponerse el vestido de andar por casa, pero cambió de idea: con la bata fina estaría más fresca. Y le pesaba el cansancio. Las sábanas, ya secas, se agitaban en la brisa procedente de la ventana abierta. Las descolgó del riel de la cortina e hizo la cama con esmero, alisando las arrugas con la palma de la mano. A la mañana siguiente, pensó. A la mañana siguiente Joseph y ella se acostarían en esa cama, en esas mismas sábanas aún calientes por el sol. ¿Cuánto tiempo tendrían? ¿Tres horas? ¿Cuatro? Tal vez también quedaría un rato para conversar, para estar en la sala y comer con él, o simplemente quedarse en la cama a su lado como había hecho esa mañana, piel con piel. El festín antes de la hambruna. Dejó la colcha plegada a los pies de la cama, se soltó la melena y se tendió, con los ojos todavía abiertos. La mancha de humedad del techo no parecía ya una cabeza de conejo. Ni siquiera imaginaba por qué lo había pensado antes.

Llamaron dos veces. Luego cuatro.

Se levantó, molesta, atándose el cinturón de la bata. Había esperado que Louise aprovechara su hora entera de libertad, aunque solo fuera para poder disponer también ella de una hora. Pero se obligó a detenerse por un momento antes de abrir la puerta. Mostraría agradecimiento y aprobación: Louise había mantenido su palabra.

Sin embargo, su expresión dio paso rápidamente a la sorpresa, ya que en el rellano no estaba Louise, sino Joseph, con semblante grave. Iba sin afeitar, pero vestía una camisa y un mono limpios y llevaba la gorra metida en un bolsillo lateral. Una gran bolsa de lona colgaba de su hombro, y detrás de él se escondía una persona pequeña, de quien Cora veía solo un brazo delgado alrededor del muslo de él. Al final de ese brazo, una mano agarraba un pliegue del mono por encima de la rodilla.

—Nos hemos ido del hogar —dijo—. Esta mañana. Nos vamos. —Hablaba cordialmente, con naturalidad, pero tenía la mirada fija en ella y la expresión de un adulto hablando en clave por la presencia de un niño–. Necesitaba decírtelo. Temía que fueras al hogar.

Cora se quedó mirándolo en silencio. Lo habían descubierto. Habían salido demasiado tarde esa mañana. Una monja los había visto. O una niña, y lo había contado.

–Por favor, entrad. –Se hizo a un lado y señaló el interior del apartamento. También ella se comunicaba con los ojos. Joseph tenía que entrar, decía, y también la persona pequeña que, como ella sabía, debía de ser su hijita asustada. Lo sentía mucho. La culpa era de ella. Todo había sido idea suya. Su pasatiempo, su libertad en una ciudad distinta. Y ahora él se había quedado sin trabajo. Sin casa.

–No pasa nada –dijo–. Tengo un amigo en Queens. –El brazo se ciñó con más fuerza a su pierna, y él separó los pies para mantener el equilibrio–. Ahora está trabajando, pero iremos allí a las cinco. Es un buen amigo. No pasa nada.

–Por favor, entrad –susurró Cora–. Por favor.

Joseph entró cojeando como si tuviera una pata de palo, con la niña aún aferrada.

–Ven, Greta –musitó él. Intentó liberarse, desprendiéndole las manos con los dedos.

Cora, detrás de ellos, vio a la niña. La parte superior de su cabeza rubia le llegaba al cinturón a su padre. Llevaba un vestido de color mostaza con remiendos bajo los brazos, el cabello cortado a la altura de la barbilla. Mantenía la cara pegada a la cadera de él.

–Lo siento –dijo él, volviéndose para mirar a Cora–. No siempre es tan tímida.

–No importa. –Cora cerró la puerta con suavidad. Ni siquiera cuando pasó a su lado pudo ver el rostro de la niña. No sabía si sería capaz de soportarlo–. ¿Tienes hambre? ¿Ella tiene hambre? Hay pan y mermelada.

La cabeza asomó detrás de él, tan repentinamente que Cora sonrió. No así la niña. Tenía un rostro bonito, como el de su difunta madre. Cora siguió sonriendo, pero el corazón le dio un vuelco. «Yo he sido tú –deseó decir–. No pasa nada. Yo he estado igual de asustada y he sido igual de pequeña.»

279

Le requirió un esfuerzo mantener la apariencia de serenidad en el rostro y la voz.

—Tengo mermelada de fresa. ¿Te gusta la mermelada de fresa?

Greta miró a su padre.

—Te gustará —dijo él.

Cora fue a la cocina y puso seis rebanadas de pan en el horno. Lamentó no tener nada mejor para ofrecerles, algo más sustancioso. ¿Habrían comido algo esa mañana? ¿O las monjas los habían echado sin más? Asomó la cabeza por la puerta de la cocina.

—¿Te gustan las naranjas?

Greta asintió con la cabeza. Todavía de pie junto a Joseph, miraba el cuadro del gato siamés. Recordaría ese día de revuelo, los detalles extraños, la visita a la casa de la mujer desconocida, la mujer desconocida en bata y con el pelo suelto en pleno día. La niña nunca volvería a ver a Cora, pero Cora formaría parte del doloroso recuerdo de aquel día, lo desconocido y el miedo.

Sacó dos naranjas peladas en un plato y las puso en la mesa. Volvió a la cocina a por unos vasos de agua, y para cuando regresó Greta ya se había metido media naranja en la boca. Masticaba tan deprisa como podía, con las mejillas hinchadas, los ojos claros en un continuo parpadeo. Cuando Cora dejó el vaso de agua, Greta agarró lo que quedaba de naranja y se lo puso en el regazo.

—Despacio —advirtió Joseph—. No vayas a atragantarte.

—Y hay de sobra —añadió Cora. Sujetándose al borde de la mesa, se agachó—. Tenemos más naranjas. Y puedes comer todo el pan tostado que te apetezca. No hay prisa. —Sonrió, pero al mirar a la niña, los afilados huesos de su rostro, Cora sintió el escozor de las lágrimas. ¿Qué se pensaba? ¿Que una triste comida a base de tostadas y naranjas podía compensar el daño que había causado? Todo eso era culpa suya. Había acudido a Joseph por iniciativa propia, sin que la invitara. Y movida exclusivamente por sus deseos. Ahora podía volver a su vida cómoda, y serían ellos quienes pagaran el precio.

Joseph le tocó el brazo.

—De verdad. No pasa nada —susurró él—. Podemos ir a Queens. Es solo que no quería que pensaras...

Ella asintió, deseando creerlo. Tal vez no pasaba nada. Tal vez él encontrara otro empleo y pudiera tener a la niña a su lado. Había ahorrado un dinero. Ella podía intentar darle algo. Pero ya sabía que él no lo aceptaría.

Cuando estuvieron listas, Greta, que ya se había comido las dos naranjas, devoró una tostada untada con mermelada.

—Ya te he dicho que te gustaría la mermelada —comentó Joseph, y la niña y él se sonrieron. Tenían la misma sonrisa, advirtió Cora, asomándoles a ambos los dientes superiores. Él miró a Cora—. ¿Hablamos? —Ladeando la cabeza, señaló hacia la cocina.

Cora se puso en pie y se inclinó hacia Greta.

—Puedes llevarte la mermelada —dijo—. El tarro entero.

Estuvo a punto de tocar el brazo delgado de la niña, pero se contuvo. No le haría ningún bien a nadie si perdía la compostura.

Condujo a Joseph a través de la cocina hasta el dormitorio. Vio la cama hecha, las sábanas limpias en las que había estado acostada hacía un momento, soñando con el día siguiente, con el encuentro que ya no se produciría. Siguió hasta el cuarto de baño, para que Greta no los viera ni los oyera. Para cuando se volvió, lloraba abiertamente, sintiendo las lágrimas frías en las mejillas.

—¿Las monjas me han visto salir? —susurró—. ¿Es por eso?

Él se acercó.

—Solo he venido para que lo sepas, no para hacerte llorar. —Le acarició la mejilla y luego el cabello.

—La culpa es mía.

—No.

—¿Por qué han echado también a Greta? Ella no ha hecho nada.

—No la han echado. Querían quedársela, pero yo me he negado. Quiero que esté conmigo.

Cora asintió con la cabeza, de pronto agotada, exhausta. Sí. Él había tenido razón en insistir. Si la metían en un tren, desaparecería para siempre.

—¿Podéis vivir en casa de ese amigo en Queens? ¿Podéis ir allí? ¿Estás seguro?

–*Ja*. Es un buen amigo.

–¿Durante cuánto tiempo? ¿Cuánto podéis quedaros allí?

Él se encogió de hombros. Guardaba las apariencias, pensó ella. Estaba asustado. Debía de estarlo.

–¿Dónde trabajarás? ¿Quién cuidará de ella mientras tú trabajes?

Bajando la mirada, Joseph se masajeó la piel por encima de las cejas con el pulgar y el índice. Incluso con la ventana abierta y los coches pasando por la calle, el apartamento estaba en silencio. Desde el cuarto de baño, con dos habitaciones por medio, oyó el tintineo del cuchillo contra el cristal al servirse Greta más mermelada. Cora escuchó con el mismo dolor que sentía cuando era una joven madre y, angustiada, oía los gemidos de uno de sus hijos en otra habitación. Pero este era un gemido distinto: silencioso, astuto. Greta no se creía que la mujer desconocida le permitiera realmente llevarse el tarro entero, así que se comería todo lo que pudiera en ese momento, aunque estuviera ahíta. Cora lo entendió. Ella hacía lo mismo en sus primeras comidas con los Kaufmann. Comía puré de patata hasta que le dolía el estómago. Escondía galletas enteras entre los pliegues de la falda y se las llevaba a hurtadillas a su habitación.

El cuchillo volvió a chirriar contra el tarro de mermelada, y fue entonces, en ese preciso momento, cuando acudió a ella la respuesta, el sonido de una campanilla en su cabeza. Tomó aire y lo retuvo. Por supuesto. Oyó el motor de un camión, el arrullo de las palomas, y sin embargo el mundo parecía inmóvil, en silencio. Apoyó la mano en el hombro de Joseph. Estaba decidida, con toda su alma. Era a él a quien necesitaba convencer.

–Ven conmigo –dijo.

Él arrugó la frente.

–¿Adónde?

–A Wichita. Tráela. Tenemos una casa grande. Habitaciones vacías. –Escrutó sus ojos. Tendría que hablar antes que él, exponer las razones antes de que se cerrara en banda.

–Así podrías estar con ella. Si no, ¿cómo vas a arreglártelas? Tenemos toda una planta sin usar. Ella podría ir al colegio.

Él negaba ya con la cabeza.

—Basta ya. No aceptaré tu caridad.

Pero no era caridad. Ni mucho menos. ¿Cómo podía hacerle entender lo que ella veía ahora tan nítidamente? ¿Qué la esperaba a ella en Wichita, ahora que los chicos no estaban? ¿Almuerzos en el club? ¿Cenas? No. Ella tenía la misión de ayudar a esa niña. En la Gran Estación Central no había descubierto nada, nada de su supuesta identidad a través de la pobre Mary O'Dell. ¿Y por qué iba a descubrir algo? Durante todo ese tiempo había tenido a los Kaufmann. Los tenía incluso ahora, como si estuviesen en esa misma habitación con ellos, animándola. «Nos gustaría que vinieras a vivir con nosotros y que fueras nuestra niñita.» Se acordaba de mamá Kaufmann con su gorro, agachada. «Tenemos una habitación ya preparada. Tu habitación. Con ventana, y una cama. Y un pequeño tocador.»

—Naturalmente, Joseph, tendrías que ganarte la vida. Allí podrías conseguir un empleo, un buen empleo. —Oyó la desesperación, la súplica en su propia voz. Rogaba por sí misma. Deseaba ayudar a esa niña como la habían ayudado a ella, pero también deseaba más tiempo junto a él, solo por ver qué pasaba. Al menos una parte de ella creía merecerlo—. Mi marido tiene influencia. Podría ayudarte a encontrar un empleo, y cuando tú estés trabajando, yo cuidaré de la niña.

Joseph la miró como si estuviera loca, como si sus palabras no tuviesen sentido.

—¿Por qué iba a ayudarme tu marido?

—Porque me lo debe. —Ella comprendió que eso era verdad nada más decirlo—. Y porque es bueno.

Se llevó la mano a la boca. Comprendió lo disparatada que debía de parecer la idea. Estaba pidiéndole que diera un salto a ciegas, con su hija a remolque. Él no conocía Wichita. No conocía a Alan. Y en realidad no la conocía a ella, o al menos no tanto como para poner en sus manos su destino, y el de su hija. Tampoco ella lo conocía a él. Pero ¿acaso conocía bien a Alan cuando ella dio su salto con él? Y lo habían hecho todo conforme a las tradiciones, con el largo noviazgo y la fiesta de compromiso, la aprobación de su familia y de los Lindquist. Aun con todas esas cautelas, todas esas tradiciones, había sido engañada miserablemente. ¿No conocía en realidad mejor ya a Joseph? ¿O al menos tanto como podría conocerlo cualquiera?

—Siempre puedes volver. Si Greta no es feliz, si tú no eres feliz, volvéis y listos. —Ella mantuvo las manos a los lados, ahora sin tocarlo. No quería que él la malinterpretara—. Te daré el dinero para el billete de vuelta. El tuyo y el de la niña. Te lo daré antes de que nos vayamos de aquí, así ya lo tendrás. Podrías volver, y no estarías peor que ahora.

Lo miró, esperando. No se le ocurría qué más podía decir, qué más podía hacer para convencerlo. Quizá resultaba arrogante presuponer que ella era lo que Greta necesitaba. Pero pensaba que quizá lo fuera. ¿Y qué sabían los Kaufmann en su día? ¿Qué presuponían respecto a ella? Solo quería una oportunidad para intentarlo. Si hacía falta, se postraría de rodillas y suplicaría.

Oyó pasos en el pasillo, luego el traqueteo del pomo de una puerta. Se llevó la mano a la garganta; la puerta de entrada no estaba cerrada con llave. Louise. Había cumplido su palabra. Cora se ciñó la bata a la vez que pasaba rápidamente junto a Joseph. Debía ir a la puerta. Temía que Louise, sobresaltada, gritase y asustase a Greta. Ese era su único pensamiento.

Cuando llegó a la sala, Louise, ya en el umbral de la puerta, miraba la mesa con perplejidad.

—Cora —dijo con una serenidad sorprendente—. ¿Quién es la niña que hay debajo de la mesa?

Cuando Louise se volvió, abrió los ojos de par en par, y Cora supo que Joseph debía de haber salido de la cocina detrás de ella, que Louise estaba asimilando la presencia de los tres, así como la bata de Cora y el pelo suelto. Esta miró a Louise y abrió la boca, pensando que se le ocurrirían algunas palabras útiles, pero nada le pareció oportuno.

—¿Cora? —Louise enarcó sus cejas negras.

Como única respuesta, Cora levantó el mentón. Había demasiadas cosas que exigían cautela, demasiadas cosas que podían complicarse si se dejaba llevar por el orgullo. Si Joseph aceptaba su propuesta, si Greta y él iban a Wichita, tendría que concebir un plan, una idea que contar a sus vecinos y amigos. Aún no disponía de un plan exactamente, de modo que era mejor no decir nada, no dar ninguna versión todavía, aun cuando eso implicara quedarse allí como una tonta mientras la expresión de Louise pasaba lentamente de la absoluta sorpresa a la jocosidad, la sonrisa previa a una estridente carcajada burlona. Daba igual, pensó Cora. Eso podía soportarlo. Aguantar eso sería el principio de su penitencia, un castigo justo por su ceguera y el sinfín de estupideces que había dicho. Sobrellevaría la mortificación y se recuperaría. Eran muchas las cosas buenas que podía deparar el futuro. De momento, le debía a Louise al menos ese instante de placer socarrón.

TERCERA PARTE

«—¿Entonces tu idea es que debería vivir contigo como tu amante, ya que no puedo ser tu esposa? —preguntó.

La crudeza de la pregunta sobresaltó a Archer: era una palabra a la que todas las mujeres de su clase temían, incluso cuando su conversación revoloteara muy cerca del tema. El joven notó que madame Olenska la pronunciaba como si estuviera en un lugar conocido en su vocabulario, y se preguntó si se usaría familiarmente delante de ella en esa horrible vida de la que había escapado.

La pregunta de la condesa lo estremeció, y perdió el hilo de su argumentación.

—Quiero... quiero de algún modo irme contigo a un mundo donde palabras como esa... categorías como esa... no existan. Donde seamos simplemente dos seres humanos que se aman, que son la vida entera el uno para el otro; y donde nada más en la tierra importe.

Ella lanzó un hondo suspiro que terminó en otra risa.

—Oh, amor mío, ¿dónde está ese país? ¿Has estado allí?»

—EDITH WHARTON, *La edad de la inocencia*

«A mí no me intimida nadie. Todo el mundo tiene dos brazos, dos piernas, un estómago y una cabeza. Pensad en eso.»

—JOSEPHINE BAKER

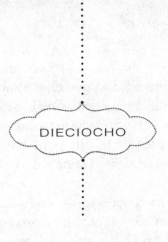

Ya en casa. El tren llegó poco antes de las doce del mediodía. En la estación, Alan besó a Cora en la mejilla, mirándola apenas, lo suficiente para que ella viera el desasosiego en sus ojos. Pero se mostró cordial, dando la bienvenida a Joseph con un apretón de manos y sacando una piruleta del bolsillo del chaleco para Greta. De camino al coche se interesó por el viaje en tren y se disculpó por los tormentos de la última ola de calor en Wichita, lanzando una mirada al cielo inmenso y despejado. «Della tiene un ventilador encendido en cada habitación», les aseguró, como si para él fuese lo más normal del mundo que su mujer, con solo tres días de antelación y por medio de un telegrama, le anunciara que volvía a casa con invitados: en este caso, su hermano de Nueva York, a quien había perdido hacía mucho tiempo, y la hija de este, huérfana de madre. Cuando llegaron al coche, Greta no se atrevía a entrar —nunca se había subido antes a ninguno—, de manera que Joseph se sentó muy cerca de ella en el asiento de atrás y contestó a sus preguntas en voz baja: Sí, eso era Wichita; pronto estarían en casa de la tía Cora. Sí, tendría una cama allí. ¿El hombre alto que conducía? Ese era el marido de la tía Cora, el tío Alan. Cora, en el asiento del acompañante, se volvió para dirigir a Joseph lo que esperaba que fuese una mirada tranquilizadora —que parecía necesitar— y después lanzó una ojeada furtiva a Alan. Antes de marcharse de Nueva York, ella había recibido su lacónica respuesta, donde tan solo decía que encargaría a Della que preparase las habitaciones de los chicos tal como ella pedía. Ahora, al volante, Alan siguió dando conversación, señalando la biblioteca y el consistorio a Joseph y Greta, comentando en broma que el modesto perfil urbano de Wichita no era a lo que ellos estaban acostumbrados. En cuanto Joseph habló, para decir que la parecía una buena ciudad, Alan no hizo observación alguna sobre su acento. Pero Cora no tenía la menor idea de lo que pensaba: siempre había sido muy correcto. Quizá se alegraba por ella, o estaba atónito. Quizá se creía la mentira.

Solo después de meter el equipaje en la casa, y ofrecer a Joseph y Greta algo para comer y acompañarlos a sus habitaciones para que descansaran, Alan le preguntó a Cora si podía hablar con ella en su despacho. Por su voz o expresión, era imposible saber si estaba enfadado o no. Ella dijo que enseguida iría; necesitaba un vaso de agua, ¿y quería él también uno? No, contestó Alan. Pero gracias. Incluso después de cerrar él la puerta maciza que daba al pasillo y hallarse los dos sentados en las butacas de cuero a ambos lados del gran escritorio, permaneció callado, esperando obviamente a que ella hablara. Cora tomó un sorbo de agua y contempló las estanterías con libros de derecho, el tintero en el escritorio. No sabía por dónde empezar. Lo conocía bien, y él la conocía a ella. Pero eran muchas las cosas sobre las que no habían mantenido una conversación sincera desde hacía años.

—Y bien, pues —dijo él por fin—. Han pasado muchas cosas en este viaje.

Ella asintió. Arriba, oyó pasos, la voz emocionada de Greta. Cora supuso que acababa de descubrir el pequeño balcón de su habitación: era el antiguo cuarto de Earle, con los ejemplares del *National Geographic* todavía apilados en la mesa, los banderines de distintos equipos de fútbol colgados de las paredes. Si Joseph y Greta se quedaban, decidió Cora, los trasladaría al segundo piso, para que los chicos dispusieran de sus propias habitaciones cuando volvieran en vacaciones.

—¿Seguro que ese hombre es tu hermano? —preguntó Alan—. ¿Cómo lo has averiguado? —Frunció el ceño—. No os parecéis en nada.

Ella se volvió hacia la ventana. Pese a la luminosa tarde, las tupidas cortinas, corridas casi por completo, conferían al ambiente una sensación de anochecer. Años antes, a menudo entraba furtivamente en esa misma habitación cuando Alan no estaba y revolvía en los cajones y entre los papeles para encontrar pruebas de sus oscuras sospechas, pruebas de Raymond, pruebas de todo lo que ya sabía. Después de tantas búsquedas con resultados, después de haber hallado el reloj grabado, los poemas, dejó por fin de entrar allí, como si ya le diera igual qué encontraba o qué no. Ellos seguirían suspirando de amor.

—No es mi hermano —le dijo a Alan ahora—. Pero eso es lo que contaremos a todo el mundo. —Lo anunció lisa y llanamente, sin emplear un tono amenazador, pero sí tal como tenía previsto, a modo de afirmación, no de manera interrogativa. No quería dar la impresión de que él tenía opción a negarse.

Alan la miró fijamente.

Ella sonrió.

—Dios mío, Cora. —No le devolvió la sonrisa.

Era evidente que ella lo había sorprendido. Como si le costara creerlo.

—¿Tienes... una relación con él?

Ella negó con la cabeza.

—Ahora no. La tuve, pero ya no.

Cora hizo lo posible por explicarse. Joseph y ella habían decidido que serían amigos, solo amigos, al menos hasta que él levantara cabeza, hasta que Greta y él no se hallaran en una situación tan desesperada. Cora había establecido esa condición: no tenía el menor interés en ser, una vez más, receptora del deseo fingido de un hombre, la herramienta necesaria para su supervivencia, que había que adular y aplacar. Así que lo ayudaría sin esperar nada a cambio, y sin la menor familiaridad que pudiera llevar a pensar que existía algo indecoroso en su trato, o que pudiera acarrear una humillación para ambos. En cuanto él tuviera trabajo y ahorros, podría marcharse, quizá volver a Nueva York, y ella le desearía lo mejor, sabiendo que, con su ayuda, su hija y él habían podido permanecer unidos. Esa era su principal preocupación.

En todo caso —había insistido Cora, y Joseph había coincidido—, solo podrían decidir qué representaban el uno para el otro cuando estuvieran en igualdad de condiciones. Y por tanto en el viaje en tren, incluso mientras Greta dormía, habían procurado no tocarse, ni rozarse los brazos o mirarse siquiera durante demasiado tiempo. Cora había sido sincera con Joseph, y el consentimiento de él también había sido real. Pero, por el mero hecho de estar sentada a su lado, había sentido que se le erizaba el vello, como si este quisiera acercarse a él en contra de la voluntad de Cora.

–Cora. –La voz de Alan, tensa e iracunda, interrumpió su pensamiento–. ¿Qué le has contado?

Como ella no contestaba, él golpeó el escritorio con la palma de la mano. Ella dio un respingo y se le borró la sonrisa.

–¿Es tu amante? ¿Es que estás loca? ¿Qué le has contado de mí?

La decepcionó que él solo pensara en sí mismo, que no fuera capaz de pensar en ella en absoluto. Pero vio el miedo en sus ojos.

–Alan. Le da igual.

Él cabeceó. Incluso en la penumbra Cora vio que el color abandonaba su rostro, primero la amplia frente, luego las mejillas bien afeitadas, por último el mentón hendido.

–Es verdad, Alan. No tiene nada en contra de ti. Si... se lo contara a alguien, cosa que no haría, quedaríamos los dos en evidencia. Él no es mi hermano. Nos acusarían de cohabitación deshonesta. Nos detendrían a todos.

–Tu castigo no sería equiparable al mío.

Cora apoyó la mano en el escritorio y se inclinó al frente.

–Él podría perder a su hija. Y no te pondrá en peligro. Se hace cargo, Alan. No te preocupes. Todo saldrá bien. Mi única intención es darles una oportunidad aquí. Quizá no sean felices, pero queremos ver qué pasa. Es la única manera de saberlo.

Se reclinó en la silla. Tal vez no debería haberle dicho la verdad, aunque solo fuera por ahorrarle preocupaciones. Al fin y al cabo, tendría que mentir a Howard y Earle. Sería necesario seguir mintiendo a Greta. Pero necesitaba el apoyo de Alan, o al menos su complicidad. Sin eso, su mentira despertaría más sospechas: en Wichita, nadie, a excepción de Alan, sabía siquiera que ella había llegado a Kansas huérfana, o que había nacido en

Nueva York. Pero si Alan la respaldaba, si era él quien contaba a la gente la historia de sus difíciles comienzos y su alegría por haber encontrado finalmente a su hermano, surgirían menos preguntas.

—¿Qué va a hacer aquí? ¿Tiene dinero? ¿Esperas que lo mantenga yo?

—Quiero que lo ayudes a buscar trabajo. Quizá sea difícil por su acento. Pero tú conoces a mucha gente. Podrías ayudarlo. Aceptará cualquier empleo. Y se le da bien la electricidad, la maquinaria.

—¿Y la niña?

—Yo cuidaré de ella. —De nuevo sonrió. En el tren, Greta había seguido aferrada literalmente a su padre, pero en un largo trecho de Misuri Cora y ella habían ido sentadas juntas, una al lado de la otra, contando establos, y al cabo de un rato la niña se quedó dormida con la cabecita rubia apoyada en su falda. La pequeña se había tragado la historia completa. La tía Cora. La tía Cora reencontrada después de mucho tiempo, que los llevaba a Kansas y permitía que ella y su padre permanecieran juntos.

Alan negó con la cabeza.

—¿Vas a dejar que siga pensando que es tu sobrina? ¿Vas a seguir mintiendo a esa niña?

—No queda más remedio. Hay demasiado en juego.

—¿Durante cuánto tiempo piensas mantener esta situación? ¿Y qué pasará cuando Howard y Earle vuelvan a casa? ¿Vas a mentirles también a ellos? ¿A tus propios hijos? ¿Vas a decirles que ese hombre es tu hermano? ¿El tío Joseph de Düsseldorf?

—Es de Hamburgo. —Ella lo miró a los ojos—. Y ya llevamos mucho tiempo mintiendo a nuestros hijos. Ser sinceros ahora sencillamente los confundiría sobre nuestro matrimonio, sobre muchas cosas.

Él desvió la mirada. Cora no sintió el menor triunfo. No le proporcionaba ningún placer abochornarlo. Pero él no tenía derecho a abochornarla a ella. ¿Acaso no se merecía un poco de felicidad? ¿Aun si tenía que mentir? Por fuerza él debía ver la lógica de eso. Ella lo obligaría a verla.

—Necesito tu ayuda —dijo en voz baja—. Me lo debes. Tú lo sabes.

Alan arrugó la frente. Ella entendió su angustia. Aun cuando pudiera convencerlo de que Joseph no lo perjudicaría de ninguna manera, él sin duda se planteaba cómo se verían alteradas sus vidas, su hogar. Desde hacía años había mantenido su farsa, exigiéndole a ella ayuda y discreción, y se lo había compensado con afecto, con los chicos, con ropa bonita, y con el rango de su apellido. Alan debía de haber esperado que bastara con eso.

—Podría ser agradable tener más gente en casa. —Cora bajó la vista y se frotó la nuca, todavía dolorida después del largo viaje en tren—. He pensado que quizá podríamos recibir invitados más a menudo. —Esperó—. Quizá... Raymond podría venir a cenar alguna vez.

Alan la miró atónito. Ella le sostuvo la mirada. Cora no estaba negociando. No necesitaba negociar. Y los dos lo sabían. Lo tenía entre la espada y la pared. Pero quería que entendiera que toda felicidad que pudiera derivarse de este nuevo acuerdo redundaría en beneficio de él. En realidad, si ella podía disfrutar de esa oportunidad, ¿qué más le daba si Raymond Walker cenaba con ellos? Desde hacía ya veinte años Cora sabía que Alan y él seguían viéndose, arriesgándolo todo por sus visitas secretas. Las cartas y regalos que cruzaban le habían causado mucho dolor. Pero ahora veía todo eso con manifiesta claridad, reacia a juzgarlos o entrometerse. Ya que ¿acaso no estaba ella igual de decidida a arriesgarse a la deshonra, incluso a la detención, por averiguar si Joseph y ella podían amarse? De todo eso solo se desprendía, pues, que lo que ella sentía por Joseph era lo que Alan sentía por Raymond, cosa que él no podía olvidar ni pasar por alto. Lo que en otro tiempo la había amargado ahora le inspiraba compasión, incluso admiración. Únicamente le cabía esperar que si sus propios riesgos eran igual de grandes, también ella encontrara un camino.

Alan tamborileó con los dedos en el cartapacio.

—¿Vas a decirle a la gente que eres alemana? —Entornó los ojos—. ¿Eres alemana? ¿Lo has averiguado? ¿Has sabido algo de tus padres?

–Nada importante. –Cora se encogió de hombros–. Diremos que mi padre era alemán. Mi madre también. Murió en el parto en Nueva York. Pero estaban casados. Yo era legítima. –Lo miró sin alterarse. Si iba a inventar una historia, ¿por qué no inventar una que facilitara las cosas, no solo para ella, sino también para Joseph y Greta, y las mantuviera tan sencillas como siempre para Howard y Earle?–. Diremos que, recién nacida, me dejaron al cuidado de unos parientes, y mi padre se llevó a mi hermano mayor de vuelta a Alemania. Joseph regresó aquí después de la guerra, y yo lo localicé en Nueva York.

Observó el rostro de Alan. Vio que estaba dándole vueltas a la historia: tanteándola. Si había alguna laguna, él la encontraría antes, como buen abogado y experto mentiroso.

–¿Y cómo acabaste viviendo con los Kaufmann? ¿Qué dirás?

–La familia de Nueva York murió. Vine a Kansas en un tren de huérfanos. –Suspiró–. No me importa que eso se sepa. Es la menor de mis preocupaciones.

Alan parpadeó.

–Ya veo.

Aparentemente estupefacto, con los labios un poco separados, escrutó el rostro de ella con la mirada, como si no la conociera del todo. Ella lo comprendió. Su vida, la de ambos, la de él, le había exigido una planificación muy meticulosa, toda decisión calculada en función del secretismo y la supervivencia, toda argumentación o justificación ensayada muy por adelantado. Y ahora ella de pronto le había tendido una emboscada, presentándole sus propios deseos y planes. Él necesitaría un poco de tiempo para reubicarse, para entender que, en efecto, ese motín iba en serio. Pero ella no podía evitar pensar que habían llegado a un acuerdo, o al menos a un principio de acuerdo. Lo obligaría a ayudarla si era necesario, pero prefería conservar su afecto. Guardó silencio, pero intentó expresárselo con la mirada. Se cuidó muy mucho de sonreír. No quería que volviera a descargar el puño en el escritorio. Pero la verdad era que se alegraba mucho de verlo, se alegraba de estar en casa por fin.

No había pasado ni una semana cuando Joseph manejaba ya un torno en Coleman Lanterns, donde Alan intercedió por él ante un antiguo cliente. Su turno empezaba mucho antes del amanecer, así que una mañana sofocante de principios de septiembre fue Cora quien llevó a Greta al colegio en su primer día. Greta se había puesto el bonito vestido azul que Cora le había comprado en los grandes almacenes Innes, y llevaba limpio y bien peinado su pelo rubio. Cora le aseguró que le gustaría el colegio, que sus maestras la tratarían bien y casi todas las demás niñas serían amables.

—Si alguien no lo es, no le hagas caso —dijo.

Greta la miró con una expresión sombría en los ojos, y Cora temió haber puesto nerviosa a la niña sin razón. Al fin y al cabo, con su precioso vestido nuevo, era posible que Greta se integrara con facilidad. Era tímida e insegura, pero no tenía acento, e incluso si otros padres se habían enterado de que su padre era alemán y ella acababa de llegar de Nueva York, cabía la posibilidad de que nadie le diera importancia. La gente tenía ahora una mentalidad más abierta que cuando Cora era pequeña, y Wichita era una ciudad relativamente grande, con mucho movimiento de personas. Tal vez Greta entablara amistades. Además, aunque no fuera así, estaría bien. Al fin y al cabo, había sobrevivido a la muerte de su madre y a sus años en el orfanato. Si los demás niños la aislaban, ella lo superaría, tal como había hecho Cora.

Aun así, cuando llegaron al patio del colegio, donde había ya muchos niños corriendo y riendo, y Cora vio a la joven maestra de Greta de pie a la sombra y saludándolas con la mano, le dio un vuelco el corazón. Era extraño: no recordaba haber sentido tanta inquietud con Howard y Earle, ni siquiera cuando eran muy pequeños. Quizá sencillamente sabía que a sus hijos les iría bien, fortalecidos por su mutua compañía y sus cómodos años previos en casa. Greta, todavía muy delgada, parecía más vulnerable. No sabía si los Kaufmann se habían sentido también así, si era por eso por lo que se habían esforzado tanto.

—¿Cuándo voy a ver a mi papá? —preguntó Greta—. ¿Cuándo vendrá a buscarme?

Cora, percibiendo el miedo en la voz de la niña, se agachó tanto como pudo y le sonrió.

—Tu padre trabaja hasta las cinco, y para entonces tú ya estarás en casa. Cenaremos todos juntos. El tío Alan traerá un postre especial, por lo valiente que estás siendo. Y yo estaré aquí a las tres, justo a la hora en que sales. Si quieres podemos comprar una piruleta en el camino a casa. Podrás contarme cómo te ha ido el día.

Le dio un beso en la coronilla caliente y la empujó con suavidad hacia la verja. No podía hacer nada más. No tenía sentido decirle que el día iría bien ni, de hecho, que sería duro; Cora no sabía qué le esperaba, ese día ni ningún otro. Solo podía prometerle que estaría allí a las tres, para consolarla, para celebrarlo o para preparar una estrategia, para ayudar a esa niña de la mejor manera posible, para agarrarla de la mano y llevarla a casa.

A finales de octubre, la primera noche fresca, Joseph fue a su habitación. Llamó a la puerta suavemente, sin decir nada, y se quedó mirándola, esperando; pero ella estaba despierta, dando vueltas en la cama, y cuando él le tendió la mano, ella lo atrajo hacia sí. Para entonces, él le pagaba un alquiler a Alan y contribuía a los gastos generales de la casa y de la alimentación. Sus ingresos eran muy inferiores a los de Alan, y habría podido prescindirse de sus aportaciones. Pero él no la había tocado, ni lo había intentado siquiera, hasta que tuvo dinero propio. Así pues, cuando lo hizo, ella se sintió reconfortada y emocionada, sabiendo que cuando él se acercó, fue por puro y auténtico deseo. La necesidad que ella tenía de él era igual de pura. No querían nada el uno del otro —ni hijos, ni seguridad, ni aprobación social—; solo se querían el uno al otro. Lo que ocurría entre ellos no era asunto de nadie más. Nadie más lo sabía, aparte de Alan, y probablemente Raymond.

Aun así, a veces se maravillaba ante la locura de su propio comportamiento. Pensaba continuamente que todo se descubriría, o que Joseph y ella caerían en el desencanto mutuo, o que Greta decidiría no sentir afecto por ella, o que Alan se negaría a seguir con aquello.

Pero nada de eso ocurrió. En la ciudad nadie expresó la menor sospecha. Viola Hammond se limitó a reprender a Cora por no haber mencionado que había nacido en Nueva York y la elogió por haber actuado cristianamente y haber acogido a su sobrina. El humor de Alan mejoró cuando Joseph, trasteando con el motor del coche, consiguió eliminar un preocupante castañeteo, y mejoró aún más cuando Raymond por fin aceptó una de las numerosas invitaciones de Cora a cenar. Raymond, que para entonces había perdido gran parte de su pelo rojo, al principio permaneció callado, alerta, especialmente con Cora. Pero hizo buenas migas con Greta, y al cabo de un tiempo se estableció en sus veladas una rutina fluida: Alan, en efecto, había comprado una radio ese verano, y después de la cena pasaban todos al salón a escuchar un programa o música. Cora advirtió que Alan y Raymond casi nunca se miraban ni hablaban directamente entre sí, y a Cora le pareció una estrategia bien engranada que Joseph y ella quizá podían adoptar. Cuando había baile, ella bailaba con Alan, nunca con Joseph. (Y nunca con Raymond: eso parecía un acuerdo tácito.) Simulaban incluso en la casa, para no causar confusión a Greta. Así y todo, le bastaba con tener a Joseph cerca, oír su voz, incluso cuando no lo miraba.

Y se las arreglaban bien. La niña dormía profundamente, y la puerta de Cora tenía pestillo. Incluso después de levantarse Joseph para volver a su habitación e inclinarse sobre ella para darle un beso de despedida, Cora se quedaba con los ojos abiertos, satisfecha, y escuchaba la casa en silencio. Pasado un tiempo, decidiría que lo que había hecho no era ni mucho menos una locura. ¿Acaso era una locura intentar uno vivir conforme a sus deseos, o lo más cerca posible? «Esta vida es mía —pensaba a veces—. Esta vida es mía gracias a la suerte. Y gracias a que yo tendí la mano y la aferré.»

En opinión de Alan, no tenía mucho sentido contar a nadie lo que había dicho Louise acerca de Edward Vincent. Coincidió

298

en que era preocupante que Vincent siguiera dando clases de catequesis, pero si Louise se negaba a respaldar la demanda, Cora solo podía acudir a las autoridades de la Iglesia con una acusación imprecisa. No era probable que prescindieran de Vincent por ese asunto, y si Cora se enfrentaba a él directamente, solo conseguiría granjearse un enemigo colérico.

—Dado nuestro acuerdo doméstico —añadió Alan—, nos conviene elegir con cuidado a nuestros enemigos.

Pero Cora tenía que hacer algo. Sintiéndose cobarde, mandó una carta anónima al despacho de Vincent. Utilizó un papel de carta corriente, y escribió el texto con la mano izquierda:

Manténgase alejado de las niñas de catequesis.
Estamos vigilándolo.

No sabía en qué medida eso serviría de algo, y no le pareció suficiente. Pero al otro domingo el pastor anunció que Edward Vincent había decidido concentrarse en cuestiones profesionales y dedicar más tiempo a su familia, y la parroquia buscaba un voluntario para aleccionar a los más jóvenes en asuntos morales. Cora se planteó por un momento levantar la mano. Desde su regreso de Nueva York venía reflexionando profundamente sobre asuntos morales, y le habría gustado tener la oportunidad de compartir algunas de esas reflexiones con los jóvenes presbiterianos de Wichita, y hacerles de paso alguna que otra pregunta. Pero le constaba que no era esa la clase de aleccionamiento en que pensaba el pastor. Dudaba que ella fuese capaz de atenerse a los deseos de este. Dada su propia forma de vida, si enseñaba las reglas duras y las terribles historias que ella misma había aprendido de niña, sería tan hipócrita como Edward Vincent. De manera que cuando el pastor la miró, sentada en el banco entre Alan y Joseph, ella apartó la mirada educadamente.

En 1926 Louise Brooks, a sus diecinueve años, una actriz aún relativamente poco conocida, obtuvo el papel principal en *A Social Celebrity,* película en la que el muy apreciado Adolphe

Menjou era el protagonista masculino. Cuando se estrenó en Wichita Cora y Joseph fueron a verla, y llevaron a Greta, quien a los diez años llegaba a Cora casi a los hombros y tenía el pelo aún más rubio después de varios veranos bajo el sol de Kansas. Pero insistió, tanto a su padre como a Cora, en que conservaba un claro recuerdo de la chica guapa de pelo negro que había conocido brevemente en Nueva York cuando tenía seis años. Ella estaba comiendo una tostada con mermelada, dijo, y se escondió bajo la mesa cuando la chica guapa entró, y esta se rio de algo. Como si esos detalles no fueran prueba suficiente, ya en el cine, tan pronto como Louise apareció en la pantalla, Greta tomó aire, con una inhalación súbita y profunda, y se agarró al brazo de Cora.

—¡Es ella! —susurró—. ¡Tía Cora, me acuerdo! ¡Está igual!

Joseph la mandó callar con delicadeza. Cora no pudo contestar. Boquiabierta, mantenía la mirada fija en la pantalla. Allí estaba Louise, aquellos ojos oscuros suyos despidiendo destellos bajo el flequillo, aquella sonrisa radiante que tan familiar le era. A Cora no le sorprendió que Louise hubiera alcanzado el éxito; aun así, era emocionante, asombroso, ver a una persona a quien ella conocía en una película de verdad. Pero Greta se equivocaba: Louise no estaba exactamente igual que aquel verano. Llevaba el pelo aún más corto que entonces y tenía el rostro un tanto más anguloso, más delgado, más parecido al de su madre. Realzaba sus ojos una raya muy marcada y la abundante sombra aplicada en los párpados. Hacía el papel de *flapper,* una joven moderna y valiente que quería ir a Nueva York para ser bailarina. Para ella, eso no representaba gran esfuerzo, claro, pero su interpretación, a juicio de Cora, era sólida. Fuera cual fuese el perfil que mostrase, fuera cual fuese su expresión, su cara luminosa captaba las miradas. Cuando aparecía en una escena, era difícil mirar otra cosa. Al principio de la película lucía vestidos sencillos, y al final un traje de noche con abalorios, muy escotado, sin adorno alguno en el cuello blanquísimo.

Al día siguiente el *Wichita Eagle,* muy ufano, citó una reseña de Nueva York: «Hay una chica en esta película que se llama Louise Brooks. Quizá hayan oído hablar de ella. Si no es así, no se preocupen. Ya oirán».

De pronto su retrato y su nombre aparecían por todas partes, o esa impresión daba. Posó para *Photoplay*, *Variety* y *Motion Picture Classic*. A veces miraba sensualmente a la cámara, y en otras ocasiones sonreía con dulzura, y su cabello y su tez clara quedaban siempre bien en blanco y negro. Incluso antes de llegar a las pantallas su nueva película, los periodistas de los ecos de sociedad empezaron a seguirle el rastro. Comentaban que cenaba en restaurantes caros, bailaba en clubes, e incluso corrieron rumores de que se la veía en Nueva York en compañía de Charlie Chaplin, quien, observaban los artículos con frecuencia, no solo estaba casado, sino que le doblaba la edad. Las revistas comentaron también que hacía apenas unos años Louise había sido bailarina de la compañía Denishawn, hasta que fue expulsada por su mal comportamiento. Pronto pasó a ser una chica Ziegfeld, aún menor de edad pero viviendo por todo lo alto y con entera libertad en el hotel Algonquin hasta que el establecimiento la expulsó por conducta licenciosa. De todas las *flappers* con peinado *bob* y las rodillas al descubierto que se vieron en el cine ese año, Louise Brooks era la que, al menos en la vida real, parecía comportarse de una manera realmente alocada y rebelde. Howard escribió a Cora en una carta que había impresionado a sus nuevos compañeros de clase en la Facultad de Derecho diciéndoles que no solo había ido al colegio con Louise Brooks, sino que además su querida madre había sido la acompañante de esta durante todo un verano. «Todos me tuvieron envidia –añadió–. ¡Pero nadie dijo que te envidiara a ti!»

Y qué razón tenían, pensó Cora. Ahora lo veía aún más claramente: era como si ese verano en Nueva York le hubieran encomendado la misión de contener el viento o detener el mismísimo tiempo. Ya por entonces Louise era una fuerza de la naturaleza. Pero cuando Cora, en aquel apartamento pequeño y caluroso, había obligado a Louise a quitarse el maquillaje de la cara, no solo creía sinceramente que hacía lo correcto, sino que era lo único que podía hacer. Y una y otra vez, como un loro bien adiestrado, había advertido a Louise de las peligrosas consecuencias de una reputación mancillada. Pocos años después la reputación de Louise había sido profundamente mancillada por la prensa popular, y sin embargo la única consecuencia de eso, por lo que Cora veía, era un mayor número de papeles en el cine y una fama creciente.

Aun así, no podía sacudirse de encima cierta preocupación, la misma inquietud vacilante que la corroía aquel verano en Nueva York. ¿Se había alegrado Louise de abandonar Denishawn? Si no, ¿qué había hecho para que la expulsaran? ¿Había salido a beber? ¿Se sentía Louise satisfecha con ser la última joven amante de Chaplin, o anhelaba algo más? Todo eso eran tonterías, se dijo. Louise no necesitaba su preocupación, y lo más probable era que no la quisiera. En todas las fotografías de las revistas se la veía muy segura de sí misma, con un brillo de viveza en los ojos. Cora supuso que no sería raro que el señor Chaplin acabara abandonado, sintiéndose utilizado, o que se abandonaran mutuamente, los dos ilesos. Pese a la juventud de Louise, era una mujer hecha y derecha, una mujer moderna, inteligente y sin miedo a la opinión de los demás, una chispa encantadora en el filo de una generación que hendía las antiguas convenciones.

Pocos años después, cada vez que una de sus películas llegaba a la ciudad, un cine situado junto al bufete de Alan colocaba en la marquesina un cartel muy visible en el que se leía: «¡Interpretada por la mismísima Louise Brooks de Wichita!». En la pantalla, advirtió Cora, se movía como una niña, dando brincos, revoloteando. Se sentaba en el regazo de hombres mayores, con los ojos muy abiertos, y seguía recurriendo habitualmente a su mohín. Las habladurías de las revistas, que retrataban a una Louise muy distinta, debían de causar perplejidad en sus admiradores. Cora no se sorprendió cuando leyó que Louise había presentado una demanda contra un fotógrafo por hacer circular un retrato en el que ella llevaba solo un pañuelo, exhibiendo toda una cadera desnuda. Louise defendió su postura ante la prensa, explicando que había posado para esas fotos cuando era corista, pero ahora tenía una profesión muy distinta. «He iniciado una carrera seria como actriz de cine —explicó—, y temo que esas fotografías mías con el pañuelo, repartidas por todo el país, puedan perjudicar mis posibilidades de éxito en mi nueva profesión. En esta nueva profesión me llaman para interpretar a muchas heroínas inocentes, chicas que son un dechado de pudor y respeto por las convenciones más arraigadas. De hecho, mis directores me dicen que esos son los papeles que más se acomodan a mí. Causaría una gran conmoción, me temo, que los espectadores que me han admirado en uno de esos papeles se encontraran una fotografía mía tal como aparecí posando ante la cámara del señor De Mirjian, sin más ropa que un pañuelo colocado al desgaire, y a veces unas sandalias. Sin duda, el contraste anularía o debilitaría parte de la ilusión de inocencia y falta de refinamiento que han creado mis interpretaciones.»

A continuación aclaraba que no sentía la menor vergüenza por haber posado para esas fotografías, que consideraba artísticas y de buen gusto, muy apropiadas para una chica de revista. Señalaba que un vestido escotado podía ser del todo aceptable para una velada, pero el mismo vestido sería indecente por la tarde. El vestido sencillamente era inapropiado para una situación dada, no incorrecto de por sí.

—Podría dedicarse a la abogacía —comentó Alan, y se rio—. Creo que lo haría muy bien.

Cora tuvo que darle la razón. La argumentación de Louise parecía acorde con los tiempos. Últimamente era difícil saber qué se consideraba apropiado o inapropiado de un día para otro. Dos años antes las faldas habían bajado otra vez, casi hasta los tobillos, pero ahora volvían a quedar a la altura de la rodilla. Y ese verano en Wichita el equipo de béisbol del Ku Klux Klan desafió a un partido a los Monrovian de la Liga Negra, arbitrado por católicos blancos que no se decantarían por ninguno de los dos. Cora, que temía la violencia, no asistió, ni dejó ir a Greta. Pero Joseph, Raymond y Alan sí fueron, y no hubo violencia. Durante años, los tres hombres alardearían de que estuvieron presentes la noche que los Monrovian derrotaron al Klan por diez a ocho.

Más sorprendente aún, al menos para Cora, fue la noticia de que Myra Brooks había abandonado a su marido, así como a sus dos hijos menores, que aún vivían en casa. Corrían rumores de la existencia de otro hombre, pero quizá eso fueran simples habladurías. Lo que sí se sabía era que Myra trabajaba en Chicago, escribiendo una columna semanal de salud, belleza y psicología para una revista de la que nadie había oído hablar. Las mujeres del círculo de Cora se escandalizaron, por decir poco. Una tarde de otoño, mientras Viola y Cora ponían direcciones en sobres para la Liga de Mujeres Votantes, Cora cometió el error de pronunciar el nombre de Myra.

—Lo que esa mujer ha hecho es despreciable —declaró Viola entre dientes, subrayando una sílaba de cada dos con un golpe de pluma en la mesa—. Una cosa es que no fuera feliz con su marido, pero lo que no puedo entender es que una mujer deje a sus hijos. A Theo van a mandarlo a la academia militar. Un pariente va a ocuparse de la pequeña June. —Guardó silencio por un momento y, sin mucha convicción, hizo ademán de lamer un sobre—. ¡Y Zana Henderson va y la defiende! «Según su versión», eso dijo. Según parece, madame Brooks nunca quiso ser madre. Quería ser escritora, una *artiste,* y consideró que ya se había anulado a sí misma durante bastante tiempo. —Viola cabeceó y de pronto, interrumpiéndose, se llevó una mano al pelo para ajustarse una horquilla que se le había desprendido del moño—. Pues yo no estoy de acuerdo. Puede que Myra no quisiese ser madre, pero es lo que es, y debe comportarse como tal. Sé que Zana y Myra eran muy amigas, pero lo que se ha hecho con esos niños es un crimen.

Cora permaneció callada. Viola estaba furiosa, y tenía razón para estarlo. Pero, por otro lado, Cora sabía lo que sabía. Acabó de poner la dirección en un sobre, consciente de que Viola la observaba, de que esperaba su respuesta.

—Es verdad —contestó por fin—. Me refiero a lo que dijo Zana. Al menos eso es lo que me contó Louise. Myra no quería hijos, y no estaba a gusto con Leonard. —Vio la expresión ofendida en los ojos de Viola y apartó la mirada—. Pero no te discuto que es todo muy triste. Theo y June me dan mucha pena.

—¡Vaya que si es triste! Y perdona, pero no entiendo tanta comprensión con esa mujer. Tampoco me parece a mí que Leonard Brooks fuera tan malo como para que ella tuviera que abandonarlo.

A mí, siempre que me he cruzado con él, me ha parecido una persona aceptable. Y desde luego se gana bien la vida. Según Zana, Myra se quejaba de que era «exigente y desconsiderado», pero a mí nunca me dio esa impresión. Todas las personas con las que he hablado lo tienen por un hombre muy amable. Pero, aunque sea cierto, Myra debería haber descubierto eso sobre él antes de casarse. Si de verdad es semejante ogro, tendría que haberse dado cuenta.

—¿Crees que Myra se refería al sexo?

Viola se quedó callada. Pero, a juzgar por su expresión, estaba claro que Cora no debería haber planteado esa pregunta en voz alta.

—Solo quiero decir que quizá Myra se refería a eso. —Cora apiló los sobres ordenadamente—. O tal vez no. Pero si es así, no podía saber en qué se metía, no a ese respecto. Cuando se casó, era muy joven. Solo quería decir eso.

Viola, con la mirada aún fija en Cora, tomó la pluma. Sus mejillas hundidas se habían sonrojado.

—Dios mío, Cora. No me puedo creer lo que acabas de decir.

Cora no contestó. No era prudente seguir, unirse a la batalla perdida de Zana Henderson para defender, o al menos comprender, el abandono de Myra. Cora no sabía por qué se había tomado tantas molestias; ni siquiera le caía bien Myra Brooks. Pero al fin y al cabo también ella había sido una novia muy joven, incapaz de entender en qué se metía, en qué consistirían y en qué no el matrimonio y las relaciones. Cora había organizado su vida en secreto, pero Myra no había podido permitirse ese lujo. No podía juzgarla, ahora que tenía a Joseph. Si Myra se había referido al sexo, «exigente y desconsiderado» parecía una lamentable combinación, quizá peor que nada en absoluto.

Pero nadie pudo defender a Myra en cuanto la prima de Ethel Montgomery, residente en Michigan, envió a esta un folleto con la foto de Myra en el que se anunciaba: «Myra Brooks, juvenil madre de la estrella de cine Louise Brooks, hablará esta tarde sobre belleza y salud». Pronto se descubrió que Myra, aprovechándose de la fama creciente de Louise, se había hecho un hueco en el circuito del Redpath Chautauqua, un movimiento de difusión cultural, dando charlas sobre cómo había fomentado la actitud y la belleza de su famosa hija, y cómo había logrado conservar las suyas. Las mujeres de Wichita se preguntaron en voz alta si Myra, en esas charlas sobre su sabiduría materna, mencionaba alguna vez que había abandonado a los hermanos menores de Louise, o si, como solo el nombre de Louise era lucrativo, a sus otros hijos no los mencionaba siquiera.

Únicamente podían adivinar lo que la propia Louise pensaba al respecto. Para entonces, era muy famosa e inaccesible. Su nombre aparecía en la pantalla junto al de W. C. Fields,* y las revistas contaban que estaba a punto de casarse con el director de su última película, un hombre joven y atractivo. Pronto las revistas describían la hermosa nueva casa en California de los recién casados y las espléndidas fiestas con caviar y los picnics con amigos famosos en el castillo del magnate de prensa Hearst. Louise aparecía fotografiada en traje de noche con su nuevo marido, y ataviada con diversos abrigos de piel cuando visitaba Nueva York.

Ese mes de mayo, Greta llegó a casa del colegio y, después de dar un bocado a la manzana que Cora acababa de ofrecerle, anunció que ninguna de las niñas que ella conocía sentía lástima por June Brooks, pese a que su madre la había abandonado.

–Puede ir a Hollywood –explicó Greta, masticando todavía la manzana–. Va a vivir con Louise todo el verano. Le he dicho a June que conocí a su hermana en Nueva York, y que a mí también me gustaría visitarla. Ella me ha contestado que ya se vería. Su hermano Theo también va a ir. Todo el mundo dice que vivirán en una mansión, probablemente con piscina y criados, y que el marido de Louise es tan rico que tiene seis coches, y seguro que la casa estará llena de estrellas de cine.

---

* William Claude Dukenfield (1880-1946), más conocido como W. C. Fields, fue un famoso actor de comedia. *(N. de los T.)*

Dicho esto, Greta se sentó en una silla del comedor y cruzó las rodillas arañadas, con la barbilla en alto, como si fuera una mujer elegante posando junto a una piscina. Cora sonrió. Greta actuaba aún con timidez en la escuela y en las reuniones sociales, pero en privado tenía una vena teatral.

—¿Y qué pasará al final del verano? —preguntó Cora—. ¿Volverá June?

Greta negó con la cabeza.

—Irá a un colegio en París. Ya no recuerdo el nombre, pero cuando nuestra maestra lo ha oído, ha dicho: «Vaya, vaya, está muy bien eso de tener una hermana actriz de cine». Y Louise la visitará en París continuamente, porque es tan rica que puede cruzar el Atlántico una y otra vez como otra gente cruza la calle.

Cora quedó impresionada, no por el dinero, sino por la decencia del gesto. Si alguien le hubiera dicho allá en el verano de 1922 que aquella adolescente de quince años, hosca y maquinadora, pronto sería rica y famosa, no se habría asombrado. Pero nunca hubiera adivinado que al cabo de unos años Louise no solo estaría felizmente casada, sino que además velaría por sus hermanos menores, asumiendo la responsabilidad que su madre había abandonado. Cora admitió que quizá hizo mal en preocuparse. Louise, con todo su atrevimiento y desenfado, en realidad había salido bien.

Pero, por otra parte, en esos últimos y fáciles años parecía que a todo el mundo le iba bien. Earle se casó en Saint Louis, y aunque seguía en la Facultad de Medicina y no tenía mucho dinero, los padres de la novia tiraron la casa por la ventana en una boda con más de trescientos invitados, que incluyó una pequeña orquesta y carne de primera en la cena. Howard fue el padrino de Earle, y Greta llevó el ramo. Se brindó por el futuro de la pareja, y aunque estaban presentes el comisario de policía y el alcalde, a nadie pareció importarle que hubieran echado ginebra en una de las poncheras.

Joseph consiguió un empleo en una de las fábricas de aviones; aquellos eran los tiempos en que podía verse a los pioneros de la industria aeronáutica Clyde Cessna y Walter Beech pasear por Douglas Avenue, y pocos imaginaban en qué se convertirían, tanto ellos como aquella joven industria. Joseph empezó como encargado de mantenimiento y conservó ese puesto durante un año hasta que alguien le permitió trastear con un motor. Enseguida causó impresión. Cuando la Universidad de Wichita anunció un nuevo título en algo llamado Ingeniería Aeronáutica, la empresa le pagó los estudios. Empezó a ganar un buen salario, y Ethel Montgomery le preguntó a Cora si su hermano estaba «en el mercado», ya que ella tenía una hermana viuda en Derby. Cora le explicó que por desgracia la esposa de su hermano, antes de morir, le había arrancado la promesa de que nunca se casaría con otra, y Joseph, buen hombre como era, había accedido.

—Qué romántico —comentó Ethel.

—Sí —dijo Cora.

Esa tarde le contó a Joseph su mentira.

—A las mujeres les encanta sentir lástima por un hombre —advirtió—. Ahora te irán todas detrás.

A él eso le pareció gracioso. Como estaban solos en la casa, le dio un beso.

Daba la impresión de que la suerte flotaba alrededor, como el aire que uno respiraba sin notarlo. La Bolsa iba al alza, llovía lo necesario, y el futuro parecía tan claro y resplandeciente como el cielo de verano. Corría el año 1929. Por todo el país las alegres y jóvenes *flappers* bailaban al ritmo del jazz, y cada soplo de brisa portaba aún el nombre de Louise en revistas y cines.

Naturalmente, el viento estaba a punto de cambiar.

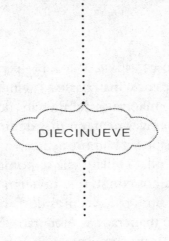

## DIECINUEVE

Durante las peores tormentas, sellaron las ventanas con cinta aislante y encajaron paños empapados en parafina debajo de las puertas. Aun así, entró el polvo. Cora notaba el sabor en los labios al despertar. Barría a fondo la casa nada más levantarse cada mañana y al cabo de tres horas cubría el suelo una nueva capa, tan espesa que veía sus propias huellas. El polvo revestía los diales de la radio, los papeles en el escritorio de Alan y los platos en los armarios. Joseph se limpiaba las lentes de las gafas, y pocos minutos después tenía que volver a hacerlo. No podían dejar la comida fuera. Della limpiaba con esmero, pero los días peores, cuando el polvo en el aire era tan denso a causa del viento que no se veía la otra acera, los autobuses dejaban de circular y ella no podía ir. Cuando cerraban los colegios, Greta se quedaba en casa y Cora y ella trabajaban juntas, provistas de paños húmedos y escobas. A medida que subían las temperaturas, no solo barrían el polvo, sino también arañas y ciempiés. Y eso era dentro de casa, su refugio. Fuera, el viento hacía daño en la piel y los ojos y arrancaba la pintura de las cercas.

Estaban mucho mejor que la mayoría. Alan siguió ingresando un buen salario, y como siempre había sido cauto con las inversiones no perdieron mucho en el desplome de la Bolsa. A Joseph le recortaron la paga en Stearman, pero en 1934 llegaron contratos militares para aviones de instrucción y volvieron a subírsela un poco. Eran los granjeros y sus familias quienes más sufrían, con un año de sequía tras otro. A veces Cora pensaba que probablemente estaba barriendo del suelo de su salón parte del hogar y el medio de vida de algún habitante de Oklahoma. El ganado moría de hambre, o de asfixia, y la gente no tenía más remedio que abandonar sus casas y marcharse a la ciudad. Había hombres vendiendo lápices o manzanas del Ejército de Salvación en cada esquina de Douglas Avenue, y en más de una ocasión viajeros con niños aturdidos por el hambre acudían a la puerta trasera de Cora pidiendo comida. Della y ella se ponían manos a la obra y preparaban bocadillos con lo que tuvieran a mano.

Incluso algunos amigos y vecinos de Cora atravesaban dificultades, aunque de manera más moderada. Viola Hammond y su marido, tras perder una gran suma en la Bolsa, alquilaron dos habitaciones en su casa para cubrir el pago de la hipoteca. Los Montgomery vendieron el Cadillac y compraron un Buick Standard. El club de jardinería se dispersó por completo, ya que para entonces todo el mundo había abandonado las flores de sus arriates al polvo. Pero mucha gente no parecía afectada en absoluto, pese a que la lluvia no llegaba y el valor de las acciones no subía y un demócrata ocupó la presidencia. Cora seguía asistiendo a almuerzos y meriendas donde las mujeres que conocía lucían guantes blancos y sombreros florentinos y los nuevos vestidos largos, a la altura de la espinilla, con cinturón y torera. Para entonces, incluso las mujeres mayores habían dejado de usar corsé, y era más fácil comer y respirar y moverse, pero incluso las fajas, más llevaderas, eran un tormento cuando hacía calor. Una tórrida mañana de verano, después de once días consecutivos de temperaturas cercanas a los cuarenta grados, Winnifred Fitch, cuyo marido procedía de una prominente familia de la industria envasadora de carne, alquiló un teatro y pidió al gerente que instalara lámparas y una mesa larga en el escenario para que ella y otras siete mujeres pudieran disfrutar de un piscolabis servido en el grato ambiente que proporcionaba el aire acondicionado. El aire fresco abrió el apetito a Cora, que tomó cinco tajadas de melón, saboreando cada bocado.

Cuando los camareros se llevaron los platos, Winnifred, en la cabecera de la mesa, se aclaró la garganta y se puso en pie. Con cincuenta años ya cumplidos, era solo un poco mayor que Cora. Pero no se conocían bien, dado que los Fitch acababan de instalarse en la ciudad, llegados del oeste de Kansas, porque –increíblemente– el aire en Wichita era mejor.

—Gracias a todas por venir hoy. —Winnifred se alisó la pechera del vestido—. Sé que os he invitado aquí con el vago pretexto de ofrecer ayuda social, y os prometo que si, al salir de aquí, podéis permitiros dejar unas monedas en el tarro que hay junto a la escalera, me encargaré de que lleguen al comedor de beneficencia de la Primera Iglesia Metodista. Pero debo deciros que no os he emplazado a todas aquí hoy para recaudar unas monedas. —En este punto guardó silencio, y echó atrás las hombreras—. Señoras, he organizado este piscolabis con la esperanza de que todas juntas nos unamos contra un enemigo al que no pueden vencer ni siquiera todos los comedores de beneficencia juntos, un enemigo que se ceba en todos nosotros, ricos y pobres por igual.

Cora se limpió las comisuras de los labios con delicadeza, alzando la vista con expectación. Si Winnifred Fitch tenía una solución para el polvo, desde luego ella quería oírla.

Pero Winnifred estaba muy seria.

—Como recién llegada a esta comunidad, me ha escandalizado ver... objetos obscenos expuestos a la vista del público, incluidos los niños inocentes. Me refiero a los profilácticos. Me da la impresión de que en estos tiempos difíciles los farmacéuticos, en su desesperación por conseguir ingresos, se han vuelto más laxos en cuanto a sus principios morales. Tengo la sensación de que incluso a vosotras, las mujeres más urbanas, os disgusta que sea tan difícil proteger a vuestros hijos y nietos de las vulgares implicaciones de esos despliegues. —Recorrió con la mirada a las presentes en torno a la mesa—. Virginia. Cora. Creo que las dos tenéis hijas adolescentes, ¿no es así?

Virginia asintió.

—Tengo tres hijas todavía en casa —respondió—. Y no podría estar más de acuerdo con tus preocupaciones.

Winnifred y las demás miraron a Cora.

—Greta es mi sobrina —dijo Cora.

No entró en detalles. Sabía que no había contestado a la verdadera pregunta de Winnifred, pero no le parecía muy prudente decirles a esas mujeres que no tenía inconveniente en ver preservativos expuestos en las farmacias. De hecho, hacía apenas unas semanas, ella misma le había mencionado esas nuevas exhibiciones en los escaparates a Greta, añadiendo de paso que si una chica y un chico se veían necesitados de «control de la natalidad», por tomar prestada una expresión de Margaret Sanger, harían bien en aprovisionarse de una mercancía regulada en una farmacia, en lugar de arriesgarse con algo comprado bajo mano en un salón de billar o una gasolinera. Greta, normalmente tan locuaz, había enmudecido, primero de sorpresa y luego de vergüenza. («¡Tía Cora! ¿Qué clase de chica crees que soy?», preguntó. «La clase de chica a la que yo quiero», contestó Cora.) Pero a Cora la conversación le pareció necesaria, porque Greta estaba a punto de cumplir los dieciocho años y tenía novio.

–Señoras –prosiguió Winnifred–. Os he invitado hoy porque me han dicho que estáis todas bien relacionadas y sois respetadas en la comunidad. Es mi esperanza que cada una de vosotras firme una petición en contra de esa clase de escaparates y publicidad, y que colaboréis conmigo para crear un código de decencia en la ciudad.

Las mujeres sentadas en torno a la mesa recibieron la propuesta con murmullos de aprobación y gestos de asentimiento. Cora, sin saber qué hacer, jugueteó con la servilleta. Acababa de disfrutar de todo aquel melón y el vaso de té a cargo de Winnifred Fitch; ciertamente no podía marcharse así sin más en ese momento. Pero no había imaginado ni remotamente que aquel piscolabis se convertiría en una llamada a las armas contra los preservativos. En realidad, pensó, los escaparates de las farmacias no eran tan sorprendentes ni mucho menos. Durante años, McCall's había presentado el jabón Lysol como «complemento de higiene femenina para las esposas nerviosas», y todo el mundo sabía qué prometía en realidad: nada de embarazos y nada de enfermedades. A Cora le advirtió su médico que eso era un disparate: el Lysol no impedía la concepción y podía causar graves daños a una mujer. Esa advertencia no supuso ningún problema para Cora, quien, como mujer casada, tuvo la alternativa de un diafragma recetado en cuanto se armó de valor para pedirlo. Pero ¿qué opción tenía una muchacha como Greta?

Para Cora era en realidad un alivio que en esos tiempos una chica, o al menos su novio, pudiera entrar en una farmacia y encontrar allí lo que necesitaba. No es que quisiera que Greta mantuviese relaciones íntimas a los diecisiete años; Cora no tenía un gran concepto del novio. Pero los jóvenes eran jóvenes, tanto si los farmacéuticos cambiaban sus escaparates como si no. Precisamente, la semana anterior Cora había recibido una petición de dos médicos de Wichita que albergaban la esperanza de fundar un hogar benéfico para madres solteras. Dichos médicos afirmaban que algunas de las chicas a quienes deseaban ayudar eran muy jóvenes, y que procedían tanto de buenas como de malas familias.

Así las cosas, Cora permaneció en silencio durante la alocución de Winnifred. Escuchó el tictac de su reloj y se concentró en la sensación de frescor en la piel producida por el aire del teatro. No tenía sentido discutir con una mesa entera de mujeres aparentemente tan convencidas de lo que era aceptable y lo que no lo era como lo había estado Cora en otros tiempos. Cora no conseguiría hacerles cambiar de opinión, y menos durante un piscolabis. Eso solo le serviría para verse excluida. Su única esperanza era escapar de allí sin firmar nada.

Ethel Montgomery se aclaró la garganta.

—Mejor sería combatir toda clase de inmoralidad —propuso—. ¿Sabéis que existe un movimiento para legalizar la cerveza en Kansas siempre y cuando no pase de cierto grado de alcohol? Pretenden acabar con la Prohibición aquí también. Winnifred, comparto sin duda tu preocupación, pero creo que podríamos emprender también una campaña contra el consumo de alcohol. A mí me parece que esos dos problemas son caras de la misma moneda.

Cora contuvo un suspiro. El resto del país consideraba ya la Prohibición un experimento fallido. Pero Kansas no cedía. Aun así, según cálculos del *Wichita Eagle,* los habitantes de la ciudad consumían 750 litros de alcohol ilegal al día. Eso lo decía todo sobre la abstinencia obligatoria. Dos caras de la misma moneda, sin duda.

Los camareros llenaban en silencio los vasos de agua, y Cora reconoció a uno de ellos; era el hijo menor de Della, que rondaba la edad de Howard y Earle. Ella le sonrió, pero él no la vio o fingió no verla.

—Me gusta tu manera de pensar —dijo Winnifred. Tomó asiento y dio las gracias en voz baja cuando le llenaron el vaso—. Pero esa es una lucha más cara. Los antiprohibicionistas cuentan con financiación y una buena organización. Sé que la mayoría de nosotros pasamos estrecheces en estos momentos. —Hizo una pausa y esbozó una sonrisa irónica—. Si queremos combatir el alcohol, tendremos que ser creativas. ¿Hay alguien aquí emparentada con un millonario? ¿Un magnate naviero, tal vez?

Se oyeron risas educadas. Viola, sentada a la derecha de Cora, le dio un cordial codazo.

—Cora conoce a Louise Brooks.

Cora se volvió y fijó en ella una mirada inexpresiva.

Ethel Montgomery puso los ojos en blanco.

—Por alguna razón, dudo que ella dé apoyo a cualquier medida contra la obscenidad.

—De todos modos no tiene dinero —añadió Virginia—. Se declaró en bancarrota, creo. Dijo a la prensa que no le quedaba nada salvo lo puesto.

Alguien chasqueó la lengua.

—Todas esas pieles, la pobre.

Cora miró al techo, los sacos de arena y las cuerdas, las luces apagadas del escenario. Cuando Louise vivía aún en Wichita, cuando era solo una niña guapa de pelo negro que actuaba allí donde su madre podía colarla, tal vez hubiera hecho piruetas y saltado en ese mismo escenario ante los aplausos de compañeros de clase y vecinos. Cora miró por encima del hombro las hileras de asientos vacíos.

—¿Cómo es posible que esté en bancarrota? —Viola cabeceó—. Sabía que se divorció, pero volvió a casarse, ¿no? Con un millonario de Chicago.

—Lo abandonó —afirmó la mujer que había chasqueado la lengua—. Ese matrimonio le duró aún menos que el primero.

—Si está otra vez en bancarrota, quizá vuelva con él. Eso hizo su madre.

Cora bajó los ojos. Myra había vuelto a la ciudad. Sus hijos ya eran mayores, pero vivía de nuevo con Leonard, los dos solos en aquella casa enorme de North Topeka. Por lo que Cora había oído contar, simplemente se le había acabado el dinero y andaba mal de salud. Todo el mundo pensaba que Leonard había actuado muy generosamente al acogerla.

—Louise Brooks no tendrá que volver con nadie —dijo Virginia—. Si se ha divorciado de otro millonario, debe de haber quedado bien cubierta.

—Eso espero, por su bien. ¿Qué edad tiene ahora? ¿Treinta? Divorciada ya dos veces. Ante eso, un hombre se lo pensaría muy mucho. Y parece que Hollywood se ha cansado de ella. No sale en ninguna película desde hace años.

Winnifred esbozó una leve sonrisa.

—Tal vez ni siquiera Hollywood quiere poner como ejemplo a una mujer que se toma el matrimonio tan a la ligera. Y ahora, respecto a la recaudación de fondos...

—Ha sido por el cine sonoro —explicó Virginia—. Eso he oído decir. Ella no tenía la voz adecuada. Muchos actores triunfaron en el cine mudo solo porque salían favorecidos en la pantalla; ahora, también su voz tiene que sonar bien. Es una forma de interpretación muy distinta. Por eso tuvo que rodar esas películas en Alemania, para sacarle partido a su cara durante un tiempo más.

—Tiene una voz excelente —afirmó Cora—. A su voz no le pasa nada.

Todas las caras se volvieron hacia ella. Viola enarcó las cejas.

—Y sí ha hecho cine sonoro —añadió Cora—. *It Pays to Advertise* era sonora.

—No me acordaba de que salía en esa —dijo Viola—. Fue la última en la que trabajó, ¿no? Y de eso hace cuatro años.

—¿Esa cuál era? —preguntó Ethel—. No sé si la he visto.

—Salía Carole Lombard, que era la actriz principal. Louise Brooks tenía un papel secundario. —Viola se volvió hacia Cora—. Entonces ¿qué ha pasado? Si no ha sido por la voz, ¿por qué está en bancarrota? Antes uno no podía ir al cine sin ver su cara, y ahora ya no es así. ¿Qué ha sido de ella?

—No lo sé –respondió Cora–. No estoy en contacto con ella. –Miró hacia el centro de la mesa y levantó la voz–. Lo siento. Sé que tiene buena voz. No sé nada más.

Nadie contestó. Cora cayó en la cuenta de que quizá había hablado con un tono más enérgico del que pretendía. No quería seguir sentada a aquella mesa. Echó atrás la silla.

—¿Cora? –Viola le tocó la rodilla–. No irás a marcharte... No te vayas. Solo era una pregunta. ¿Te ha molestado?

Cora negó con la cabeza, apretando los labios. Estaba molesta, pero aún no sabía bien si tenía derecho a estarlo. No le habían preguntado nada sobre Louise que no se hubiera planteado ya ella misma, pero, claro está, ella se lo había planteado sin regodeo, mientras que a esas mujeres obviamente les complacía que Louise, en otro tiempo tan por encima de ellas, hubiera caído tan deprisa. Ahora querían la historia, los detalles. Cora no tenía nada que ofrecerles.

—Es que tengo que irme –dijo Cora poniéndose en pie–. Gracias por el piscolabis, Winnifred. Ha sido un auténtico placer picar algo con este fresco.

Forzó una sonrisa, volvió a colocar la silla en su sitio bajo la mesa y se encaminó hacia la escalera situada a la derecha del escenario.

—Antes de irte deberías firmar la petición. –Era Winnifred, hablándole en voz alta.

Cora bajó por la escalera, mirándose los pies en la tenue luz. Eso ponía fin a la posibilidad de marcharse discretamente. Pero tal vez había llegado el momento de ser sincera.

—No. A mí los escaparates de las farmacias me parecen bien. –Se detuvo y se puso los guantes–. Pero gracias por el piscolabis de todos modos.

Sin levantar la vista, abrió el bolso, sacó seis monedas de veinticinco centavos y las dejó en el tarro colocado al borde del escenario. Solo se oyó el sonido de las monedas contra el cristal, reverberando en el teatro, y luego el chasquido del cierre del bolso. Un poco teatral, quizá, pero no importaba. Al fin y al cabo, estaban en un teatro. Mientras ascendía por el pasillo alfombrado, las otras mujeres permanecieron en silencio a su espalda, esperando. Respiró hondo, absorbiendo todo el aire fresco y limpio que pudo, consciente de que pronto estaría fuera.

Igualmente se habría marchado del piscolabis antes de acabar. Era viernes, y Joseph estaría en casa al mediodía. Ya desde hacía un tiempo se las había arreglado para ir a trabajar temprano por las mañanas y disponer así de la tarde de los lunes y los viernes. Le había dicho al ingeniero jefe que era madrugador y que le gustaban esas horas de soledad, antes y después del amanecer, cuando podía trastear con los motores y las alas y los trenes de aterrizaje en silencio. Bueno en su trabajo como era, se aceptó esta preferencia suya sin grandes indagaciones. A nadie le preocupó ni se le ocurrió pensar que Della solo iba a la casa los martes y los jueves. El que un viudo quisiera salir del trabajo temprano dos veces por semana para relajarse en casa mientras su hermana casada estaba allí era algo que no interesaba a nadie.

Cuando Cora entró, la casa se hallaba en silencio y, con los ventiladores en marcha y las cortinas del salón corridas, casi se estaba a gusto.

—¿Hola? —Se detuvo en la entrada, sacudiéndose la falda—. ¿Joseph?

—Estoy aquí.

Apareció en la puerta de la sala delantera, vestido con un pantalón y una camiseta limpia. Aún tenía el pelo mojado después de la ducha, que él mismo había incorporado a la bañera pocos meses antes; no le gustaba el polvo en el agua de la bañera. Ahora todos en la casa se duchaban en lugar de bañarse, sobre todo para ahorrar agua, aunque Cora no echaba de menos tener que limpiar a restregones la marca beis dejada por el agua en la bañera.

—¿Cómo ha ido ese piscolabis frío? —Joseph se acercó a ella y se inclinó para besarla, oliendo a menta—. ¿Se os ha helado el té en las tazas?

En lugar de contestar, Cora se apartó, lanzando una mirada hacia el salón y luego otra hacia el comedor.

317

—No hay nadie —dijo él. Pero no volvió a acercarse a ella.

—Voy a asegurarme. —Se quitó el alfiler del sombrero y sonrió—. ¿Has comido?

No siempre era ella la cauta. A veces era Joseph quien le recordaba que nunca debían dar por sentada la intimidad. Podía pasar por allí un amigo. Una vecina podía mirar por la ventana. Y estaba siempre su mayor temor: que Greta volviera a casa antes de lo previsto. Pero el instituto estaba tan lejos que si Greta enfermaba en medio del día, tendría que llamar para que fueran a buscarla en coche. Y durante los dos últimos veranos había trabajado a tiempo parcial en el bufete de Alan, archivando y atendiendo el teléfono. Cora le había pedido a Alan que llamara de inmediato si alguna vez Greta salía antes del bufete, sobre todo los lunes y los viernes. Alan, siempre tan caballero, había accedido sin preguntas ni comentarios.

Con los años, Cora y Joseph habían pasado buena parte de sus limitados momentos íntimos planteándose angustiados si decirle o no la verdad a Greta. Pero siempre se les antojó peligroso. Cuando Greta tenía doce años, su amiga Betty Ann Wills y ella tuvieron una pelea tremenda porque Betty Ann, que se había quedado sola en la habitación de Greta mientras esta acababa sus tareas en el piso de abajo, leyó suficientes fragmentos del diario de Greta como para molestarse por cómo aparecía descrita. Las niñas cruzaron palabras iracundas, y cuando Betty Ann se marchó Greta se quedó desconsolada, insistiendo a Cora con lágrimas en los ojos en que su diario era para sus reflexiones privadas, y que lo que ella había escrito no estaba pensado para que Betty Ann lo viera. Si bien Cora le dio la razón y la reconfortó, sintió alivio al pensar que Greta no había podido escribir nada más perjudicial en su diario. Joseph y Alan coincidieron en que aquello era prueba de que debían seguir mintiendo a la niña a la que querían. Betty Ann Wills habría podido tener sus vidas en sus sucias manos de diez años.

Pero cuanto más esperaran, más se reducían las posibilidades de que algún día fueran capaces de decirle la verdad. Greta era ya casi una adulta, y había crecido convencida de que Cora era su pariente consanguínea, su tía. Greta no se parecía en nada a Cora; era rubia y alta y seguía siendo muy delgada, lo que le causaba un gran malestar, ya que las curvas volvían a estar de moda. Pero una vez señaló, muy felizmente, que Cora y ella tenían parecidas la nariz y las manos. «Sé por las fotos que me parezco a mi madre, al menos en la cara –le dijo a Cora–. Pero me gusta parecerme a ti también. Y tu madre murió cuando eras bebé. Papá y tú sabéis cómo me siento.»

Era imposible saber cómo le afectaría la noticia, y cómo reaccionaría. Todos los demás miembros de la familia desconfiaban del novio de Greta, Vern, ya que había llevado a cabo una larga y de momento infructuosa campaña para convencer a Greta de que abandonara el plan de ir a la universidad cuando acabara el instituto. Joseph había tomado la decisión estratégica de no entrar en un tira y afloja con el joven, de modo que nadie expresó abiertamente su antipatía hacia Vern. Greta se consideraba aún muy enamorada, así que era probable que cuando conociera la verdad sobre su tía Cora, si es que llegaba a conocerla, se la confiara a Vern, aun cuando le pidieran discreción. Cora veía a Vern muy capaz de albergar un gran despecho, y eso los pondría a todos en un peligro mucho mayor.

Y por todo ello habían mantenido su secreto, incluso en casa. Sabían que quizá estuvieran cometiendo un error garrafal, y que si Greta los descubría por azar la herida sería irreparable. Por otra parte, de momento se la veía feliz, y parecía lógico presuponer que si no se lo decían, ella seguiría así. Al fin y al cabo, Howard y Earle se habían criado con una mentira.

Pero era justo decir que, año tras año, la felicidad de Cora y Joseph estaba en peligro, y mantuvieron el secreto no solo ante Greta, sino casi ante todo el mundo. Podían ir de paseo, al cine o al teatro juntos, actividades que unos hermanos bien podían llevar a cabo. Pero no se agarraban de la mano, ni se llamaban por su nombre demasiado a menudo. Habrían podido bailar sin llamar la atención, pero no lo intentaron. Una vez ella se quejó a Alan de lo agotador que era todo aquello.

Lo siento, había dicho Alan. Lo siento mucho.

No era eso lo que ella buscaba ni lo que había pretendido decir. Alan seguía siendo su gran amigo, y ahora su único confidente. No lo culpaba. Al contrario. Quería decir que lo entendía.

–¿Estás disgustada? ¿El piscolabis no ha ido bien?

Joseph tendió la mano y le acarició la mejilla con el dorso de los dedos. Estaban sentados en el sofá del salón, y las tupidas cortinas impedían el paso de la luz del sol. En otro tiempo, esas tardes siempre empezaban con una carrera escalera arriba, a la habitación de él o a la de ella. A veces aún comenzaban así. Pero en general solo les apetecía pasar ese rato sentados cerca el uno del otro y charlar, él libre de apoyar la mano en la pierna de ella, ella libre de descansar la cabeza en su hombro.

Cora se volvió hacia él y sonrió. Estaba disgustada, pero había intentado disimularlo. Apenas tenían unas pocas horas para estar juntos, y no quería desperdiciarlas quejándose del piscolabis de Winnifred Fitch. Pero seguía pensando en Louise. En realidad la preocupaba, cosa que le pareció tan absurda como siempre. Seguramente Louise estaba bien. Podía casarse con otro millonario. Y quizá se había cansado ella de Hollywood, y no a la inversa. Esa era una posibilidad que no descartaba en absoluto.

En todo caso, Cora esperaba que estuviera bien. Y pensó, en aquel preciso momento, allí sentada con Joseph en el sofá, que esa esperanza por Louise era algo de lo que enorgullecerse, una prueba de que su lugar no estaba en aquel piscolabis. De pronto se le ocurrió algo. Era una simple idea, un pensamiento descabellado. Pero ya entonces la irritación y la confusión que había sentido esa mañana daban paso a una inquietud que no le desagradaba. Un saltamontes, indiferente a su presencia, se desplazaba lentamente por la pared opuesta.

Levantó la cabeza.

–El otro día recibí una carta de unos médicos. –Vio la preocupación en el semblante de Joseph y le tomó la mano–. No, no. No tiene nada que ver conmigo. Estoy bien. Es que conozco a uno de ellos por el club. Él y otro médico, y un donante cuyo nombre no se mencionaba van a fundar un hogar en Wichita para chicas... Bueno, chicas solteras que están embarazadas. Se proponen formar un consejo de dirección. —Observó la rotación del ventilador en el techo, notando la mano de Joseph cálida en la suya. Él sabía escuchar con paciencia, cosa útil en un momento como aquel, cuando ni siquiera ella misma sabía muy bien adónde quería ir a parar—. Les gustaría tener una mujer en el consejo, sobre todo para recaudar fondos. —Sonrió—. Dijeron que querían una mujer con buena reputación, razón por la que se pusieron en contacto conmigo.

Él alargó la mano y le dio un apretón en la cadera.

—Buena reputación —repitió.

Ella fingió ahuecarse los bucles de su media melena con la palma de la mano.

—¿Solo te han escrito a ti?

—No lo sé. Esta mañana en el piscolabis nadie lo ha mencionado. Pero las madres solteras no son una causa popular, claro está.

Joseph tamborileó con los dedos en la pierna de Cora. Pese a lo limpio que era, pese a lo mucho que se restregaba al volver a casa del trabajo, casi siempre tenía las uñas negras. El aceite de los motores.

—¿Te apetece hacerlo? —preguntó.

—No lo sé.

Alzó la vista hacia el ventilador. Sería asumir una gran responsabilidad. Pero Greta se marchaba a la universidad al año siguiente. Cora ya pasaba buena parte del día leyendo. Howard y su mujer acababan de tener otro hijo, pero vivían en Houston. Earle y su mujer aún no tenían niños, y en todo caso se habían instalado en Saint Louis.

—Tengo cuarenta y nueve años —dijo—. No sé hasta qué punto debo meterme en algo de lo que no sé nada.

Él sonrió.

—Yo también me he sentido así.

Cora apretó la frente contra su hombro. Claro. Lo había olvidado. Ella casi nunca pensaba en todo lo que él había perdido, en que había empezado de cero, siguiéndola hasta allí sin nada más que su hija. No solo se había recuperado, sino que había llegado más alto. La Prohibición seguía vigente en el estado de Kansas, pero disponía de entera libertad para regresar a Nueva York, o ir a cualquier otra parte, y establecerse otra vez como cervecero. Sin embargo, ahora disfrutaba trabajando con los aviones, los continuos enigmas y desafíos que presentaba cada plano. No quería dedicarse otra vez a la cerveza, decía. Si Kansas legalizara el alcohol al día siguiente —ambos sabían que eso era improbable, pero si llegara a ocurrir—, quizá de vez en cuando entrara en un bar y se tomara una cerveza. Por lo demás, su vida no cambiaría.

Cora levantó la cabeza y lo miró. Él dejó caer la nuca contra el respaldo del sofá, y se elevaron volutas de polvo.

—De acuerdo —dijo Cora, abanicando el aire por encima de la cara de Joseph.


Los médicos, como buenas personas que eran, deseaban llamar al hogar «Casa de Caridad». Consideraban que el nombre era lo bastante impreciso para atraer a donantes potenciales sin alusión específica a la clientela. Y contaban ya con una casa, de una mujer que se la había legado a los médicos sabiendo cuáles eran sus propósitos. Se trataba de una mansión victoriana descomunal, llena de porches y mansardas, en una parcela de una hectárea de terreno a las afueras de la ciudad.

—Casa de Caridad suena a Dickens —comentó Cora. Como el Hogar para Niñas Sin Amigos de Nueva York, pensó. Un Hogar para Mujeres Caídas.

—¿Y qué tal «Casa Mónica»? —preguntó el doctor más joven—. ¿Santa Mónica? Fue madre.

—Demasiado católico —comentó el médico de mayor edad—. Lo siento.

El médico más joven era católico.

—¿Qué tal «Casa de la Bondad»? —preguntó Cora.

Los médicos cruzaron una mirada con el ceño fruncido.

—Suena un poco... —El de mayor edad cabeceó—. Lo siento. Suena un poco cursi.

—La bondad no es cursi —insistió Cora—. La dulzura es cursi. No la bondad. —Miró a un hombre y después al otro. Los dos eran bondadosos. Ninguno era cursi–. Solo pienso que esa idea debería ser la piedra angular de nuestra misión. Nuestra guía.

–¿Qué idea?

Los dos la miraron, esperando. Ella se detuvo a pensarlo. Solo había una manera de decirlo.

–Bueno, que... la compasión es la base de toda moralidad.

El médico joven sonrió.

–¿Ha leído a Schopenhauer, Cora?

–Un poco. –Ella le devolvió la sonrisa–. A menudo tiene razón, ¿verdad? Pero no sé qué tal suena «Casa de la Compasión».

El médico de mayor edad cabeceó.

–Si decimos «compasión», la gente oirá «pasión». No es eso lo que nos conviene con nuestras residentes. No. Eso no sirve.

Fue una labor difícil recaudar fondos para la Casa de la Bondad, sobre todo en aquellos primeros años de escasez. Mucha gente tendía la mano a las buenas causas y, como dijeron lisa y llanamente algunas de las personas que se negaron a ofrecer ayuda a Cora, competía con organizaciones benéficas que atendían a niños totalmente inocentes, que no habían hecho nada para merecer su sufrimiento. Las madres solteras, le dijo una mujer en el club a Cora, se habían fraguado su propio destino.

–Compadezco a los niños –explicó a Cora–. Pero las chicas optaron por abrirse de piernas.

–Algunas, sin duda –se limitó a decir Cora. No ganaba nada siendo grosera. Pero le dolía oír hablar de las madres en ese tono, sobre todo después de conocer a unas cuantas. Los médicos y ella habían contratado a una directora para el centro, así como a una maestra y una enfermera residente, y Cora no tenía que colaborar en la organización cotidiana del hogar. Pero a menudo se pasaba por allí para ver si hacía falta algo, y si bien algunas de las internas solo veían en ella a una mujer de mediana edad con sombrero y guantes con quien no deseaban hablar, otras se alegraban de que alguien les sonriera y les preguntara cómo estaban. Había chicas hasta de trece años, además de dos mujeres de más de treinta. Algunas eran obviamente de buenas familias.

Unas cuantas parecían de un nivel cultural más alto que Cora, y sin embargo la chica de aspecto más inteligente, una antigua estudiante universitaria, admitió que se había dejado engañar por la publicidad del Lysol. Algunas de las residentes del hogar eran de Wichita. Unas pocas procedían de pueblos azotados por la sequía, y una había llegado de Oklahoma City. Fueran de la ciudad o no, no podían ir por las calles, y menos aún cuando se les notara ya el embarazo. Cora aceptaba peticiones de pequeños lujos: bombones, cepillos para el pelo, libros. Una chica, embarazada de seis meses, pidió un osito de peluche.

Pero la principal obligación de Cora era reunir dinero, y resultó que se le daba bien. Había recaudado fondos para muchas causas a lo largo de los años, pero ahora, quizá por la impopularidad de su causa, lo vivía con más inspiración, más determinación. Aprendió a solicitar subvenciones, tanto estatales como federales. Celebraba almuerzos y meriendas bien organizados. Iba a fiestas con Alan e intentaba convencer a sus colegas, y lo mismo hacía cuando visitaba a sus hijos. Era elocuente. Podía ser a la vez cortés y persuasiva. Aprendió a hablar más sobre los bebés que sobre las madres. Sí, contestaba una y otra vez, la mayoría de las madres optaban por entregar a sus hijos en adopción. En cualquier caso, ponía siempre de relieve, si se trataba bien a las madres redundaría en beneficio de los bebés.

Raymond ofreció una de las mayores donaciones. Lo hizo sin mayores alharacas, y no parecía haber un mensaje o significado oculto. Sencillamente, salió una tarde del despacho y le entregó el cheque a Cora. El suyo le parecía un proyecto meritorio, dijo. ¿Y qué otra cosa podía hacer con ese dinero? Tampoco tenía hijos.

—Gracias —dijo ella, o intentó decir; se había quedado sin habla por un momento. Para sorpresa de ambos, Cora se sonrojó. Luego se sintió obligada a rodear sus anchos hombros con los brazos y estrecharlo, a aspirar su olor limpio a jabón. Él se sobresaltó visiblemente, y por unos instantes mantuvo la espalda recta, los brazos a los lados. Ella no lo soltó. Bajo sus manos, bajo las capas del elegante traje y la camisa de Raymond, estaban los hombros pecosos que ella había visto aquel terrible día en

324

que pensó que su vida se había acabado y tuvo la certeza de que ese hombre decente y ahora tan querido era su enemigo.

Daba gracias por que la vida pudiera ser larga.

Un suave día del invierno de 1937, Cora fue a los grandes almacenes Innes del centro para las compras de Navidad y Greta, recién llegada a casa de la universidad para pasar las vacaciones, la acompañó. Cora se alegró de tener ayuda, ya que aún necesitaba comprar regalos, no solo para Howard y Earle, sino también para sus mujeres y los dos hijos pequeños de Howard, que se reunirían todos en la casa en Nochebuena. Durante la última semana Cora había estado preparando las camas y sacudiendo las cortinas, e incluso horneando hombrecitos de pan de jengibre deformes y un poco quemados. Además, había comprado dos pares de calcetines suaves y abrigados para todas las residentes de la Casa de la Bondad, y había obsequiado a Greta con una barra del carmín que le gustaba y un frasco grande de Chanel N.º 5. A Joseph le regaló un buen traje, sabiendo que él nunca se compraría uno, y a Alan y Raymond corbatas a juego, con la esperanza de que le vieran la gracia a esa broma privada.

—Greta, ¿crees que a los hijos de Howard les gustaría un juguete con ruedas? —Cora empujó una pequeña carreta por el estante, y en respuesta Mickey Mouse, el único pasajero, aporreó desenfrenadamente un tambor—. Walter ya tiene cuatro años. ¿Es muy mayor para algo así?

Como Greta no contestaba Cora alzó la vista, y justo en ese momento sonó la campanilla de la puerta de entrada y apareció Myra Brooks. Llevaba una boina negra y un abrigo largo del mismo color, con el cuello forrado de piel. Estaba muy pálida, tal vez por contraste con el carmín de color rojo ladrillo, pero era ella. Sus miradas se cruzaron, y de inmediato Myra apartó la vista. Mientras avanzaba por el pasillo central, Cora no dijo nada. Cabía la posibilidad de que Myra no la hubiera reconocido; al fin y al cabo habían pasado muchos años, y ahora Cora tenía el pelo veteado de gris. Pero era igual de probable que Myra simplemente no quisiera hablar, ni con Cora ni quizá con nadie.

En cualquier caso Cora, sujetando aún el juguete con ruedas, se resignó a dejarla pasar de largo.

Pero justo cuando Myra rebasaba la sección de juguetes, se detuvo, de espaldas a Cora. Incluso con tacones se la veía menuda, encogida. Levantó y bajó los hombros antes de dar media vuelta.

—Hola, Cora.

—Hola, Myra. —Cora intentó disimular su sorpresa con una sonrisa—. ¿Cómo estás?

Al parecer, Myra encontró graciosa la pregunta.

—Bien —dijo por fin—. Aquí estoy.

Cora no supo qué decir. En la voz y la expresión de Myra se advertía tal resignación que habría sido estúpido dar una respuesta alegre. Y ahora, viéndola de cerca, Cora advirtió que ciertamente no estaba bien de salud: su hermoso rostro, ahora demacrado; el cuello descarnado bajo las pieles del abrigo. Miró fijamente a Cora como si esperara algo, hasta que Cora, incómoda, desvió la vista. Greta, desde la sección de accesorios femeninos, sonreía a Cora y se señalaba el gorro rojo de punto que se había probado. Cora le dirigió un gesto de aprobación.

Myra parecía irritada.

—Perdona —se disculpó Cora—. Es mi sobrina. Ha venido de la universidad por vacaciones. Creo que no la conoces, ¿no es así?

—Mmm... —Myra, a todas luces indiferente, mantuvo la mirada en ella, sin molestarse en volverse.

Si pretendía mostrarse así de grosera, pensó Cora, bien podía preguntarle lo que en realidad quería saber:

—¿Cómo está Louise?

—Mmm... —Myra no sonrió, pero se le marcaron aún más las arrugas en las comisuras de los ojos—. No sé por qué he supuesto que no tardarías en salir con eso.

Cora dejó el juguete en el estante.

—No pretendo escarbar —dijo—. Suponía que le iba bien. Vi su última película el año pasado.

—Ah, sí. La del Oeste. ¿La soportaste? Por lo que oí, era malísima.

Cora posó la mirada en los botones negros del abrigo de Myra. Tampoco ahora supo qué decir. Había ido a ver la película porque era la primera en la que Louise actuaba desde hacía años. Saltaba a la vista que era una producción de bajo presupuesto, con efectos especiales ridículos y hombres que se arrojaban desde sus caballos para luchar entre sí. Howard y su familia estaban en la ciudad, y Cora llevó a sus dos nietos de corta edad a verla. A los niños les encantó, con sus burdas cabalgadas y sus tiroteos. Pero a Cora le pareció tonta y deprimente, porque se veía a Louise aburrida y apagada en su sencillo papel secundario en la intriga amorosa. Llevaba el pelo distinto: una melena que le llegaba casi hasta los hombros y la frente despejada, sin flequillo. Cora no supo decir si era solo el pelo lo que había cambiado. Louise aún ofrecía un aspecto juvenil, y seguía siendo guapa, aunque de una manera más corriente. E incluso cuando sonreía y se pavoneaba ante la cámara, sus ojos transmitían agotamiento.

—Supongo que hoy día tiene que aceptar lo que le ofrecen. —Myra se ciñó el cuello de piel—. Pero, en mi opinión, debería dejar que Hollywood la agarre y le pegue un tiro, para acabar de una vez con el asunto, en lugar de prolongar su muerte de esta manera.

Cora adoptó un tono frío.

—Myra, ¿cómo puedes decir eso?

Ella se encogió de hombros.

—Digo lo que pienso. Es la verdad. Ya lo ha tirado todo por la borda.

Cora se acercó y bajó la voz.

—No lo entiendo.

—Yo tampoco. Solo sé que Louise es una idiota. Y una ingrata. A estas alturas podría ser la realeza de Hollywood. En cambio, tiene prisa por llegar a la nada. Y todo ha sido culpa suya. Tuvo todas las oportunidades, pero invariablemente se comportó como una persona estúpida e intratable. ¿Sabes que le ofrecieron el papel principal en *El enemigo público*? No lo aceptó porque andaba con un hombre que no tenía la menor intención de casarse con ella. Jean Harlow era la segunda opción, pero tuvo la inteligencia de aprovechar la carrera que Louise desperdició.

—¿Sigue en Hollywood?

—No sabría decirte. —Myra agitó la mano enguantada, como si la pregunta flotara en el aire y pretendiera disiparla—. ¿Sabes lo que yo habría hecho por tener sus oportunidades? —Se quedó mirándola, como si esperara a que Cora le permitiera enumerar realmente lo que habría hecho—. Lo puse todo en esa chica, todo. —Se subió la manga del abrigo y enseñó a Cora el brazo flaco surcado de venas—. Ellos me lo chuparon todo. No me queda nada. Nada.

—Pero ¿ella está bien, Myra? ¿Está bien? Eso es lo que quiero saber.

Myra pareció molestarse otra vez.

—Sí. Está bien, por emplear la misma palabra que tú. Por lo visto, es lo único que puede decirse de ella.

Vaya una estúpida, pensó Cora. La ingrata era ella. Pero el amago de ira que sintió enseguida quedó diluido en la lástima. Era difícil sentir mucho más que eso, observando a aquella mujer frágil y menuda que rezumaba tanta amargura y tanta rabia porque el destino no le había permitido hacer realidad sus sueños, aunque fuera por mediación de otra. Incluso enferma como estaba se veía lo hermosa que había sido en otro tiempo, sin duda tanto como Louise. Y con el mismo talento. Con el mismo amor por la música y los libros. Era difícil saber adónde habría llegado Myra si no se hubiese casado a los diecisiete años, si no hubiese sido la desdichada madre de cuatro hijos. ¿Sería ahora una música famosa? ¿Una persona más agradable? ¿Feliz? ¿Una inspiración?

—Lo siento —dijo Cora, sorprendida por su propia sinceridad—. No sé qué más decir.

También Myra pareció desconcertada. Con la mirada fija en Cora, movió la cabeza en un gesto de asentimiento.

—Gracias —dijo—. Te lo agradezco.

—Pero si hablas con Louise, dale recuerdos de mi parte, por favor. Dile que le deseo lo mejor.

Aunque Myra no respondió, en sus labios rojos casi se dibujó una sonrisa. Cora se preguntaría después si incluso en ese momento, a pesar de todo, Myra conocía a su hija mejor que nadie. Porque fue Myra —con sus carencias como madre— quien pareció saber mejor que nadie que los buenos deseos de Cora serían en vano.

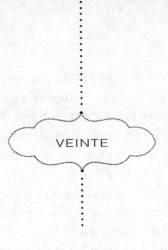

## VEINTE

Las razones por las que Wichita obtuvo los contratos de guerra estaban claras: varias de sus empresas fabricaban aparatos aéreos desde hacía años y se hallaba en medio del país, a salvo de los ataques enemigos. Casualmente, como señalaban una y otra vez sus promotores, la ciudad era una de las zonas metropolitanas con el mayor porcentaje de ciudadanos estadounidenses de la nación. Según el censo de 1940, vivían dentro de los límites del municipio 115.000 habitantes, y más del 99 por ciento eran ciudadanos estadounidenses. La población extranjera de Wichita se componía de 123 sirios, 170 rusos, 173 canadienses, 272 mexicanos y 317 alemanes, sin incluir a Joseph, que se había nacionalizado mucho antes de su reclusión en Georgia durante la Primera Guerra Mundial. Las cosas le fueron mucho mejor en esta nueva guerra, ya que su salario se duplicó cuando Stearman, de Wichita, obtuvo los contratos para el B-17. En 1941, Stearman se convirtió en Boeing-Wichita y empezó a contratar a cincuenta personas diarias. La empresa pronto iniciaría la fabricación del nuevo B-29, si bien Joseph, respetando su contrato de confidencialidad, no diría nada sobre el bombardero, ni siquiera a Cora, hasta que esa nueva arma destinada a utilizarse contra Japón se anunció formalmente a la prensa.

Para entonces, Wichita era ya una ciudad distinta. En apenas dos años se había doblado su tamaño, incrementado la población por la llegada de los obreros del sector aeronáutico recién formados y la multitud de gente necesaria para alimentarlos, vestirlos y alojarlos. La ciudad tuvo que modificar los tiempos de los semáforos para permitir cruzar a esa mayor muchedumbre que transitaba por las aceras. Había atascos, y largas colas en la oficina de Correos, e incluso cuando Cora tenía las tarjetas de racionamiento necesarias, tardaba el doble que antes en hacer la compra en el mercado. El viento arrastraba la basura por las calles, ya que los servicios municipales estaban desbordados, y de día era casi imposible hacer una llamada telefónica. Aun así, se percibía energía en el aire, y una sensación de finalidad importante. Todo el mundo era consciente de que la ciudad y los recién llegados estaban unidos en una misión: a cualquier hora, de día o de noche, atronaban en el cielo los nuevos bombarderos Boeing, surcándolo en ordenadas formaciones de cuatro.

Cora permanecía ocupada. El número de madres solteras se disparó junto con la población general, pero volvía a correr el dinero en la ciudad, y Cora estaba decidida a dar buen uso a una parte de él. Recaudó fondos suficientes para construir un ala nueva en la Casa de la Bondad, y una semana después de terminarse todas las habitaciones de esa ala estaban ya llenas. La mayoría de las chicas y mujeres tenían historias tristes de prometidos que habían ido a la guerra y habían muerto. Cora suponía que algunas de ellas mentían, imaginando que el sexo prematrimonial con un cariz patriótico se juzgaría con menor severidad. En todo caso, ella asentía y escuchaba, y les permitía contar lo que quisieran, tranquilizándolas. Sabía que algunas quizá decían la verdad. Había visto en las ventanas banderas con estrellas azules, y también con las desoladoras estrellas doradas. El hijo de Trudy Thomas había caído en el norte de África, y el sobrino de Winnifred Fitch seguía desaparecido en las Filipinas. No pasaba un solo día sin que Cora pensara en lo afortunada que era: Howard seguía ejerciendo la abogacía en Houston, y Earle era médico en Saint Louis. Los dos acababan de cumplir treinta y ocho años. Ella era madre de hijos que habían llegado a la juventud durante una breve etapa de paz.

Así pues, no sospechó nada cuando, en octubre de 1942, Earle anunció que se había tomado unos días libres en sus obligaciones del hospital para viajar a Wichita en una visita espontánea. Se limitó a explicar que deseaba pasar un poco de tiempo con sus padres, así como con el tío Joseph y Greta, ahora convertida

330

en una mujer adulta y también en madre. Tal vez vería a algunos de sus viejos amigos y profesores durante su estancia en la ciudad. No quería esperar a las vacaciones. Iría solo, anunció en su carta, ya que los niños estarían en el colegio y su madre, lógicamente, tenía que quedarse para atenderlos por las tardes.

Cora y Alan se alegraban de recibir a Earle en su casa, pese a las complicaciones que eso acarreaba. Ellos —junto con Joseph y Raymond— se habían acostumbrado a disfrutar de una mayor intimidad en la casa desde que Greta se había marchado a la universidad. Greta había regresado ya a Wichita, pero se había casado con un maestro de escuela y había dado a luz a una niña; ahora vivía con su nueva familia en un bungaló a cinco manzanas de distancia. Greta rara vez telefoneaba antes de visitarlos, así que aún existía la necesidad de ser cautos, pero Cora y Joseph no permanecían tan alerta como cuando ella vivía en la casa. Ya entrada la noche, cuando echaban el cerrojo a las puertas delantera y trasera, se desplazaban libremente entre sus habitaciones. Raymond iba a la casa más a menudo, aunque aún se marchaba antes de las diez para no suscitar sospechas entre los vecinos. Algunos habían dejado caer comentarios sin mala intención a Cora sobre ese solterón amigo de la familia, y elogiado la bondad de Cora por brindarle su casa y proporcionarle cierta sensación de vida familiar.

Sin duda mereció la pena acomodarse a la situación, esos pocos días que Earle estuvo en la casa. En efecto, dedicó un tiempo a ir de un lado a otro de la ciudad, jugando al póquer con los amigos del instituto y visitando los antiguos tugurios que antes frecuentaban Howard y él. Pero desayunaba en la casa todas las mañanas, para gran satisfacción de Cora, y trataba con igual cordialidad que siempre a Joseph y Greta, a cuya hija hacía reír columpiándola en su rodilla. Tal vez estaba más callado que de costumbre, pero Cora no le concedió mucha importancia a eso. Una noche le pidió a su padre que saliera a dar un paseo con él hasta el río, y a Cora le complació verlos alejarse juntos por la calle, padre e hijo, los dos tan parecidos.

No fue hasta la última tarde de Earle allí cuando descubrió la verdadera razón de su visita. Alan y Joseph no habían vuelto aún del trabajo, y Cora y él se hallaban solos en la casa. Ella leía en el porche, y Earle salió y se sentó a su lado en el balancín chirriante. En ese momento Cora pensó en lo perfecto que era el día, luminoso, con una suave brisa, las hojas del enorme roble ya un poco rojas. Había llovido mucho en el último año, y los girasoles habían florecido bien a lo largo de la reja.

Cerró el libro y sonrió a Earle. No se quedaría mucho más tiempo en casa, y ella podía leer en cualquier otro momento. Él no le devolvió la sonrisa. Esa fue la primera señal de que algo malo se avecinaba. Lo miró a los ojos, advirtiendo su expresión suave y pensativa, tan parecida a la de Alan, mientras le explicaba, con palabras que parecían firmes y bien ensayadas, que existía una gran necesidad de médicos en ultramar, y que él ya no podía seguir siendo un simple espectador en una época como aquella, y menos siendo cirujano. Cuando Cora empezó a mover la cabeza en un gesto de negación, él hizo caso omiso. Beth y él ya habían tratado el asunto ampliamente, añadió. Se había alistado como médico en infantería. Se marcharía en un mes.

—¿Y tus hijos? —Cora pisó con fuerza el porche para detener el balancín, hincando literalmente los tacones—. Earle, piénsalo bien. Eres padre.

Earle la miró con serenidad, como si ya supiera todo lo que iba a decir, como si ya conociera todos los argumentos que plantearía, como si ya hubieran mantenido esa conversación un centenar de veces.

—He hablado con mi familia, tanto con Beth como con los niños. Lo entienden.

—¿Entienden que podrías morir? Sé razonable. —A la vez que lo decía, percibió el temblor en su propia voz. No quería una bandera con una estrella. Así y todo, se esforzó en recobrar la calma. También ella sería razonable—. Está bien que quieras ayudar. De verdad. Pero puedes ayudar en Saint Louis. Necesitamos médicos en este país. ¿Y qué hay de los soldados heridos que vuelven? ¿Por qué no los ayudas a ellos? ¿Dónde está la nobleza en dejar a tu mujer y tus hijos?

Él se encogió de hombros.

—¿Por qué habría de quedarme cuando tantos otros se han ido? Muchos de ellos padres, te lo aseguro.

Se miraron. Cora no encontró respuesta. Earle era su niño, todavía era su niño, esa era su única respuesta.

—Tengo que hacerlo —afirmó él—. Mamá, no conseguirás que cambie de idea.

Cora cerró los ojos. Eso no era necesario que se lo dijera. Sabía de sobra lo testarudo que podía llegar a ser. En comparación con Howard, una persona encantadora, Earle podía parecer pasivo y vacilante, pero Cora había descubierto hacía mucho que en realidad era Earle quien poseía una voluntad férrea. De niño, Cora era incapaz —pese a las amenazas, el engatusamiento, las promesas— de obligarlo a ponerse un gorro o guantes en invierno, y en una ocasión, cuando tenía diez años, saltó del tejado del porche a una pila de hojas, pese a que ella estaba allí en el jardín y le pidió a gritos que no lo hiciera. Siempre había sido un buen chico, en general dócil, pero cuando tomaba una decisión no había vuelta atrás. Cora lo comentó una vez con Alan, que la miró con risueño afecto y dijo: «Mmm, me pregunto a quién habrá salido».

Ahora ya no deseaba que Earle se le pareciera.

—¿Ya has hablado con tu padre?

Earle asintió.

—Ya preveía que él me lo pondría más fácil.

—¿Qué te ha dicho?

—Que me respeta. Que en esta guerra él haría lo mismo si fuese más joven. Sobre todo que lo entiende. Para mí ha sido muy importante oírle decir eso. Me gustaría oírtelo decir también a ti.

Cora se dio una palmada en la rodilla, furiosa. Alan. Siempre tenía que ser tan comprensivo...

—Vamos, mamá. Por favor. Eres peor que Howard. Oye, solo voy como cirujano. Es muy probable que ni siquiera llegue a ver los combates.

—¿Adónde te mandan?

—Todavía no lo sé.

—¿No sabes a qué país? —La copa ígnea del roble se desdibujó ante ella.

—Bueno, al Pacífico. Eso sí lo sé. Les dije que tú eras alemana. Y lo del tío Joseph. Sé que él apoya la guerra; aun así, consideraron que era mejor enviarme al Pacífico.

Cora no podía respirar. Solo veía los horribles sucesos desplegarse ante ella. Earle acabaría muerto, muerto en el Pacífico, y la culpa sería de ella. Por su mentira egoísta. Sería responsable de la muerte de su propio hijo. Pero ¿acaso correría menos peligro en Europa? ¿En el norte de África? No lo sabía.

—¿Eso se lo has dicho a tu padre? ¿Lo que acabas de decirme? ¿La razón por la que vas al Pacífico?

Earle asintió.

—¿Qué te ha contestado?

—Le parece lógico que vaya allí. Piensa que los dos frentes son igual de peli... igual de seguros, quiero decir. —Dejó escapar un suspiro—. Mamá, ¿te ha llegado alguna información secreta sobre el Pacífico? ¿Qué tienes contra el Pacífico? Por lo que he oído, los nazis son también de cuidado.

Cora negó con la cabeza. Si Earle fuera a correr menos peligro en Europa o África, Alan le habría dicho la verdad. Eso le constaba. Pero los soldados morían en todas partes. Ir al Pacífico podía ser fatídico para Earle, pero también podía salvarlo. Y quizá lo habrían destinado al Pacífico en cualquier caso, incluso sin su mentira.

Permanecieron sentados en el balancín, Cora aferrada a su brazo con las dos manos. Contemplaron las hojas que se estremecían en la brisa; algunas se desprendían y volaban hasta el ancho jardín del vecino.

Earle se apartó y la miró.

—Cambiando de tema, ¿sabías que Louise Brooks ha vuelto a la ciudad?

En un primer momento Cora se molestó, por lo evidente que era que él intentaba desviar su atención, dar otro rumbo a la conversación a fin de conseguir que ella le soltara de una vez el brazo. Pero de pronto se detuvo a pensar en sus palabras e, irguiéndose, se volvió hacia él.

—¿Ha vuelto? ¿Qué dices?

—Solo eso. —Espantó una mosca de la cara de su madre—. Por lo visto, lleva aquí un par de años. Creo que abrió un estudio de danza en Douglas, detrás del edificio Dockum, pero no le fue bien.

Cora lo miró a los ojos. Earle —a diferencia de Howard— nunca había tendido a las bromas, pero ella sencillamente no se podía creer lo que estaba diciendo. ¿Cómo era posible que no se hubiera enterado de algo así? Sabía que ahora Wichita era una ciudad de verdad, y que había una guerra, y que la gente tenía demasiadas preocupaciones para andar charlando del regreso a la ciudad de una antigua actriz de cine. Pero pensaba que se habría enterado de una cosa así. Cierto era que había estado muy ocupada con la Casa de la Bondad. Y Viola Hammond, que en otro tiempo la había mantenido al corriente de todo lo que ocurría en Wichita, había contraído un cáncer al principio de la guerra. Cora iba a visitarla al menos una vez por semana, pero Viola a menudo estaba cansada, y había perdido el interés por el chismorreo.

Earle estiraba el brazo ante sí, probablemente empezando a recuperar la circulación.

—Descabellado, ¿no? Louise Brooks, profesora de danza en Wichita. Supongo que su pareja y ella también actuaban, bailando el tango y el vals, esas cosas. Uno de mis viejos amigos me contó que los contrató para una fiesta de las Juventudes Republicanas.

Cora procuró disimular su sorpresa. No quería juzgar a nadie, ni siquiera ante su propio hijo. No había nada de malo en que Louise enseñara danza, se ganara la vida honradamente, pero ¿una reunión de las Juventudes Republicanas? ¿En Wichita? Costaba imaginar que Louise hubiese acabado así.

—¿Y ahora qué hace?

Él enarcó las cejas.

—El ridículo, si hay que dar crédito a las habladurías. Uno de mis amigos conoce al hombre con quien abrió el estudio. No es más que un chico, un universitario que sabía bailar. Supongo que las cosas fueron mal entre ellos incluso antes de que el estudio se fuera a pique.

—¿Y qué tiene que ver eso con hacer el ridículo?

—Es por cómo ha estado comportándose. Ya en la escuela decían que era una chica fácil, pero...

—Pero ¿qué?

—Nada.

Cora cruzó los brazos. Earle se andaba con cuidado, procurando no decir nada que escandalizara los oídos de su madre. Pese a su labor en la Casa de la Bondad, daba la impresión de que sus dos hijos a menudo la confundían con la reina Victoria.

—Earle, cuéntamelo.

—De acuerdo. Ella... se arrojó a los brazos de él, por decirlo discretamente. De ese universitario. Y no se lo pudo creer cuando él la rechazó. Puede que todo fueran baladronadas de ese chico, pero, según mi amigo, ha perdido la belleza. Bebe, y se le nota en la cara. Me contó que la han detenido por ebriedad. —Hizo una mueca—. Y por cohabitación deshonesta.

Cora fijó la mirada en los peldaños de la entrada, donde Joseph había dejado un par de zapatos embarrados. A esas alturas todavía podían detenerlo a uno por vivir en pecado, por vivir como vivían ellos en esa casa. Louise sencillamente había sido más franca al respecto, sin molestarse en esconderlo o engañar a nadie.

—¿Sigue con él?

—¿Con quién?

—Con el hombre con quien vivía.

Earle la miró como si fuese un caso perdido.

—No lo creo, mamá. No parecía un gran idilio. Por lo que creí entender acerca de la forma de vida de ella, el matrimonio no se contempla como opción.

—¿Y ahora dónde vive?

—Con sus padres. No tiene dinero. —La miró burlonamente—. Ahora sí pareces horrorizada. Habría pensado que te perturbaría más su comportamiento.

Cora arrugó la frente. Era difícil imaginar a Louise y Myra viviendo fácilmente bajo el mismo techo, sobre todo quebrantadas como estaban las dos. Cabía la posibilidad, supuso, de que Myra estuviera a la altura de las circunstancias y ofreciera a Louise lástima y comprensión. Pero, por lo que Cora había visto, Myra nunca había querido a Louise como a una hija, ni siquiera como persona independiente. Si alguna vez había querido a Louise, había sido como una extremidad más de su propio cuerpo, una prolongación sin mente utilizada para intentar por última vez hacer realidad sus propios sueños. Ahora Louise le había fallado, le había fallado de verdad, tan gravemente como había fallado la propia Myra.

Earle le dio un suave codazo en el costado.

—No creo que debas compadecerla. Por lo que sé, Louise se lo está pasando bien. No trabaja. Según mi amigo, no hace otra cosa que pasearse por ahí de noche con ese tal Danny Aikman. Por lo que cuentan, son un par de aúpa.

—¿Es ese su... es ese el hombre con el que vivía?

Earle sonrió.

—No, mamá. ¿No te acuerdas de Danny Aikman? ¿Del club? En Wichita es el más famoso de los... —Earle se interrumpió e hizo un floreo con la mano.

Cora cabeceó, confusa.

—Es una reina. —Se sonrojó un poco—. Es uno de esos. Un pluma. —Alzó la vista, exasperado—. Mamá, le gustan los hombres. No las mujeres.

—Ah.

Y él la miraba como si fuera obtusa. Realmente, no tenía la menor idea. Su propio padre... A veces Cora se preguntaba si alguno de sus hijos lo sospechaba o lo sabía. Pero estaba claro que Earle seguía sin saber nada. Lo más probable era que Howard tampoco lo supiese.

—Lo siento, mamá. No pretendo ser vulgar.

Cora negó con la cabeza, impaciente.

—¿Tú sabes eso de él? ¿Es vox pópuli? —Siempre intentaba calibrar qué pensaría la gente de Alan, de Raymond, si lo supiera. Tal vez los tiempos estaban cambiando incluso en Wichita, ya que los jóvenes lo veían todo de manera distinta. Ese tal Danny padecía los insultos, pero lo suyo era conocido y por lo visto tolerado. Eso en sí mismo resultaba sorprendente.

—Bueno, no sé si le gustan los hombres. Pero sí que una vez lo detuvieron por vestirse de mujer en Douglas Avenue.

Cora lo miró con los ojos desorbitados.

—¿Llevaba un vestido?

—No. Iba con una camisa de flores.

—¿Y lo detuvieron por eso?

—Bueno, sí. Está claro de qué va. Aprovecharon la primera excusa que encontraron para detenerlo.

Cora tuvo que apartar la vista: Earle mantenía una mueca burlona; ella, en cambio, apenas podía ocultar el temor en su mirada. Alan nunca en la vida se pondría una camisa de flores, pero si Raymond y él eran descubiertos alguna vez, incluso en esos tiempos, sin duda pagarían un alto precio. A Cora le habría gustado creer que en tales circunstancias Howard y Earle permanecerían a su lado, pero vaya chasco se llevarían. Solo esperaba que Alan nunca hubiera tenido que oír a sus hijos bromear sobre los «plumas» y las «reinas». Si los había oído, lo había sobrellevado en silencio.

Y ahora le había dicho a su hijo que podía irse a la guerra, que respetaba su decisión.

Earle se volvió hacia ella, otra vez serio, ya sin intentar distraer su atención.

—Sé que no te complace mi decisión. —Le aferró la mano otra vez—. Sé que te preocuparás, y no puedo evitar que lo hagas. Pero es mi deber. Y si siento esa responsabilidad es por la manera como papá y tú me habéis educado. Significaría mucho para mí irme sabiendo que cuento con tu apoyo. Tu comprensión. Cuento ya con el respaldo de papá, y con el de Beth y los niños. Pero también necesito el tuyo. —Curvó hacia arriba una comisura de los labios—. No quiero ponerme melodramático, pero me gustaría recibir tu bendición.

Ella asintió. Al principio, fue lo único que pudo hacer. Seguía pensando que él no debía marcharse. Además de hijo suyo, era padre y marido. Pero sabía algo que era aún más cierto: lo que Alan había entendido desde el principio. Le apretó la mano hasta que pudo hablar.

—Eso ya lo tienes. —Se le volvieron a empañar los ojos, pero intentó mirarlo, mirar a su hijo—. Siempre lo has tenido, Earle. Y siempre lo tendrás. Da igual lo que hagas.

338

La casa de los Brooks seguía siendo la más grande de la manzana, y de lejos parecía en buen estado, sus paredes antes grises ahora recién pintadas de amarillo claro, y sus resplandecientes ventanas limpias y transparentes bajo el sol. Los lilos estaban bien podados, y solo unas cuantas hojas doradas salpicaban el césped. Pero mientras se acercaba Cora recordó lo que Myra había dicho, hacía tantos años, acerca del peso de los libros de su marido, bajo el que estaban hundiéndose los cimientos. Cuando Cora se halló justo ante la casa, vio que el pronóstico de daños era correcto: incluso recién pintada, la casa parecía un barco escorado, con un lado del porche de piedra caliza visiblemente más alto que el otro.

Cora subía por la escalinata cuando oyó una voz cordial que la saludaba por su nombre. Dirigió la mirada hacia el lado hundido del porche umbrío y vio a Zana Henderson, regordeta y bonita con su falda y su rebeca abotonada, sentada en un sofá tapizado de color azul eléctrico. Junto a ella estaba Myra, que en comparación parecía una niña, vestida a media tarde con una bata floreada, el pelo oscuro ya ralo, cayéndole hasta los hombros. Cora las saludó. Solo sonrió Zana.

—¿A qué debemos este placer? —preguntó Zana—. ¿Has venido a nuestra pequeña fiesta? —Señaló la mesa situada ante el sofá, donde había una especie de tarta, un cuenco de nata montada con una cuchara y dos platos con sus correspondientes tenedores manchados de tarta—. Es un día de otoño perfecto —prosiguió Zana—, y he pensado que la mejor manera de pasarlo era tomando el postre en el porche delantero de Myra. —Abarcó el entorno con un gesto grandilocuente—. Incluso hemos sacado el sofá para estar más cómodas.

—Tú lo has sacado —dijo Myra entre dientes. Tenía la voz ronca, débil—. Yo no te he ayudado.

—Bueno, tú me has inspirado. Y has confiado en que no lo estropearía.

Cora desplegó una sonrisa educada. Qué buena amiga era Zana. Había defendido a Myra cuando nadie más lo hacía, y ahora que Myra había regresado y estaba enferma, ahora que sus hijos abandonados eran ya mayores y vivían lejos de Wichita,

Zana seguía allí para animarla. Cora no entendía qué había hecho Myra para tener y conservar una amiga así.

—¿Te apetece un poco? —Zana miró a Cora, señalando la tarta—. Hay de sobra, y me ahorrarás tener que acabármela yo.

—Gracias, pero no —dijo Cora—. De hecho, esperaba ver a Louise.

Ahora era Zana quien parecía perpleja. Enarcó las cejas y se volvió hacia Myra, que le dirigió una mirada de complicidad.

—Mmm. —La desaprobación de Zana era evidente—. Pues te deseo suerte.

Myra comenzó a toser, cada inhalación corta y resollante. Cerró los ojos y se tapó la boca, doblándose sobre sí misma, levantando los pies del suelo. Era horrible estar allí y verla forcejear, tapándose la cara, sin poder hacer nada por ella.

—Voy a buscarte un vaso de agua —dijo Zana, y se puso en pie.

—Ya lo traeré yo. —Cora se dirigía hacia la puerta.

—No —dijo Myra con voz entrecortada—. No me servirá de nada. —Lanzó a Cora una inexplicable mirada de odio a la vez que se agarraba al borde de la mesa—. Y estoy bien. —Volvió a toser—. Entra. En el segundo piso. No sé qué habitación. Tendrás que llamar a la puerta.

El pasillo de la segunda planta era oscuro, sin ventanas; solo un pequeño aplique iluminaba el camino, y una de las dos bombillas estaba fundida. Cora, con la respiración un poco entrecortada tras subir por los dos tramos de escalera, se apoyó en la pared revestida de madera. Era comprensible, supuso, que Myra no frecuentara esa planta. Semejante ascensión podía acabar con ella.

—¿Louise? —Se detuvo en medio del pasillo. Había tres puertas, todas cerradas—. ¿Louise?

Oyó movimiento, un tintineo de cristal. Luego nada.

—Soy Cora Carlisle, tu antigua acompañante. Solo he venido a saludarte.

Silencio. Cora volvió a apoyarse en la pared. Tal vez había sido una tontería ir. No existía un vínculo real entre ellas, ningún parentesco. Su relación se limitaba a aquel verano, y ni siquiera entonces Louise fingió jamás afecto por ella. Aun así, era mucho lo que había hecho por Cora, sin proponérselo, sin saberlo.

—Imagino que me oyes. Y seguro que no te sentirás demasiado culpable por rechazar a una mujer de cincuenta y seis años que acaba de subir a un segundo piso para verte.

Se miró los zapatos y aguzó el oído.

—Detestarías mis zapatos si los vieras. Son muy cómodos, con la puntera ancha y apenas tacón. Recuerdo que hace ya veinte años no tenías un gran concepto de mi estilo. Tendrías que verme ahora. Hay mujeres de mi edad que miran extrañadas mis zapatos. Te prometo que te sentirás superior al instante solo con abrir la puerta.

Nada.

—No pienso marcharme. No tengo que ir a ningún sitio. Me quedaré aquí tanto como haga falta y hablaré y hablaré y...

Se abrió la puerta al fondo del pasillo. Apareció Louise, cruzada de brazos. Llevaba un jersey negro de cuello alto y pantalón negro. Cora procuró no mostrarse demasiado sorprendida. Había visto a Katharine Hepburn en pantalón, pero nunca a una mujer en la vida real.

—Tienes razón. —Hablaba más despacio y con voz más grave de lo que Cora recordaba—. Esos zapatos son horrendos.

Cora no sabía a qué se refería el amigo de Earle al decir que Louise había perdido la belleza. Incluso vestida como Katharine Hepburn, llamaba la atención con sus ojos oscuros y su tez clara. El pelo, tan negro como el jersey, casi le llegaba a los hombros, y volvía a llevar flequillo.

—¿Vas a invitarme a pasar?

—¿Qué quieres?

—Quiero... quiero ver cómo estás. —Cora abrió el bolso y sacó un paquete—. Te he traído bombones. Recuerdo que te gustaba el chocolate.

Tendió el paquete a Louise, que lo miró con escepticismo. Cora empezaba a lamentar su visita. Quizá Louise fuera del todo feliz, viviendo en la casa de su infancia, saliendo de noche y acabando detenida. ¿Quién sabía si ella prefería esa vida? Si hubiese deseado seguir en Hollywood, con su marido director y su piscina y sus pieles, aparentemente podría haberlo hecho. Louise, por lo que recordaba Cora, en general hacía lo que le daba la gana.

Aceptó los bombones sin dar las gracias y se los metió bajo el brazo.

—¿Qué tal está tu alemán, Cora?

Cora tragó saliva. Aun en la tenue luz, vio la sonrisa irónica de Louise. Era la primera persona a quien habían mentido hacía ya muchos años, cuando todavía estaban aterrorizados y no tenían práctica, y Cora nunca supo si Louise se había creído realmente que Joseph era su hermano. En su día, Louise reaccionó ante la historia con una ligera decepción, seguida rápidamente de falta de interés. Pero la manera en que miraba a Cora ahora inducía a pensar que siempre lo había sabido.

—¿Mi hermano? Está bien, gracias.

Louise puso los ojos en blanco.

—Me refiero al idioma. Me preguntaba si conocías la palabra *Schadenfreude*. ¿El placer en la desgracia ajena? En nuestro idioma no existe una palabra equivalente, y creo que deberíamos tenerla. Sobre todo en la hermosa Wichita.

Cora cabeceó. Resultaba difícil no sentirse herida. Esperaba que Louise tuviera un mejor concepto de ella.

—No he venido aquí a regodearme —dijo—. Solo he venido para ver cómo estabas. Y no le hablaré de esta visita a nadie.

—Lo hagas o no, me da igual. —Dirigió a Cora una mirada de cautela que parecía decir lo contrario.

—Pues no lo haré. —Cora miró el techo. Deseaba sentarse—. Oye, me gustaría que me dedicaras quince minutos. Lamento haberte tendido una emboscada. Pero si me concedes quince minutos, te prometo que no volveré a molestarte.

Louise miró fijamente a Cora. Era imposible saber qué pensaba. Cuando Louise era famosa y hacía películas, Cora había leído una reseña de un crítico que la consideraba una actriz con poco talento. Admitía que podía ser la mujer más hermosa aparecida en una pantalla, pero se lamentaba de que la belleza fuese su única aportación. La gente se quedaba tan embelesada ante sus ojos oscuros y la perfecta simetría de sus facciones que no se daba cuenta de que su rostro era inescrutable y de que en realidad no había manera de adivinar qué sentimientos, si los había, se escondían detrás de aquellos ojos. A juicio del crítico, de no ser por los rótulos que daban a conocer lo que supuestamente pensaba, nadie habría sabido cómo interpretar esa preciosa mirada. Esa era una opinión minoritaria; la mayoría de los críticos la consideraban una actriz sutil, sobre todo en una época de expresiones exageradas. Pero ahora, en el pasillo, con Louise en carne y hueso mirándola a un par de pasos de distancia, a Cora no le habría ido mal disponer de un rótulo que revelara los pensamientos de Louise.

Louise echó una ojeada a su reloj.

—¿A partir de este momento?

—A partir de cuando me ofrezcas asiento.

La habitación tenía el techo abuhardillado, y uno de los lados de este confluía con el suelo, dándole la forma de un triángulo en posición vertical. La cama individual ocupaba la mayor parte del limitado espacio allí donde un adulto podía ponerse de pie. Y la iluminación era casi tan débil como en el pasillo, las cortinas de las dos ventanas estaban corridas, cerradas a la agradable tarde. Había una lámpara de mesa, pero tenía un pañuelo en torno a la pantalla para atenuar la luz de la bombilla. Y era un espacio, por decir poco, despejado. Además de la cama, contenía una alfombra oriental, una cómoda y una mesita de noche sobre la que se alzaba la lámpara. Un frutero con manzanas rojas descansaba sobre una pila de libros junto a la cama, y bajo el tocador había un par de zapatos de tacón negros. Cora no vio más pertenencias. Si esa había sido la habitación de Louise en su infancia, desde luego la había despojado de toda la parafernalia infantil.

Solo era posible sentarse en la cama, que no estaba hecha y tenía unas cuantas almohadas apiladas en la cabecera y un libro colocado boca abajo sobre la manta arrugada. Obviamente, la cama era el asiento de Louise. Pero la alfombra parecía suave y razonablemente tupida, de modo que Cora se agarró a los barrotes del pie de la cama y se acomodó en el suelo. Louise pareció un poco sorprendida, bien porque Cora hiciera eso, o bien por el hecho mismo de que fuese siquiera capaz. Pero, claro está, ella había conocido a Cora en los tiempos del corsé, cuando sentarse en el suelo habría requerido ayuda y tiempo. Ahora Cora llevaba un vestido de algodón ceñido en la cintura, y debajo solo una enagua y ropa interior. Aunque tenía veinte años más, se la veía sorprendentemente ágil.

Louise miró otra vez su reloj.

—A partir de este momento —dijo.

Dejó los bombones en la mesilla de noche y se acomodó en la cama, erguida contra las almohadas, con las piernas extendidas sobre la manta, enfundadas en el pantalón negro y cruzadas por los tobillos desnudos y pálidos. Ahora que Louise estaba sentada junto a la lámpara, Cora le vio la cara con toda claridad y comprendió a qué se refería el amigo de Earle. Louise aparentaba más años de los que tenía, y numerosas arrugas se acumulaban en las comisuras de sus ojos y sus labios. Tenía la punta de la nariz un poco rosada y un capilar reventado en una mejilla. Pero conservaba los ojos de siempre, grandes y cautivadores. Miró a Cora con impaciencia.

Cora estiró las piernas y las cruzó. No esperaba que Louise formulara preguntas corteses, que se interesara por Joseph, por Greta, por los chicos o Alan. No agobiaría a Louise con sus preocupaciones por Earle. Era evidente que estaba a la defensiva, incapaz de contemplar nada más que su propio dolor. Sería una conversación unidireccional, como las que Cora mantenía a menudo en la Casa de la Bondad.

—Tu madre no parece muy bien de salud —dijo Cora. Probablemente no era la mejor manera de empezar, pero no tenía mucho tiempo.

—No lo está. —Louise se examinó una mano—. Está muriéndose, creo. Enfisema. Ni siquiera fumaba; tiene una variante hereditaria. Lo que significa que yo también la tendré. —Irritada, miró a Cora—. ¿Vas a decirme que debería cuidar de ella? ¿Esa es tu misión hoy?

—No —contestó Cora. Era otra acusación injusta, pero supuso que no debía tomársela de manera personal. Louise había bebido.

344

No estaba ebria, pero ceceaba un poco, y Cora detectó el mismo olor a piña que había advertido en su aliento cuando, hacía ya muchos años, llegó a casa con Floyd Smithers. Ginebra. Ahora Cora lo reconocía. Era lo que habían añadido al ponche en la boda de Earle.

—Menos mal. —Louise levantó el mentón—. Te aseguro que mi querida madre tiene amigas de sobra dispuestas a atender todas sus necesidades.

—Sí —dijo Cora—. Acabo de verla con Zana abajo.

—Ah, su amiga más gorda. —Louise lanzó una mirada de inquina a la puerta—. Zana. Cuando me ve, no pierde ocasión de decirme que soy una pésima hija y que debería ocuparme más de la pobrecita Myra. —Se volvió hacia Cora—. Pero la pobre Myra no quiere que vele por ella. No quiere verme en mi actual y decepcionante estado.

Cora dejó escapar un suspiro. Eso era de esperar en Myra.

—¿Te lo ha dicho ella? —preguntó.

—A su manera. ¿Sabías que mi madre en su día tuvo la mayor colección del mundo sobre Louise Brooks? —Se interrumpió para dedicar a Cora una sonrisa tan amplia como postiza—. Muchos me escribían para decirme que eran mis mayores admiradores, pero yo sabía que mi mayor admiradora estaba aquí en Wichita. Mi madre guardaba todas las cartas que le enviaba, todas las revistas en que aparecía, todos los carteles de las películas en que actuaba. Pero eso fue en 1927. —Arrugó la frente, bajando las cejas negras—. Es una admiradora para los buenos tiempos, por lo que se ve. Cuando llegué a casa, metió todas las cartas y fotografías en dos cajas de cartón y me preguntó: «Louise, ¿quieres esto, o lo tiro?».

—Lo siento —dijo Cora.

Louise se encogió de hombros.

—¿Qué tal está tu padre? —Era la única pregunta con un mínimo de esperanza que se le ocurrió a Cora.

—Mmm... —Louise ladeó la cabeza—. Pues no sé muy bien si se ha enterado de que estoy aquí arriba. Pero es un hombre muy ocupado, y solo hace dos años que llegué.

—Entonces ¿por qué te quedas aquí? —preguntó Cora con discreción, sin ánimo de importunar. La verdad era que no lo entendía. A Louise le traía sin cuidado su madre, y a Myra, ahora que Louise prometía ya muy poco, parecía traerle sin cuidado su hija. Y Leonard Brooks tampoco era la razón.

—Porque estoy en la ruina. —Lo dejó caer como si la idea fuera graciosísima—. Ve y cuéntaselo a las chismosas de tus amigas. Que corra la voz. Estoy a dos velas. ¡No tengo nada! Cuando me fui de California, creía que estaba en la ruina. —Miró el techo inclinado de la habitación—. Pero entonces, aunque estaba en las últimas, algo me quedaba. Ahora no tengo ni eso.

—¿Cómo es posible? —Cora se inclinó al frente, desplazando las rodillas a un lado—. ¿No recibes una pensión?

—No la pedí. En mis dos matrimonios lo único que quería era largarme. Y pensaba que seguiría ganando dinero. —Alzó las manos con las palmas abiertas—. Podría haber sido una prostituta extraordinaria. Pero nunca pensé a largo plazo.

Cora torció el gesto.

—¿Por qué dejaste el cine?

No contestó de inmediato. Miró a Cora con cautela. Parecía un gato callejero debatiéndose entre acercarse o salir corriendo. Finalmente, con la vista fija aún en los ojos de Cora, hizo un gesto de indiferencia.

—Hollywood me asqueaba. Allí ni siquiera leen. Solo miran. —Unas líneas verticales se marcaron profundamente entre sus ojos—. Únicamente saben lo que ven, y te ven y piensan que ya te conocen, y entonces tú también piensas que te conocen. Lo exterior se impone a lo interior. Eso no es bueno.

Cora asintió como si lo entendiera. Pero esa versión no se correspondía con lo que sabía. No era que Louise hubiese abandonado Hollywood en su máximo apogeo, con la dignidad intacta. Se había ido con desesperación, rebajándose a hacer una película del Oeste absurda tras otra. Cora había oído contar que intervino en una última película, pero luego eliminaron todas las escenas en las que salía ella. Quizá, en su cabeza, ella se había alejado de todo aquello, pero parecía más probable que la hubieran echado. ¿Por qué? Myra había afirmado que era incapaz de congeniar con las personas. Que lo estropeaba todo. Puede que ya por entonces bebiera, pero quizá el alcohol no tenía nada que ver con su caída. Tal vez había caído y empezó a beber como consecuencia de ello. Resultaba difícil saber qué la había llevado exactamente de regreso a esa habitación pequeña y triste. Quizá toda la rabia y el dolor se remontaban a Cherryvale y el señor Flowers. Pero también era muy posible que esa tristeza actual la hubiese sembrado ya antes su propia madre, una mujer desdichada. Cora nunca lo sabría. Existía la posibilidad de que ni Myra ni el señor Flowers hubiesen afectado a Louise de manera significativa. Quizá incluso antes de ellos, incluso sin ellos, estaba destinada a ser lo que sería, impulsada por el anhelo y la furia que formaban parte de ella tanto como su hermoso rostro.

Cora miró la pila de libros junto a la cama. Uno no tenía rótulo en el lomo. Otro era de Nietzsche. El de abajo era de Schopenhauer, uno que Cora no había leído. Por primera vez se preguntó qué habría sido de Louise en caso de haber tenido una cara un poco distinta: una nariz imperfecta, unos ojos más pequeños y asimétricos, un mentón prominente. Tal vez hubiera acabado siendo una bibliotecaria solterona, o una estudiosa, felizmente rodeada de libros.

—¿Y por qué aquí, Louise? ¿Por qué venir aquí precisamente? Podrías estar en la ruina en cualquier sitio.

Louise la miró con semblante inexpresivo. Cora se inclinó.

—Tú no sientes ningún apego por esta casa. Ni por esta ciudad. Ni ahora ni nunca. ¿Por qué has vuelto? ¿Qué pasa? ¿Eres como una paloma mensajera de regreso a su sufrimiento?

Louise desvió la mirada por un momento; luego la posó otra vez en Cora. Parecía sorprendida y molesta a la vez.

—Esta es mi casa. Este es mi sitio.

—¡Y un cuerno! —Cora dio una palmada contra el lado del colchón, realmente colérica, pero su gesto arrancó a Louise una de sus habituales sonrisas desdeñosas. Cora supuso que debería haber dicho «y una mierda» o algo que sonara fuerte, pero seguía detestando el lenguaje soez. Louise podía sonreír cuanto quisiera. Sabía a qué se refería Cora—. Este no es tu sitio si no eres feliz aquí —prosiguió—. Tu madre te vuelve odiosa, y tú la vuelves odiosa a ella. Da igual que sea tu madre. Eso es un azar de nacimiento. No tiene por qué significar gran cosa. —Miró la alfombra, los intrincados dibujos y volutas—. Tu sitio está donde tienes más posibilidades de ser feliz, Louise. ¿No te gusta Hollywood? Bien. No vuelvas allá. Pero no te quedes aquí. Ve a cualquier otra parte, aunque ella esté muriéndose. Ve a donde creas que tienes más posibilidades de ser feliz. Toma el tren y vete.

Cora apartó la vista, un poco sin aliento. Estaba indignada. Deseaba levantarse y sacudir a Louise por los hombros. Pero ya había hecho todo lo que podía. Se había sentido igual de inútil muchas veces en su labor en la Casa de la Bondad. Por más que rogara, no podía meterse en la cabeza de otra persona y dirigirla. La gente hacía lo que quería.

—Me siento vieja —susurró Louise—. Estoy consumida. Ya no soy la que era.

—¿Cómo? —Cora la miró con incredulidad—. Louise, ¿cuántos años tienes?

—Treinta y seis.

Cora procuró no reírse. Le parecía muy joven, increíblemente joven. Pero de hecho ella tenía exactamente treinta y seis años el verano que fueron a Nueva York, ¿y acaso no se sentía vieja antes de marcharse, casi quebrantada, casi sin esperanza? No imaginaba cuántas experiencias vitales le depararía el futuro: Joseph, Greta, sus nietos, su nuevo amor por Alan, por Raymond. Las manos que había sostenido en la Casa de la Bondad.

—No estás consumida, Louise. Te conozco. Te recuerdo. Estoy segura de que aún queda mucho en ti.

Louise la miró con expresión mortecina. Podía estar pensando cualquier cosa. Abajo, Zana se rio, y se oyó el golpe de la puerta mosquitera al cerrarse. Louise consultó su reloj.

Cora se agarró a los barrotes del pie de la cama y, tirando, se levantó. Un acuerdo era un acuerdo, y se le habían acabado los argumentos. Pero antes de irse, movida por un impulso descontrolado, se inclinó y besó a Louise en la coronilla, tal como hacía con los chicos, y con Greta, cuando les daba las buenas noches.

Se resignó a no saber qué efecto había tenido en Louise su visita, si es que lo había tenido. Sabía que podía empezar a leer el periódico cada mañana en busca del nombre de Louise en la lista de detenciones. Así al menos sabría que lo había intentado y había fracasado. Pero le dolería en el alma ver allí el nombre de Louise, y decidió que era mejor no mirar.

Lamentó no ser igual de disciplinada en lo que atañía a las noticias sobre la guerra. Esa primavera, todas las mañanas recorría todas las páginas en pos de noticias del frente del Pacífico y luego de cualquier mención de un hospital o un equipo médico. Solo sabía que Earle estaba a bordo de un barco en alguna parte; en sus dos cartas se mostraba intencionadamente impreciso, en consonancia con las exigencias de los censores. Cuando aparecía información sobre alguna batalla y las bajas, Cora esperaba, pues, con callado terror. Sabía que si llegaban malas noticias, primero las recibiría Beth, de manera que se le encogía el estómago cada vez que sonaba el teléfono. Comprobaba el correo con obsesiva expectación, pese a que las cartas de Earle tardaban semanas en llegar a Wichita y no existía garantía alguna de que estuviese bien. Se preguntaba si su intuición de madre de algún modo se lo revelaría, en el mismo instante, si él sufría algún daño. Había leído historias de personas que habían intuido el fallecimiento de sus seres queridos mucho antes de recibir la noticia.

Una parte de ella creyó que sentiría la muerte de Mary O'Dell en Massachusetts. Cora, como hija natural suya, percibiría de algún modo que ella se iba y tendría su propio momento privado de dolor, lejos de sus hermanastros en Haverhill. Pero Cora nunca percibió un momento así. O Mary O'Dell gozaba de una larga vida, o no existía ninguna conexión especial entre ellas.

Un caluroso sábado de junio, cuando aparcaba delante de la casa, después de pasar toda la mañana en la Casa de la Bondad, Joseph ya estaba revisando el correo. Ella atravesó el jardín corriendo tanto como pudo, pero él negó con la cabeza.

—Nada de él. Lo siento. —La miró con compasión, pero eso fue todo. Cualquiera podía estar viéndolos, y si bien un hermano podía abrazar a una hermana preocupada, estaban tan acostumbrados a la cautela que no se arriesgaban—. Pero tienes esto

–dijo, y le entregó una postal. Era una naturaleza muerta en blanco y negro, un lirio sombreado en un jarrón. Al dorso aparecía la dirección de Cora en una mitad y la palabra «Gracias» en la otra. Cora habría reconocido la letra, idéntica después de tantos años, aunque abajo no constaran las iniciales «L. B.».

El matasellos era de Nueva York, con fecha de unos días atrás.

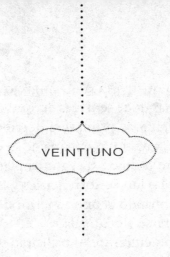

VEINTIUNO

Earle no murió en la guerra. Su barco entró en combate tres veces, pero solo se lo contó a Cora y Alan después del conflicto, ya de regreso en Saint Louis, tras reanudar su vida al lado de su mujer y sus hijos y los turnos en el hospital. Era imposible saber si también habría sobrevivido en Europa. Para Cora era de por sí un alivio el hecho de que hubiera vuelto a casa sano y salvo. Y luego Greta tuvo otro hijo, una niña a la que puso el nombre de su madre, y se pasaba a verlos con Donna y la pequeña Andrea casi todas las semanas. Cora era consciente de su buena fortuna, de todo el dolor del que se había librado. No todas las madres habían sido tan afortunadas, y aún intentaba asimilar las noticias que llegaban sobre el sufrimiento en los campos de concentración así como en Dresde, Hiroshima y Nagasaki. La asustaba pensar en qué medida la tranquilidad y la felicidad de su vida se debía al azar. Earle podría haber muerto, naturalmente; pero más aún, ella podría haber nacido en cualquier parte del mundo, y sido hija de cualquiera, y acabado sufriendo ella y sus seres queridos de maneras que, cuando escuchaba las noticias internacionales, apenas era capaz de concebir. Esta idea le pareció una revelación, algo que le había llevado años comprender realmente. Pero no era muy distinta de como se había sentido de niña, dando gracias por los Kaufmann, pero angustiada por saber con qué facilidad el tren podría haberla dejado con otra gente. Entonces todo habría sido distinto.

Tuvieron algún que otro problema menor. En el invierno de 1946, Joseph resbaló en un trozo de hielo y se fracturó la muñeca derecha. El yeso convirtió su mano en una garra gigantesca e inmóvil, de modo que parecía el cangrejo irascible en que se convirtió durante las doce semanas en que no pudo trabajar. Y una violenta tormenta de primavera derribó uno de los plátanos del vecino, que cayó justo encima de su casa. Pero los daños se produjeron sobre todo en la segunda planta, y nadie resultó herido. Pese a que las lluvias torrenciales y alguna ardilla oportunista estaban arruinando el piso superior de la casa, Cora sabía que podía considerarse afortunada.

Y de pronto Alan enfermó. Al principio solo estaba más cansado que de costumbre, e iba al bufete únicamente por las mañanas. Luego empezó a quedarse dormido incluso antes de la hora de la cena, y aunque Cora le reservaba un plato, él se limitaba a picotear. Ella le dijo que estaba preocupada, pero él le aseguró que se encontraba bien, y únicamente necesitaba descansar. Fue Raymond quien lo obligó a ir al médico. Tuvieron una espantosa discusión por eso, que Cora oyó desde su habitación. El hecho de que Alan opusiera tanta resistencia era en sí mismo motivo de preocupación. Más adelante, tanto Cora como Raymond comprendieron que él debía de haber adivinado que estaba muy enfermo. Era cáncer de páncreas, ya avanzado. No había tiempo para el asombro, para la incredulidad. El médico dijo que le quedaban dos meses, y advirtió que no sería un tiempo agradable.

En cuestión de semanas ya no podía subir la escalera. Cora le llevaba la comida a su habitación, sopa, para que pudiera ingerirla. También le subía la comida a Raymond. Este se había jubilado el año anterior, así que tenía todo el día libre, y se instaló en la butaca tapizada verde junto a la cama de Alan, leyendo en alto con su voz todavía imperiosa siempre que a Alan le apetecía escucharlo. Le administraba la morfina, y ayudaba a Alan a ir al cuarto de baño al final del pasillo. Raymond contaba setenta años, solo uno menos que Alan, pero conservaba aún sus hombros anchos y fuerza suficiente para meterlo fácilmente en la bañera.

Durante la enfermedad de Alan, Greta estaba embarazada de su tercer hijo. Pero pasaba por allí todas las tardes a las dos, cuando Donna estaba en el jardín de infancia y se podía contar con que Andrea se quedara callada y dormida en su cochecito. Si Greta pensó algo acerca de la continua presencia de Raymond, no dijo nada. Quizá comprendiera, o quizá no, que él estuviera allí de la mañana a la noche, todos los días. En cualquier caso, Raymond aún se marchaba a las diez. Incluso entonces debían pensar en los vecinos, en lo que podían y no podían explicar. Pero Joseph estaba en casa por la noche, y podía ocuparse de ayudar a moverse a Alan hasta que Raymond regresara por la mañana.

Alan no siempre conservaba la lucidez. El médico dijo que se debía a la morfina. Más de una vez confundió a Cora con su abuela, y le preguntaba si se había portado bien y si podía irse en trineo con Harriet; al cabo de una hora volvía a llamarla Cora. Le dijo que la quería más de lo que jamás había previsto. Le dijo cuánto lo lamentaba. Ella no supo si se disculpaba por su enfermedad o por abandonarla ahora, o si se sentía aún culpable por casarse con ella, por sus años de infelicidad.

—No importa —decía ella—. No te preocupes. Por favor, no te preocupes.

—No se lo digas a los chicos —susurró una vez, mirándola con tal intensidad que ella supo que no deliraba. La saliva se le adhería a los labios pálidos hasta que ella se los limpió—. Prométemelo, Cora. Prométemelo. No se lo digas nunca a los chicos.

—Te lo prometo —respondió ella, aferrándole la mano—. Lo comprendo.

Cuando era evidente que se acercaba el final, Howard y Earle volvieron a casa. Sacaron un colchón de la antigua habitación de Howard y lo llevaron a la habitación de su padre, y por turnos durmieron a los pies de su cama por si despertaba en plena noche. Uno de ellos estaba siempre con él, sentado en la butaca de Raymond. Este había desaparecido el día que Howard y Earle llegaron. Podría haberse permitido unas cuantas visitas, ya que ellos sabían que era el más antiguo amigo de su padre. Pero si hubiesen seguido viéndolo velar junto al lecho se habrían extrañado, y Cora adivinó que el propio Alan también había expresado sus deseos a Raymond. Seguramente se habían despedido ya en el último día posible.

Cora estaba preocupada por Raymond. En el funeral, todo el mundo se mostró amable con ella, solícito, y la gente la abrazaba y le decía lo mucho que lo sentía. Ella agradeció sus condolencias, y escuchó con anhelo todo lo bueno que decían sobre Alan. Pero durante ese tiempo, pese al dolor que le oprimía el pecho, era consciente de la presencia de Raymond, solo y apartado de los demás. Joseph se acercó e intentó hablar discretamente con él, pero Raymond movió la cabeza en un gesto de negación y se dio la vuelta. Quizá sabía hasta dónde era capaz de soportar. Cuando se marchó, lo hizo solo.

Cora siguió invitándolo a cenar. Las primeras veces él rehusó el ofrecimiento, pero al cabo de un tiempo empezó a aceptar. Cora no sabía lo difícil que era para él estar sentado a la mesa con ella y Joseph y la silla vacía, pero continuó yendo, y desde luego no iba por la comida. Cora supuso que era importante para él disfrutar algún rato de la compañía de las dos únicas personas en el mundo que conocían e identificaban su dolor. Había pasado cincuenta años con Alan, incluidos aquellos en que habían intentado dejarlo. Ahora parecía agradecer la presencia de Cora y Joseph en aquella mesa, donde cualquiera de ellos podía señalar la silla vacía de Alan y decir «él» o «su» y los otros dos lo comprenderían.

—No tengo muchos menos años de los que tenía Alan —le dijo Joseph a Cora una noche. Estaban los dos solos lavando los platos. Raymond, especialmente callado esa noche, se había marchado justo después de la cena.

Cora le tendió una fuente para que la secara.

—Tienes doce años menos —dijo—. Y yo tengo la misma edad que tú.

Joseph deslizó el paño por el borde de la fuente. Al observar su rostro, Cora comprendió que no era simplemente un comentario morboso. Joseph estaba pensando en algo. Cora esperó. Ahora Joseph llevaba unas gafas de lentes más gruesas, y la veta dorada del ojo derecho parecía más ancha y brillante.

—No sé si deberíamos decírselo a Greta —dijo él—. Puedo morirme. Los dos podemos morirnos. Y ella nunca lo sabrá.

Cora arrugó la frente. Hacía años que no mantenían esa conversación. Ella había tomado la decisión mucho tiempo atrás, y creía que él también lo había hecho. Se miró las manos, esas manos que tan bien conocía, arrugadas por la edad en el agua jabonosa. ¿Cómo era aquella frase de Schopenhauer? «Los últimos años de la vida se parecen a un baile de máscaras en que se dejan caer las caretas.» Pero quizá ellos no estaban en los últimos años de su vida, y sus caretas, por lo que ellos sabían, no hacían daño a nadie.

El paño rechinó contra la fuente.

—¿Sabes qué me dijo Greta el otro día? Dijo que en cada embarazo se preguntaba si tendría gemelos. Porque es cosa de familia. Cora, cree que eres su tía.

Eso no era ninguna novedad.

—No es buen momento —respondió ella, y le entregó otra fuente—. Está a punto de dar a luz, y nosotros acabamos de perder a Alan. No le conviene sobresaltarse. —Cora notaba que él la observaba, a la espera.

Joseph cerró el grifo, no iracundo, sino simplemente deseando captar su atención.

—Crees que no deberíamos decírselo —dijo—. Ni ahora, ni nunca.

Cora se secó las manos en el delantal. No debía tener miedo. Dijera lo que dijera ella, él no la juzgaría. Era el que siempre había sido. Recibiría la información de Cora como si ella fuese un piloto ofreciéndole una sugerencia para uno de sus motores o sus alas. Él era una persona considerada, atenta, que tomaba sus decisiones reflexivamente. Ella aún lo amaba.

—No es verdad —replicó Cora—. Si crees que debemos hacerlo, te escucharé. Oiré lo que tengas que decir. Pero no, personalmente, creo que no debemos decírselo. Nunca. No sé qué utilidad tendría, y por otro lado podría causar mucho daño. A ella. A Raymond. ¿Y si se lo cuenta a su marido? ¿Y si se lo cuenta a alguien?

—Pero es la verdad.

Cora se encogió de hombros. En otro tiempo ella concedía importancia a la verdad. Había realizado el largo viaje a Nueva

355

York en busca de la verdad, de lo que, según creía, necesitaba saber. ¿Y qué había encontrado? A Mary O'Dell. Ya entonces, en su dolor y confusión, Cora sabía de sobra que no debía presentarse en Haverhill y destrozarle la vida a aquella mujer. Y ahora no deseaba destrozársela a Greta, no por algo tan intrascendente como un lazo de parentesco.

—Me lo pensaré —dijo Joseph, y abrió otra vez el grifo.

Ella asintió. Había dicho lo que tenía que decir.

La tía Cora, que quería a su sobrina.

En el invierno de 1953, Cora recibió una noticia muy triste sobre Louise. En un acto de recaudación de fondos coincidió con alguien que tenía un sobrino instalado en Nueva York, y dicho sobrino contó que había visto a Louise Brooks, la antigua estrella del cine mudo, en un bar de la Tercera Avenida, sola y borracha, mascullando, en plena tarde. Cora sabía que la historia había pasado al menos por dos mensajeros, e ignoraba qué detalles podían ser mera invención o cuáles puro embellecimiento. Al parecer, el sobrino —que recordaba haber visto a la hermosa Louise Brooks en el cine de niño— casi no la reconoció, ya que se había dejado crecer el pelo hasta la cintura, y lo tenía apelmazado y surcado de mechones grises. También había prescindido del flequillo. El sobrino en cuestión informó de que Louise casi se caía del taburete, y cuando se acercó a ella y, muy educadamente, le preguntó si era quien él creía, ella reaccionó con hostilidad y, a gritos, le ordenó que la dejara en paz.

Cora no sabía si algo de eso era verdad, pero comprendió que bien podía serlo. No existía ninguna razón para esperar que el solo hecho de estar en Nueva York, ciudad que Louise adoraba, pudiera salvarla totalmente, que pudiera rescatarla de lo que fuera que la había empujado a adorar la ginebra. En cuanto al peinado, Cora supuso que ese abandono era intencionado. Si Louise de verdad quería que la dejaran en paz, ¿qué mejor para distanciarse de su fama que dejarse el pelo largo, sin flequillo, y no teñirse las canas? No parecía casualidad que se hubiera pasado al otro extremo.

Aun así, Cora confiaba en que la historia estuviese adornada, incluso en que fuese totalmente falsa. Louise debía de rondar los cuarenta y cinco años, y si era verdad que se pasaba las tardes cayéndose de los taburetes en los bares, quizá ese fuera el final de su historia. Cora se preguntó si podría haber dicho algo más aquel día en la penumbra de su habitación de North Topeka Street, algo que no solo hubiera servido a Louise para abandonar aquella casa. Pero lo dudaba. Incluso entonces Louise había entrado en una inercia, tal como aquel otro verano en Nueva York. Daba igual si su rumbo era ascendente o descendente. En realidad resultaba asombroso que Cora, ni aun con tanto esfuerzo e insistencia, hubiese alterado en absoluto su camino.

Pero, como se vio, la historia de Louise no había acabado aún ni mucho menos. La siguiente noticia que Cora tuvo de ella fue por mediación de una fuente inesperada: Walter, el hijo mayor de Howard. Cora no conocía a Walter tan bien como le habría gustado. Sus hermanas y él se habían criado en Houston, y aunque Howard los llevaba a Wichita por vacaciones cuando podía, empezó a costarle más cuando ellos llegaron a la adolescencia, y Cora tenía la sensación de no haberlos conocido como conocía a los hijos de Greta. Cuando Walter tenía poco más de veinte años se convirtió en Walt, y Cora supo que era un gran estudioso y le interesaba el cine, y que se dedicaba a algo con mucha convicción en París, aunque a cargo de su padre. Pero normalmente solo sabía de Walt cuando este le escribía parcas notas de agradecimiento después de hacer efectivos los cheques que ella le mandaba por su cumpleaños y por Navidad. Así pues, se sorprendió mucho cuando, a finales de 1958, recibió toda una carta de él, enviada desde Francia por correo aéreo.

Querida abuela:
Papá me dijo que tú conocías a Louise Brooks mejor que nadie en la familia, y pensé que quizá te interesaría saber que la he visto aquí en París. Aquí es todavía muy admirada, y la Cinématheque Française organizó una retrospectiva de su filmografía. De

hecho hablé con ella en una de las fiestas y le pregunté si te recordaba, pero la verdad es que estaba demasiado achispada como para mantener una auténtica conversación. He oído que fue una invitada de honor de cuidado. Por lo visto, pedía algo al servicio de habitaciones, lo ponía a cuenta de la CF, y luego tiraba casi toda la comida por la ventana del hotel. Algunos de sus admiradores recogían lo que tiraba, supongo que para poder tener un trozo del *coq au vin* de Louise Brooks salvado para la posteridad. De modo que está un poco ida, pero debo admitir que es una escritora de primera talla. Ha publicado artículos en *Objectif* y *Sight and Sound,* ambos excelentes. Pero debe su fama sobre todo a lo que fue en su día. En todo caso, pensé que quizá te gustaría saberlo. Cuando vuelva a Estados Unidos, quizá pueda viajar a Wichita para que me cuentes alguna anécdota. Hoy por hoy, cuando le digo a la gente que mi abuela de Kansas fue la acompañante de Louise Brooks, nadie me cree. Espero que tú y el tío Joseph estéis bien.

Con cariño,
Walt

Cora se alegró de percibir aquello como un reproche. En tanto que ella imaginaba a Louise cayéndose del taburete en un bar hasta morir en soledad, la verdadera Louise en realidad era aclamada en París. Desde luego, la vida podía ser muy larga. Era obvio que Louise aún bebía, y ahora tiraba pollos por las ventanas, pero ¿qué era eso de los artículos en publicaciones de cine? O estaba sobria parte del tiempo, o era capaz de escribir muy bien borracha.

Ni siquiera ya cumplidos los setenta y cinco años se sentía Cora vieja y frágil. Siguió yendo en coche a los actos de recaudación de fondos y las reuniones en la Casa de la Bondad. La continua buena salud de Joseph no parecía sorprendente, ya que aparte de aquel terrible resbalón en el hielo, apenas si había tenido un resfriado. Pero nunca se había considerado a sí misma una persona especialmente saludable, y cuando empezó a ver cuánta gente aparecía en las necrológicas con fechas de nacimiento más recientes que la suya, tomó conciencia de la posibilidad de estar acercándose a su propio final. Pero un año tras otro eludía la enfermedad, y conservaba un buen apetito, y si bien la aterrorizaba caerse y romperse la cadera, ya que al parecer era eso lo que les ocurría a las ancianas a quienes conocía, a ella no le pasó. Pese a sus temores y resignación, cada mañana al levantarse seguía sintiéndose, más o menos, la de siempre.

Su médico, que a juzgar por su aspecto debía de haber nacido aproximadamente cuando ella cumplió los cincuenta, le preguntó si sus ascendientes eran longevos.

—¿Vivieron su madre o su padre mucho tiempo? Aún tiene usted una salud excelente.

—No lo sé —contestó Cora—. Me adoptaron.

—Mmm... —Estaba escribiendo en su ficha—. Bueno, quienesquiera que fuesen, le dejaron unos buenos genes. Está usted como un reloj.

Tenía setenta y nueve años cuando el senador Frank Hodge presentó un proyecto de ley en el Senado de Kansas que obligaría al Departamento de Sanidad a facilitar información sobre anticonceptivos a petición de cualquier residente de Kansas. Hodge no era santo de la devoción de Cora, ya que había dejado claro que le interesaba más reducir el número de niños que recibían asistencia social que salvaguardar la salud y la dignidad de las mujeres, pero fuera cual fuese su motivación, Cora pensó que esa ley era buena e hizo campaña en su apoyo, económicamente y en todos los sentidos. Se ofreció a dar testimonio del alcance del dolor que había presenciado en la Casa de la Bondad y del creciente y perjudicial uso del Lysol a modo de profiláctico. No obstante, nadie le pidió nunca su testimonio. Al principio pensó que quizá no era el mejor rostro para la campaña, como viuda de cabello blanco con recursos propios. Al final resultó que, durante las sesiones, ninguna mujer presentó testimonio.

Hizo lo que pudo. Se reunió con representantes que habían conocido a Alan, escribió cartas, y pidió a antiguas amistades que hicieran lo mismo. Muchas se negaron en redondo, incluidas mujeres más jóvenes que ella. Corría el año 1965, y el control de la natalidad aún era una causa radical. Un portavoz del obispo católico de Kansas declaró a la prensa que la ley era en esencia «adulterio con financiación pública, promiscuidad con financiación pública y enfermedades venéreas con financiación pública». Raymond le advirtió a Cora que quizá estuviera malgastando sus esfuerzos, ya que era poco probable que el anteproyecto se aprobara. El *Wichita Eagle* prestó apoyo, pero el *Advance Register* amenazó con publicar el nombre de todos los senadores que votaran a favor, advirtiendo que más de una carrera se vería arruinada. Al final la ley se aprobó, aunque sin la firma del gobernador, y solo cuando los partidarios accedieron a cambiar el texto de la ley para incluir únicamente a los ciudadanos casados. Los solteros de Kansas tendrían que esperar otro año a que una ley federal impusiera a los departamentos sanitarios la obligación de proporcionar información sobre el control de la natalidad a todos los adultos, casados o no.

Raymond le compró un pastel —el preferido de Cora, blanco con baño de limón—, entregándoselo con su enhorabuena y su disculpa: dijo que no había sido su intención desanimarla; estaba convencido de que la ley no se aprobaría. Greta y su marido fueron a la casa a celebrarlo. Joseph sacó champán, y Cora fue objeto de un brindis. Estaba abochornada, y un poco cansada, pero hizo cuanto pudo para embeberse de aquella buena voluntad.

—Qué agradable es tener pastel y una fiesta sin necesidad de cumplir años —consiguió decir, pensando en lo satisfactorio que era ver las caras de sus seres queridos alrededor, sonriendo por su comentario jocoso.

Más tarde esa noche, cuando estaban en el baño cepillándose los dientes, ellos dos solos en la casa, Joseph le dio un suave codazo en el brazo.

—Bien, ahora ya puedes tomarte un descanso —sugirió—. Puedes retirarte.

Ella puso los ojos en blanco.

—Mira quién fue a hablar —dijo entre dientes, y se inclinó para escupir. Joseph se había jubilado en Boeing hacía ya unos años, pero se pasaba gran parte del tiempo yendo de aquí para allá reparando los coches de los demás. La gente iba continuamente a su casa o le dejaba alguna nota diciendo que, según sabía, él era capaz de echar una mano.

—Soy como tú —afirmó ella—. Me gusta estar ocupada.

Él ladeó la cabeza, observándola en el espejo.

—Es más que eso. Tú no te dedicas a tus labores.

Ella guardó silencio. Pensó en el cementerio de McPherson, la llovizna que caía la última vez que fue allí para arrancar las malas hierbas y poner flores a los Kaufmann. La granja ya había desaparecido, y la finca se había dividido en pequeñas parcelas para construir casitas con garaje incorporado. Los hijos de los Kaufmann debían de haberla vendido.

—Tienes razón. —Dejó el cepillo de dientes en el soporte—. Supongo que quiero hacer el bien en el mundo.

—Y eso haces. —Él la miró en el espejo, sin pestañear, hasta que ella lo comprendió.

Quizá él lo supo. Quizá no. Pero le hizo ese obsequio antes de morir. Un mes más tarde, él estaba delante de la casa, mirando el motor de alguien, cuando un vaso sanguíneo reventó en su cerebro. Era mediodía en la tranquila calle, y nadie lo vio caer. Cora estaba dentro, echando una siesta. El hijo del vecino, un niño de unos siete años, lo vio en la acera, ya azul, y corrió a casa llamando a voces a su joven madre, quien a su vez también gritaba cuando llamó a la puerta delantera y sacó a Cora de sus sueños.

En el funeral, la gente también fue amable con ella. Era duro perder a un hermano, dijeron, incluso a uno con el que no se había criado, a quien había conocido ya en la vida adulta. La familia era la familia, y lamentaban su pérdida. Pero qué asombroso era que se hubiesen encontrado, comentó la gente, y Cora supo que intentaban hacer comentarios agradables porque ella aparentaba lo que sentía: miedo, dolor. Pero sí, dijo, era asombroso que se hubiesen encontrado. Una suerte extraordinaria, aunque hubiese sido tan tarde en la vida, y agradecía los años que habían pasado juntos. Greta la agarró de la mano, y Howard y Earle salieron ambos a hablar elogiosamente de su tío.

Pero fue a Raymond a quien se aferró durante más tiempo, extendiendo los brazos por encima de su andador, apoyando el rostro en su hombro encorvado y sintiendo la suavidad de la solapa oscura en la mejilla. Cerró los ojos como una niña escondida a la vista de todos. Solo ellos conocían su mutuo secreto.

Más adelante Cora, cuando se convirtió en una especie de prodigio para la gente, una mujer de ochenta y cinco años, luego de noventa, aún de mente lúcida y andar firme, que seguía levantándose por la mañana y preparándose el café, que leía el periódico a diario, intentaba explicar que esa buena fortuna genética suya, esa salud inquebrantable, tenía su lado negativo. El problema, explicaba a veces, era que había sobrevivido a muchos seres queridos. A los noventa y tres la salud le permitió aún volar con Greta a Houston para el funeral de Howard, tender la mano firme y acariciar la mejilla suave del nieto de Howard, bisnieto suyo. Howard murió a los setenta y seis años, un anciano con una vida afortunada. Por el panegírico, fue evidente que para el pastor su muerte era un hecho triste pero no trágico. Y sin embargo Cora consideró injusto, fuera del orden natural, vivir para ver el ataúd de su hijo, antes tan gracioso y vital, allí de pie junto a Earle, el hijo canoso que le quedaba, temiendo sobrevivirlo también a él.

Pero habitar el mundo durante tanto tiempo tenía grandes recompensas. También era consciente de eso. Recordaba haber ido en el carromato de los Kaufmann, tirado por un caballo al trote, y por otro lado había visto la parte superior de las nubes desde la ventanilla de un avión. Ninguna generación anterior a la suya había visto la tierra desde tan arriba. Había vivido muchos años sin agua corriente en casa, sin sentir que eso fuera una gran privación, y unos noventa años después le permitió a Greta que la ayudara a meterse en un jacuzzi en un hotel de Houston. Llegó a votar al nieto de Della cuando se presentó al Senado por el estado. Y aunque sobreviviría a Raymond, y también esa pérdida sería un duro golpe, este vivía aún en 1970, y los dos veían juntos las noticias cuando se informó de las primeras manifestaciones por el orgullo gay en Nueva York y Los Ángeles; cuando se interrumpió el noticiario para dar paso a los anuncios, los dos se miraron con incredulidad mientras sus cenas se enfriaban ante el televisor.

Y podía estar con las personas a quienes había amado durante tanto tiempo. Cora recordaba a Greta de niña escondida bajo una mesa, y la recordaba como joven madre, y ahora la propia Greta tenía dos nietos. La pequeña Donna, a quien Earle había mecido en sus rodillas, se convirtió en la adolescente que les decía a sus padres y a su tía abuela Cora que no dijeran «gente de color» y que una vez se levantó en la iglesia para pedir, con voz trémula, en un lugar lleno de presbiterianos blancos, que apoyaran la sentada en Dockum Drugs.* El hijo menor de Greta, Alan, que de mayor fue tan apuesto como su tocayo, acabó siendo profesor de ciencias en Derby y él mismo tuvo dos hijos.

Y para sorpresa de Cora, un día de 1982, Walt, el hijo de Howard, visitó en efecto Wichita para hablar con Cora sobre el verano que pasó en Nueva York como acompañante de Louise Brooks. Para entonces, Walt pasaba ya de los cincuenta, un corpulento profesor de estudios cinematográficos en la universidad, y Cora vivía en la residencia de ancianos no muy lejos de la casa nueva de Greta. Walt llegó con una cajita que llamó «vídeo» y la enchufó en el televisor de la habitación de Cora, explicándole que llevaba unas cuantas películas de Louise Brooks: las tenía allí mismo, en su bolsa. Podían ver una si a ella le apetecía. Sí, dijo él, allí mismo, en el televisor. Y si se cansaba, sencillamente podía pulsar un botón, la película se detenía y luego podía seguir viéndola cuando le apeteciese. Sí, coincidió él, sí. Realmente es un aparatito magnífico.

Walt quería hablar con ella de Louise. Estaba escribiendo un libro sobre la Edad de Oro de Hollywood, explicó, y todo aquello que recordara de Louise Brooks, cualquier anécdota, le serviría. Cora le contó todo lo que pudo, eludiendo lo que había

---

* La sentada en el Dockum Drug Store de Wichita, en julio de 1958, fue uno de los primeros actos de protesta pacífica contra la segregación racial en Estados Unidos. (N. de los T.)

prometido no contar a nadie. No dijo nada del señor Flowers, ni de cómo había encontrado a Louise en 1942, ebria y arruinada y furiosa con su madre en su habitación del desván. Cora no la traicionaría, ni siquiera ahora. Pero resultó que Walt sabía ya lo del señor Flowers y Edward Vincent y el patético regreso de Louise a su casa durante la guerra. Lo sabía todo. Había leído sus memorias, dijo.

Se disculpó al advertir la estupefacción de Cora. Lo siento, dijo. ¿No sabías que Louise Brooks acaba de publicar un libro? Sí, dijo él. Un libro. El año pasado. *Lulú en Hollywood*. Recibió muchas reseñas, todas buenas. Sí, dijo él, ella aún vivía, en Rochester. Tenía setenta y seis años. Había oído que ya no bebía; aun así, no estaba bien de salud. Enfisema. Pero su libro era excelente. No se trataba de unas simples memorias, sino que era una colección de ensayos, algunos sobre su propia vida, otros sobre la industria cinematográfica y los famosos a quienes había conocido. Había recibido críticas muy favorables de *Esquire* y el *New York Times*. Todo el mundo había quedado impresionado por el texto, la agudeza de las observaciones y el ingenio.

—Te traeré un ejemplar —le dijo a Cora—. Te gustará. Estoy seguro.

Cora le dio las gracias. Ya no podía leer, pero Greta le leía cuando iba de visita, deteniéndose como el asombroso vídeo de Walt cada vez que Cora se adormilaba. Y se alegraba muchísimo de que ese libro existiera, de que Louise, no precisamente derrotada, hubiera vuelto a florecer. ¡Y a los setenta y seis años! Quizá había necesitado todo ese tiempo para descubrir que era algo más que juventud y belleza, algo más que las ambiciones de su madre, algo más que las circunstancias. Su apreciado Schopenhauer quizá tenía razón: en la vejez caían las caretas.

Greta no pudo llegar a leerle el libro de Louise. No mucho después de la visita de su nieto, Cora sufrió una embolia y pasó sus últimos días postrada en la cama, entrando y saliendo de sus recuerdos, el pasado y el presente una sola cosa. No veía más que gris y sombras, pero sabía que Greta y Earle estaban allí con ella, sus hijos, uno a cada lado.

—¿Tía Cora? —dijo Greta—. ¿Me oyes? ¿Cora?

Cora no podía hablar, no podía articular las palabras, pero sí oía, oía su nombre. Y el grave retumbo de un tren. No estaba en su habitación, sino en un hospital, tendida en una cama con sábanas ásperas, y se oían pitidos y voces desconocidas. Y oía el tren cada vez más cerca. Había vías cerca del hospital, quizá, y cada vez que pasaba un tren percibía una ligera vibración, que ni siquiera hacía temblar los cristales de la ventana, pero bastaba para que ella recordara la sensación de estar a bordo, el traqueteo suave y el implacable avance.

—Sí —dijo Cora—. Te oigo.

Una voz femenina desconocida, cordial.

—¿Cómo se llama? —Una mano en su hombro—. ¿Puede decirme cómo se llama?

Lo sabía. Se llamaba Cora, claro. Era todas las Coras que había sido: Cora X, Cora Kaufmann, Cora Carlisle. Era una huérfana en una azotea, una niña afortunada en un tren, una hija muy querida por azar. Era una novia ruborizada a los diecisiete, una esposa triste y estoica, una madre afectuosa, una acompañante amargada y una hija rechazada. Era una amante, culpable de cohabitación deshonesta, una embustera y preciada amiga, una tía y una abuela bondadosa, una defensora de las mujeres perdidas, y una luchadora tardía en favor de la razón por encima del miedo. Incluso en esas últimas horas, callada y meciéndose, llegando y partiendo, sabía quién era.

# Agradecimientos

Estoy en deuda con las personas que me ayudaron a investigar para este libro. Al Jenkins tuvo la amabilidad de contestar a mis preguntas sobre los automóviles de 1922. Tracy Floreani me ayudó con el italiano de la mujer de la farmacia. Eric Cale y Jami Frazier Tracy, del Museo Histórico del Condado de Sedgwick, me ayudaron a imaginar el interior de la Union Station de Wichita. Kathryn Olden, residente en Wichita desde hace mucho tiempo y gran conversadora, se reunió conmigo para hablar de sus recuerdos. Alice Lieberman me puso en contacto con Ann Kuckelman Cobb, que respondió a las preguntas sobre los peligros en el parto a principios del siglo XX.

He aquí algunos de los libros y documentos que he leído mientras escribía esta novela:

*Lulú en Hollywood,* Louise Brooks.
*Louise Brooks: A Biography,* Barry Paris.
*Louise Brooks: Lulu Forever,* Peter Cowie.
*Wichita: The Magic City,* Craig Miner.
*The Damned and the Beautiful: American Youth in the 1920's,* Paula S. Fass.
*1920's Fashions from B. Altman & Company,* Dover Publications.
*Tears on Paper: The History and Life Stories of the Orphan Train Riders,* recopilado por Patricia J. Young y Frances E. Marks.
*Orphan Trains: The Story of Charles Loring Brace and the Children He Saved and Failed,* Stephen O'Connor.
*You Must Remember This: An Oral History of Manhattan from the 1890's to WWII,* Jeff Kisseloff.
*Lost Broadway Theatres,* Nicholas van Hoogstraten; con fotografías adicionales de Jock Pottle y Maggie Hopp.
*Denishawn: The Enduring Influence,* Jane Sherman.
*Etiquette in Society, in Business, in Politics, and at Home,* Emily Post, 1922.
«Unspeakable Jazz Must Go!», John R. McMahon, *The Ladies' Home Journal,* diciembre de 1921.
*New York Times,* artículos desde julio de 1922.
*Darkness and Daylight; or Lights and Shadows of New York Life, a Pictorial Record of Personal Experiences in the Great Metropolis,* Helen Campbell.